POR
LUGARES
INCRÍVEIS

Também de Jennifer Niven:

Juntando os pedaços

JENNIFER NIVEN

POR LUGARES INCRÍVEIS

Tradução

ALESSANDRA ESTECHE

26ª reimpressão

O selo jovem da Companhia das Letras

AVISO DE CONTEÚDO: DEPRESSÃO, IDEAÇÃO SUICIDA, SUICÍDIO

Copyright © 2015 by Jennifer Niven

Tradução publicada mediante acordo com Random House Children's Books, uma divisão da Random House LLC.

O selo Seguinte pertence à Editora Schwarcz S.A.

Grafia atualizada segundo o Acordo Ortográfico da Língua Portuguesa de 1990, que entrou em vigor no Brasil em 2009.

TÍTULO ORIGINAL All the Bright Places
CAPA E MAPA Alceu Chiesorin Nunes
ILUSTRAÇÕES DE CAPA E MIOLO Estúdio Anêmona
PREPARAÇÃO Thais Rimkus
REVISÃO Renato Potenza Rodrigues e Mariana Cruz

Dados Internacionais de Catalogação na Publicação (CIP)
(Câmara Brasileira do Livro, SP, Brasil)

Niven, Jennifer
  Por lugares incríveis / Jennifer Niven ; tradução Alessandra Esteche. — 1ª ed. — São Paulo : Seguinte, 2015.

  Título original: All the Bright Places.
  ISBN 978-85-65765-57-2

  1. Ficção juvenil I. Título.

14-12291   CDD-028.5

Índice para catálogo sistemático:
1. Ficção : Literatura juvenil 028.5

Todos os direitos desta edição reservados à
EDITORA SCHWARCZ S.A.
Rua Bandeira Paulista, 702, cj. 32
04532-002 — São Paulo — SP
Telefone: (11) 3707-3500
www.seguinte.com.br
contato@seguinte.com.br

/editoraseguinte
@editoraseguinte
Editora Seguinte
editoraseguinteoficial

Para minha mãe, Penelope Niven, meu lugar mais incrível

[...] *o mundo quebra a cada um deles
e eles ficam mais fortes nos lugares quebrados.*
Ernest Hemingway

FINCH

ESTOU DESPERTO MAIS UMA VEZ. DIA 6.

Será que hoje é um bom dia para morrer?

Eu me pergunto isso todas as manhãs quando acordo. E durante a terceira aula, quando tento manter os olhos abertos enquanto o sr. Schroeder fala sem parar. À mesa de jantar, ao passar a salada. E à noite, na cama, sem sono porque meu cérebro não desliga.

Hoje é o dia?

E, se não hoje, quando?

Estou me perguntando agora, em pé sobre um murinho estreito a seis andares de altura. É tão alto que praticamente me sinto no céu. Olho para a calçada lá embaixo e o mundo se inclina. Fecho os olhos e sinto tudo girar. Talvez desta vez eu vá em frente, deixe o ar me levar para longe. Será como flutuar em uma piscina, adormecendo até que não exista nada.

Não me lembro de ter subido até aqui. Na verdade, não me lembro de quase nada antes de domingo, pelo menos nada do que aconteceu neste inverno. Acontece comigo direto — apagar, acordar. Sou como aquele velho barbudo, Rip van Winkle. Num instante você me vê, no outro não. Talvez eu já devesse ter me acostumado, mas essa última vez foi a pior de todas, porque não fiquei adormecido por dois ou três dias nem uma ou duas semanas… Apaguei durante as festas de fim de ano *inteiras*, ou seja, Ação de Graças, Natal e Ano-Novo. Não sei dizer o que houve de diferente, mas, quando acordei, me sentia mais morto que o habitual. Acordado, sim; mas completamente vazio, como se alguém tivesse drenado meu sangue. Hoje é o sexto dia desde que despertei, e esta é a minha primeira semana no colégio desde 14 de novembro.

Abro os olhos e o chão ainda está lá, duro e estático. Estou na torre do sino do colégio, em pé sobre a borda que tem mais ou menos dez centímetros de largura. A torre é bem pequena, talvez não tenha nem um metro de piso ao redor do sino, e há esse parapeito baixo, de pedra, que escalei para chegar aqui. De vez em quando bato a perna contra o parapeito só pra lembrar que ele está ali.

Estendo os braços como se estivesse dando um sermão e toda esta cidadezinha chatíssima fosse minha congregação.

— Senhoras e senhores — grito —, gostaria de apresentar-lhes a minha morte!

Talvez o esperado fosse dizer "vida", já que acabei de despertar, mas é exatamente quando estou desperto que penso em morrer.

Grito como um velho pregador, sacudindo a cabeça e enrolando o final das palavras, e quase perco o equilíbrio. Me seguro no parapeito atrás de mim, feliz porque ninguém parece notar; verdade seja dita, é difícil parecer destemido quando se está agarrado a um parapeito como um frangote.

— Eu, Theodore Finch, por não estar em pleno gozo das minhas faculdades mentais, por meio desta lego meus bens a Charlie Donahue, Brenda Shank-Kravitz e minhas irmãs. Todas as outras pessoas podem se f... — Lá em casa, desde cedo minha mãe nos ensinou a usar esse palavrão (quando for *de fato* necessário), mas sempre só a primeira letra. Infelizmente, o costume pegou.

Apesar de o sinal já ter tocado, alguns alunos permanecem no pátio. Estamos na primeira semana do segundo semestre do último ano e a maioria age como se já estivesse se formando. Um garoto olha na minha direção, como se tivesse me ouvido, mas os outros não, porque não me viram ou porque sabem que estou aqui e *Ah, é só o Theodore Aberração*.

Então ele olha para o outro lado e aponta para o céu. De início, acho que está apontando para mim, mas então a vejo. A garota está a alguns metros de distância, do outro lado da torre, também na beirada, cabelo loiro escuro balançando ao vento, a barra da saia inflando como um paraquedas. Apesar de ser inverno em Indiana, ela está descalça, de meia-calça, segurando as botas e olhando fixo para os pés ou para o chão... não sei dizer. Parece paralisada.

Com minha voz normal, não a de pregador, digo, o mais calmamente possível:

— Vai por mim, o pior que você pode fazer é olhar pra baixo.

Bem devagar, ela vira a cabeça na minha direção, e eu percebo que a conheço, que já a vi pelos corredores. Não resisto e pergunto:

— Vem sempre aqui? Porque esse lugar é como se fosse a minha casa, e não me lembro de ter visto você aqui.

Ela nem pisca, só olha pra mim por trás daqueles óculos grossos que quase cobrem o rosto inteiro. Tenta dar um passo para trás, mas seu pé bate no parapeito. Ela se desequilibra um pouco e, antes que entre em pânico, eu digo:

— Não sei por que veio, mas pra mim a cidade fica mais bonita vista daqui, e as pessoas parecem melhores... mesmo as piores parecem quase gentis. Tirando o Gabe Romero e a Amanda Monk e toda aquela galera com quem você anda.

O nome dela é Violet Alguma Coisa. Ela é superpopular — uma dessas garotas que a gente jamais imaginaria encontrar em um parapeito a seis andares do chão. Atrás dos óculos ridículos, ela é bonita, quase uma boneca de porcelana. Olhos grandes, rosto delicado em formato de coração, boca esboçando um sorriso perfeito. Ela é do tipo que sai com caras como Ryan Cross, destaque do time de beisebol, e senta com Amanda Monk e outras meninas populares no almoço.

— Mas não estamos aqui por causa da vista. Você é a Violet, não é?

Ela pisca uma vez, e eu encaro como "sim".

— Theodore Finch. Acho que estávamos na mesma turma de matemática no ano passado.

Ela pisca de novo.

— Odeio matemática, mas não foi por isso que subi aqui. Sem ofensa, se for esse seu motivo. Você deve ser melhor em exatas que eu, porque quase todo mundo é, mas tudo bem, não tenho problemas com isso. Sabe, eu me destaco em coisas mais importantes... guitarra, sexo e decepcionar meu pai constantemente, por exemplo. Aliás, parece que é verdade que não serve pra nada na vida. A matemática, quero dizer.

Continuo falando, sem perceber que minhas forças estão se esvaindo. Primeiro, preciso fazer xixi, então minhas palavras não são a única coisa querendo sair. (*Nota mental: Antes de tentar se matar, lembrar de tirar água do joelho.*) Segundo, está começando a chover e, a essa temperatura, a chuva provavelmente vira granizo antes de alcançar o chão.

— Está começando a chover — digo, como se ela não soubesse.
— Acho que podemos considerar que a água vai lavar o sangue, então a sujeira vai ser menor. É a parte da sujeira que me intriga. Não sou vaidoso, mas sou humano; não sei quanto a você, mas não quero que, ao me ver no velório, as pessoas pensem que fui triturado por uma máquina de serragem.

Ela está tremendo de frio ou de nervoso, não sei dizer, então me aproximo devagar, torcendo pra não cair antes de chegar lá, porque a última coisa que quero é me fazer de idiota na frente dessa garota.

— Deixei claro que quero ser cremado, mas minha mãe não acredita nisso.

E meu pai faz tudo o que ela manda pra ela não ficar mais irritada do que normalmente é e, além do mais, *Você é muito novo pra pensar nisso, você sabe que a vovó viveu até os noventa e oito anos. Não precisamos falar disso agora, Theodore, não chateie sua mãe.*

— Então meu caixão vai estar aberto, o que significa que, se eu pular, não vai ficar nada bonito. Além do mais, eu meio que gosto do meu rosto assim, dois olhos, um nariz, uma boca, todos os dentes... que, pra ser honesto, são uma das minhas melhores qualidades. — Sorrio pra ela conferir. Tudo em seu devido lugar, pelo menos do lado de fora.

Como ela não diz nada, continuo me aproximando e conversando.
— Acima de tudo, tenho pena do agente funerário. Já deve ser um trabalho de merda, aí imagina ter que lidar com um imbecil como eu?

Lá de baixo, alguém grita:

— Violet? É a Violet lá em cima?

— Ai, meu Deus — ela diz, tão baixo que eu mal consigo ouvir. — Ai-meu-Deus-ai-meu-Deus-ai-meu-Deus. — O vento sopra contra sua saia e seu cabelo e parece que ela vai voar para longe.

Começa um burburinho lá embaixo, e eu grito:

— Não tente me salvar! Você vai acabar se matando!

Depois digo bem baixinho, só pra ela:

— Acho que devemos fazer o seguinte... — Estou a mais ou menos um passo dela agora. — Jogue as botas em direção ao sino e agarre o parapeito, agarre pra valer, e, assim que conseguir, se apoie nele e passe o pé direito por cima. Entendeu?

— Tá bom. — Ela faz que sim com a cabeça e quase perde o equilíbrio.

— Não balance a cabeça.

— Tá bom.

— E não vá para o lado errado nem dê um passo à frente em vez de um passo atrás. Vou contar e você vai no três. Tudo bem?

— Tudo bem. — Ela joga as botas em direção ao sino e elas caem fazendo *tum tum* no concreto.

— Um. Dois. Três.

Ela agarra a pedra e meio que se escora nela e então levanta a perna e a passa por cima até sentar no parapeito. Olha para o chão, e eu percebo que está paralisada de novo, então digo:

— Ótimo. Muito bom. Só pare de olhar pra baixo.

Ela desvia o olhar pra mim devagar e tenta alcançar o chão da torre com o pé direito. Assim que alcança, digo:

— Agora passe a perna esquerda do jeito que conseguir. Não solte do parapeito. — Neste momento, ela está tremendo tanto que eu escuto os dentes batendo, mas vejo o pé esquerdo se juntar ao direito, e ela está a salvo.

Agora só eu estou do lado de fora. Olho para baixo uma última vez, para além dos pés tamanho quarenta e cinco que não param de crescer — hoje estou usando tênis com cadarço florescente —, para além das janelas abertas do quarto andar, do terceiro, do segundo, além de Amanda Monk, que está cacarejando na escadaria em frente ao prédio e balançando o cabelo loiro como se fosse um pônei, com os livros sobre a cabeça, tentando chamar a atenção e se proteger da chuva ao mesmo tempo.

Passando por tudo isso, olho para o chão, que está liso e úmido, e me imagino deitado lá.

Eu poderia simplesmente dar um passo à frente. Em segundos, acabaria com tudo. Nunca mais "Theodore Aberração". Nunca mais dor. Nunca mais nada.

Tento contornar a interrupção inesperada para salvar uma vida e voltar ao que estava fazendo. Por um minuto, sinto uma paz conforme minha mente se aquieta, como se eu já estivesse morto. Estou leve e livre. Nada e ninguém a temer, nem eu mesmo.

Então, uma voz atrás de mim diz:

— Quero que você agarre o parapeito e, assim que conseguir, se apoie nele e passe o pé direito por cima.

Simples assim, sinto o momento passar, talvez já tenha passado, e agora parece uma ideia idiota, a não ser pelo fato de imaginar a cara da Amanda quando eu caísse perto dela. Esse pensamento me faz rir. Rio tanto que quase perco o equilíbrio, e isso me assusta — tipo, me assusta mesmo — então me apoio no parapeito e Violet me segura enquanto Amanda olha pra cima.

— Aloprado! — alguém grita.

O grupinho da Amanda ri. Ela faz uma concha com a mão ao lado da boca e olha pra cima.

— Você está bem, V?

Violet se inclina sobre o parapeito, ainda segurando minhas pernas.

— Estou.

A porta no topo das escadas da torre se abre e meu melhor amigo, Charlie Donahue, aparece. Charlie é negro. Bem negro mesmo. E faz mais sexo do que qualquer outra pessoa que eu conheço. Como se eu não estivesse em pé no parapeito a seis andares do chão, com os braços abertos e uma garota agarrada nos meus joelhos, ele diz:

— Eles estão servindo pizza hoje.

— Por que não acaba com isso de uma vez, aberração? — Gabe Romero, mais conhecido como Roamer, mais conhecido como Babaca, grita lá de baixo. Mais risadas.

Porque tenho um encontro com a sua mãe mais tarde, penso, mas não digo, porque, sejamos honestos, é uma resposta ridícula, e também porque ele poderia subir e bater na minha cara e me jogar daqui, o que estraga a ideia de eu mesmo fazer isso.

Em vez disso, agradeço.

— Obrigado por me salvar, Violet. Não sei o que faria se você não tivesse vindo. Acho que estaria morto.

O último rosto que vejo lá embaixo é o do meu orientador pedagógico, o sr. Embry. Quando ele olha pra mim, penso: *Ótimo. Maravilha.*

Violet me ajuda a pular o parapeito e chegar no concreto. Lá embaixo, alguns aplausos, não pra mim, mas pra ela, a heroína. De perto, consigo ver que sua pele é lisa e clara, exceto por duas pintas na bochecha direita, e que seus olhos são de um verde-cinza que lembra o outono. São os olhos que me prendem. São grandes e impressionantes, como se pudessem ver tudo. Por mais que sejam ternos, são inquietos, um olhar direto, do tipo que enxerga você por dentro, o que percebo claramente, mesmo através dos óculos. Ela é bonita e alta, mas não muito alta, com pernas longas e quadril curvilíneo, que eu acho atraente. Muitas garotas do ensino médio parecem meio meninos.

— Eu só estava sentada ali — ela diz. — No parapeito. Não subi aqui pra...

— Deixa eu te perguntar uma coisa: você acha que existe um dia perfeito?

— O quê?

— Um dia perfeito. Do início ao fim. Quando nada de terrível ou triste ou comum acontece. Você acha que é possível?

— Não sei.

—Você já teve um?

— Não.

— Também nunca tive, mas estou em busca dele.
Ela sussurra:
— Obrigada, Theodore Finch.
Fica na ponta dos pés e me dá um beijo no rosto, e sinto o cheiro do xampu, que lembra flores. Então, diz no meu ouvido:
— Se contar a verdade a alguém, mato você.
Segurando as botas, ela se afasta correndo pra se proteger da chuva, voltando à porta que dá nas escadas escuras e instáveis que levam a um dos muitos corredores iluminados e abarrotados da escola.
Charlie fica olhando pra ela e, quando a porta fecha, vira pra mim.
— Cara, por que você faz isso?
— Porque todos vamos morrer um dia. Eu só quero estar preparado.
Esse não é o motivo, claro, mas a explicação foi suficiente pra ele. A verdade é que existem muitos motivos, que mudam diariamente, como as treze crianças assassinadas no início desta semana quando um FDP entrou atirando no ginásio de uma escola, ou a garota dois anos mais nova que eu que acabou de morrer de câncer, ou o homem que eu vi chutando um cachorro na frente do shopping, ou simplesmente meu pai.
Charlie pode até pensar que sou aloprado, mas não diz nada, por isso é meu melhor amigo. Tirando esse fato, não temos muito em comum.

Tecnicamente, este ano estou sob provação. Isso se deve a uma bobagem envolvendo uma mesa e uma lousa. (Só pra constar, uma lousa custa mais caro do que se imagina.) Também se deve a um incidente com uma guitarra em um evento escolar, ao uso ilegal de fogos de artifício e talvez a uma ou duas brigas. Como resultado, tive de concordar com o seguinte: aconselhamento semanal; manter média B; e participar de pelo menos uma atividade extracurricular. Escolhi crochê porque sou o único cara no meio de vinte garotas até que bonitas, o que considerei uma boa oportunidade. Também tenho que me comportar, interagir bem com os outros, me abster de atirar mesas por aí e de entrar em quaisquer "disputas físicas violentas". E devo sempre, sempre, não importa o que eu faça, segurar a língua, porque não segurar, aparentemente, é o início dos problemas. Se eu f... com alguma coisa a partir de agora, é expulsão.

Na sala de orientação pedagógica, falo com a secretária e sento em uma das cadeiras desconfortáveis de madeira até que o sr. Embry esteja pronto para me atender. Se bem conheço o Embrião — é como o chamo secretamente —, e de fato o conheço, ele vai querer saber exatamente o que diabos eu estava fazendo na torre do sino. Se eu tiver sorte, não teremos tempo pra falar sobre mais nada.

Em poucos minutos ele me chama. É um homem baixo e troncudo como um touro. Ao fechar a porta, desfaz o sorriso. Senta, se debruça sobre a mesa e fixa os olhos em mim como se eu fosse um suspeito a interrogar.

— Que diabos você estava fazendo na torre?

O que eu gosto no Embrião é que, além de ser previsível, ele vai direto ao ponto. Nós nos conhecemos desde que eu estava no segundo ano.

— Queria apreciar a vista.

— Estava pensando em se jogar?

— Não no dia de pizza, que é um dos melhores cardápios da semana.

Devo mencionar que sou um brilhante desviador de assunto. Tão brilhante que conseguiria bolsa integral na faculdade pra me formar nisso, mas pra quê? Já sou mestre nessa arte mesmo.

Espero ele perguntar sobre Violet, mas em vez disso ele diz:

— Preciso saber se você planejava ou está planejando se matar. Estou falando muito sério. Se o diretor Wertz souber disso, você estará fora daqui antes que consiga dizer "suspensão". Isso sem falar que, se eu não prestar atenção e você decidir voltar lá em cima e pular, vou ser processado, e com o salário que eles me pagam, acredite, não tenho dinheiro para me defender judicialmente. Isso vai acontecer se você pular da torre do sino ou de qualquer outra torre, seja propriedade da escola ou não.

Passo a mão no queixo, como se estivesse imerso em algum pensamento.

— Uma torre fora do colégio. É uma ótima ideia.

Ele não mexe um músculo, só me encara estreitando os olhos. Como a maioria das pessoas do Meio-Oeste, o Embrião não tem senso de humor, principalmente no que se refere a temas delicados.

— Não é engraçado, sr. Finch. Não é assunto para piada.

— Não, senhor. Me desculpe.

— Os suicidas não pensam no próprio velório. Nem nos pais, irmãos, amigos, namoradas, colegas, professores.

Gosto como ele parece achar que tenho tantas, tantas pessoas dependendo de mim, incluindo não apenas uma, mas várias namoradas.

— Eu só estava brincando. Concordo que provavelmente não foi o melhor jeito de matar a primeira aula.

Ele pega uma pasta e joga com força na mesa e começa a folhear os arquivos. Eu espero, e então ele olha pra mim de novo. Me pergunto se está contando os dias para as férias de verão.

Fica em pé, como um policial de filme, e dá a volta na mesa até chegar perto de mim. Se apoia nela, com os braços cruzados, e eu olho atrás dele, procurando pelo espelho falso escondido.

— Preciso chamar sua mãe?

— Não. E repito: não. — *Não, não, não.* — Olha só, foi uma coisa idiota. Eu só queria ver qual é a sensação de subir lá e olhar pra baixo. Nunca pularia da torre do sino.

— Se acontecer de novo, se você *cogitar* fazer isso de novo, vou ligar pra ela. E você vai fazer um exame toxicológico.

— Obrigado pela preocupação, senhor. — Tento parecer o mais sincero possível, porque a última coisa que quero é um holofote maior e mais brilhante em cima de mim, me seguindo pelos corredores da escola, pela vida. E, na verdade, gosto do Embrião. — Quanto a essa questão das drogas, não precisa perder seu tempo precioso. De verdade. A não ser que cigarro conte. Drogas? Não me dou muito bem com elas. Acredite, já experimentei. — Cruzo as mãos como um bom menino.

— Quanto à torre do sino, apesar de não ter sido, de jeito nenhum, o que você está pensando, prometo que não vai acontecer de novo.

— Isso mesmo... não vai. E quero você aqui duas vezes por semana. Você vem segunda e sexta e conversa comigo pra eu ver como está indo.

— Ficaria feliz em vir, senhor. Eu gosto muito dessas conversas, sabe, mas estou bem.

— Não é negociável. Agora vamos falar sobre o fim do semestre passado. Você perdeu quatro, quase cinco semanas de aula. Sua mãe me disse que você estava gripado.

Na verdade, quem disse foi minha irmã, Kate, mas ele não sabe disso. Foi ela que ligou para a escola enquanto eu estava apagado, porque minha mãe já tem muito com que se preocupar.

— Se é isso o que ela diz, quem somos nós para discutir?

A verdade é que eu estava mesmo doente, mas não com uma simples gripe. De acordo com minha experiência, as pessoas são muito mais compreensivas se conseguem *ver* a sua doença, e pela milionésima vez na vida eu desejei ter sarampo ou varíola ou alguma outra coisa facilmente verificável só pra ficar mais fácil pra mim e pra todo mundo. Qualquer coisa seria melhor que a verdade: *Desliguei de novo. Apaguei. Num minuto, tudo estava girando e, no instante seguinte, minha mente se arrastava em círculos, como um cão velho com artrite tentando se deitar. Então simplesmente desliguei e dormi, mas não como você faz todas as noites. Pense em um sono longo e profundo, durante o qual você nem sonha.*

Mais uma vez, o Embrião estreita os olhos e me encara, tentando captar alguma hesitação.

— Posso acreditar que você vai vir e vai ficar longe de problemas este semestre?

— Com certeza.

— E que vai fazer os trabalhos?

— Sim, senhor.

— Vou combinar o exame toxicológico com a enfermeira. — Ele aponta pra mim num gesto brusco. — Provação significa "período para testar a adequação de uma pessoa; período em que a pessoa precisa melhorar". Se não acredita em mim, pesquise e, pelo amor de Deus, fique vivo.

O que não digo é o seguinte: quero viver. E o motivo para não dizer é que, considerando a pasta repleta de ocorrências na frente dele, o sr. Embry jamais acreditaria em mim. E tem outra coisa na qual ele não acreditaria: estou lutando para permanecer neste mundo caótico de merda. Ficar no parapeito da torre do sino não é pra morrer. É pra ter controle. É pra nunca mais dormir de novo.

O Embrião procura pela mesa e reúne uma pilha de panfletos para "adolescentes problemáticos". Então me diz que não estou sozinho e que posso conversar com ele sempre, que sua porta está aberta, que ele está ali e que me espera na segunda. Quero dizer "sem ofensa, mas isso não me conforta muito". Mas simplesmente agradeço, por causa de suas olheiras e rugas de fumante ao redor da boca. Provavelmente vai acender um cigarro assim que eu sair. Pego alguns panfletos e o deixo com seu cigarro. Ele nem mencionou Violet, ainda bem.

VIOLET

154 DIAS PARA A FORMATURA

Manhã de sexta. Escritório da sra. Marion Kresney, orientadora pedagógica, que tem olhos pequenos e gentis e um sorriso que quase não cabe no rosto. De acordo com o certificado pendurado na parede, ela trabalha no colégio Bartlett há quinze anos. Esta é nossa décima segunda reunião.

Meu coração está acelerado e minhas mãos ainda tremem por ter subido no parapeito da torre do sino. Meu corpo inteiro está gelado e tudo o que eu quero é deitar. Espero a sra. Kresney dizer: *Eu sei o que você estava fazendo na primeira aula, Violet Markey. Seus pais estão vindo pra cá. Médicos estão de prontidão para levá-la ao instituto psiquiátrico mais próximo.*

Mas começamos como sempre.

— Como você está, Violet?

— Estou bem, e você? — Sento sobre as mãos.

— Também. Mas vamos falar de você. Quero saber como está se sentindo.

— Tudo bem. — Só porque ela não tocou no assunto, não quer dizer que não saiba. Ela quase nunca pergunta as coisas diretamente.

— Como tem dormido?

Os pesadelos começaram um mês depois do acidente. Ela pergunta sobre isso sempre que nos vemos, porque cometi o erro de contar pra minha mãe, que contou pra ela. Esse é um dos principais motivos pelos quais estou aqui e a razão pela qual parei de falar as coisas pra minha mãe.

— Tenho dormido bem.

A sra. Kresney sempre sorri, não importa o que aconteça. Gosto disso nela.

— Algum sonho ruim?

— Não.

Eu costumava escrever sobre meus pesadelos, mas não escrevo mais. Lembro cada detalhe. Como o que tive há quatro semanas, em que eu estava literalmente derretendo. No sonho, meu pai me disse: "Você chegou ao fim, Violet. Chegou ao limite. Todos temos um limite, e o seu é este". *Mas eu não quero que seja*. Vi meus pés virarem poças e desaparecerem. Depois foram as mãos. Não doía, e me lembro de pensar: *Eu não deveria me importar, porque não dói. Só estou desaparecendo*. Mas eu me importei quando, membro a membro, o resto de mim sumiu antes que eu acordasse.

A sra. Kresney se mexe na cadeira, com o sorriso fixo no rosto. Me pergunto se ela sorri enquanto dorme.

— Vamos conversar sobre a faculdade.

Durante essa mesma época, no ano passado, eu adoraria conversar sobre a faculdade. Eleanor e eu costumávamos fazer isso de vez em quando, depois que nossos pais iam dormir. Se a temperatura estivesse agradável, sentávamos do lado de fora; quando fazia frio, ficávamos dentro de casa mesmo. Imaginávamos os lugares para onde iríamos e as pessoas que conheceríamos, bem longe de Bartlett, Indiana, população de 14983 habitantes, onde nos sentíamos extraterrestres de algum planeta distante.

— Você se inscreveu na UCLA, Stanford, Berkeley, Universidade da Flórida, Universidade de Buenos Aires, Universidade do Norte Caribenho e Universidade Nacional de Cingapura. É uma lista bem abrangente, mas e a NYU?

Desde as férias de verão antes do sétimo ano, o curso de escrita criativa da NYU era meu sonho. Isso porque visitei Nova York com a minha mãe, que é professora universitária e escritora. Ela fez pós-graduação na NYU e durante três semanas nós quatro visitamos a cidade e conhecemos seus antigos professores e colegas — romancistas, dramaturgos, roteiristas, poetas. Meu plano era me inscrever para a admissão antecipada, em outubro. Então o acidente aconteceu e mudei de ideia.

— Perdi a inscrição. — O prazo para admissão regular foi há uma semana. Preenchi tudo, até escrevi a dissertação, mas não enviei.

—Vamos conversar sobre sua escrita. Vamos conversar sobre o site.

Ela está falando do eleanoreviolet.com. Eleanor e eu começamos o site quando viemos morar em Indiana. Queríamos criar uma revista on-line que oferecesse duas visões (muito) diferentes sobre moda, beleza, garotos, livros, a vida em geral. Ano passado, Gemma Sterling (estrela da websérie *Rant*), amiga de Eleanor, mencionou nosso site em uma entrevista, e o número de seguidores triplicou. Mas eu não encostei mais nele desde que Eleanor morreu. Afinal, qual seria o objetivo? Era um site sobre irmãs. Além do mais, naquele instante em que atravessamos a barra de proteção, minhas palavras também morreram.

— Não quero falar sobre o site.

— Soube que sua mãe é escritora. Ela deve dar várias dicas.

— Jessamyn West disse: "Escrever é tão difícil que os autores, tendo passado o inferno na Terra, escaparão de qualquer punição depois".

Ela fica instigada com a citação.

—Você acha que está sendo punida?

Ela está falando do acidente. Ou talvez esteja se referindo a estar aqui nesta sala, neste colégio, nesta cidade.

— Não.

Se eu sinto que deveria *ser punida?* Sim. Por que mais eu teria cortado a franja?

—Você acha que é responsável pelo que aconteceu?

Arrumo a franja. Está torta.

— Não.

Ela recosta na cadeira. O sorriso desliza uma fração de centímetro. Nós duas sabemos que estou mentindo. Me pergunto o que ela diria se eu contasse que há uma hora estavam me convencendo a sair do parapeito da torre do sino. Agora, tenho quase certeza de que ela não sabe.

—Você já voltou a dirigir?
— Não.
— Já andou de carro com seus pais?
— Não.
— Mas eles querem que você ande. — Isso não é uma pergunta. Ela fala como se tivesse conversado com um deles, ou com os dois, o que provavelmente aconteceu.

— Não estou pronta. — Essas são as três palavras mágicas. Descobri que podem me livrar de praticamente qualquer coisa.

Ela se inclina para a frente.

— Já pensou em voltar para a equipe de torcida?
— Não.
— Grêmio estudantil?
— Não.
— Ainda toca flauta na orquestra?
— Sou a última cadeira. — Essa é uma coisa que não mudou desde o acidente. Sempre fui a última cadeira porque não sou muito boa na flauta.

Ela se encosta de novo. Por um momento penso que está desistindo. Então, diz:

— Estou preocupada, Violet. Sinceramente, você já deveria ter melhorado um pouco mais. Você não pode evitar carros pra sempre, principalmente agora no inverno. Não pode parar no tempo. Precisa lembrar que é uma sobrevivente, e isso quer dizer que...

Nunca vou saber o que isso quer dizer porque, assim que ouço a palavra "sobrevivente", levanto e saio.

A caminho da quarta aula. Corredor da escola.

Pelo menos quinze pessoas — algumas eu conheço, outras não, outras não conversam comigo há meses — me param no caminho até a sala para me dizer como fui corajosa de evitar que Theodore Finch se matasse. Uma das garotas do jornal do colégio quer fazer uma entrevista.

De todas as pessoas que eu poderia ter "salvado", Theodore Finch é a pior escolha, porque é uma lenda do Bartlett. Não o conheço muito bem, mas já ouvi falar dele. Todo mundo já ouviu falar dele. Algumas pessoas o odeiam porque acham que ele é esquisito e se mete em brigas e toma suspensão e faz o que quer. Algumas pessoas o idolatram porque acham que ele é esquisito e se mete em brigas e toma suspensão e faz o que quer. Ele toca guitarra em cinco ou seis bandas diferentes e, no ano passado, gravou uma música. Ele é meio... radical. Tipo, um dia veio pra aula pintado de vermelho da cabeça aos pés, e nem era dia de jogo. Falou pra algumas pessoas que estava protestando contra o racismo e pra outras que estava protestando contra o consumo de carne. No primeiro ano, apareceu de capa durante um mês inteiro, quebrou uma lousa no meio com uma mesa e roubou os sapos do laboratório de biologia e fez um funeral para eles antes de enterrá-los no campo de beisebol. A grande Anna Faris uma vez disse que o segredo para sobreviver ao ensino médio é "ficar de boa". Finch faz o contrário disso.

Chego cinco minutos atrasada para a aula de literatura russa, na qual a sra. Mahone está passando um trabalho de dez páginas sobre *Os irmãos Karamazov*. Todos reclamam, menos eu, porque apesar do que a sra. Kresney parece pensar, tenho minhas circunstâncias atenuantes.

Nem escuto quando a sra. Mahone explica o que devemos fazer. Em vez disso, arranco um fio solto da saia. Estou com dor de cabeça. Provavelmente por causa dos óculos. A miopia de Eleanor era mais alta que a minha. Tiro os óculos e os apoio na mesa. Ficavam estilosos nela. Ficam feios em mim. Principalmente agora que tenho franja. Talvez, se usá-los o bastante, eu consiga ser como ela. Consiga ver o que ela via. Talvez eu seja nós duas ao mesmo tempo, e ninguém vai sentir falta dela, nem mesmo eu.

Tenho dias bons e dias ruins. Quase me sinto culpada por dizer que não são todos ruins. Alguma coisa me pega desprevenida — um programa na TV, uma piada do meu pai, um comentário na aula — e rio como se nada tivesse acontecido. Volto ao normal, o que quer que "normal" signifique. Algumas manhãs acordo e me pego cantarolando enquanto me arrumo. Ou aumento o volume do rádio e danço. Na maior parte dos dias, vou andando pra aula. Em outros, pego a bicicleta, e às vezes minha cabeça me engana e penso que sou só uma garota comum dando uma volta à toa.

Emily Ward cutuca minhas costas e me passa um bilhete. Como a sra. Mahone recolhe os celulares no início das aulas, temos que conversar à moda antiga, arrancando folhas do caderno.

É verdade que você impediu que Finch se suicidasse? Bj. Ryan. Só tem um Ryan na sala — alguns diriam que só existe um Ryan no colégio inteiro, talvez até no mundo —, e é Ryan Cross.

Levanto a cabeça e vejo que ele está olhando pra mim, duas fileiras adiante. Ele é lindo. Ombros largos, cabelo castanho-dourado, olhos verdes e sardas suficientes para que pareça acessível. Até dezembro, ele era meu namorado, mas agora estamos dando um tempo.

Deixo o bilhete em cima da mesa por cinco minutos antes de responder. Finalmente, escrevo: *Só calhou de eu estar lá. Bj. V.* Menos de um minuto depois, o bilhete volta pra mim, mas desta vez não abro. Penso em quantas garotas adorariam receber um bilhete de Ryan Cross. A Violet Markey da última primavera teria sido uma delas.

Quando o sinal toca, fico pra trás. Ryan demora um pouco pra sair, esperando pra ver o que vou fazer, mas quando vê que fiquei sentada, pega o celular e vai embora.

A sra. Mahone diz:

— Pois não, Violet?

Antes, dez páginas não eram nada de mais. O professor pedia dez e eu escrevia vinte. Se pedisse vinte, eu entregava trinta. Escrever era o que eu fazia de melhor, melhor até do que ser filha ou namorada ou irmã. Escrever fazia parte de mim. Mas agora escrever é só mais uma das coisas que não consigo fazer.

Não preciso dizer quase nada, nem mesmo "Não estou pronta". Está no livro não escrito de regras da vida, no capítulo "Como reagir quando um aluno perde um ente querido e, nove meses depois, ainda está passando por um momento difícil".

A sra. Mahone suspira e devolve meu celular.

— Entregue uma página ou um parágrafo, Violet. Ao menos tente. Minhas circunstâncias atenuantes salvam o dia.

Do lado de fora da sala, Ryan me espera. Vejo na cara dele que está tentando resolver o enigma e me transformar na namorada divertida que eu costumava ser. Ele diz:

— Você está linda hoje.

Ele é gentil e não repara no meu cabelo.

— Obrigada.

Por sobre o ombro de Ryan, vejo Theodore Finch passar como um pavão. Acena com a cabeça, como se soubesse de algo que não sei, e segue em frente.

FINCH

DIA 6 DESPERTO (AINDA)

No almoço, toda a escola já sabe que Violet Markey salvou Theodore Finch na torre do sino. No corredor, a caminho da aula de geografia, ando atrás de um grupo de garotas que não param de falar disso, sem imaginar que sou o próprio Theodore Finch.

Elas falam todas ao mesmo tempo, num tom de voz agudo que parece sempre terminar em interrogação, tipo: *Ouvi dizer que ele estava armado? E que ela teve que arrancar a arma da mão dele? Minha prima Stacey, que estuda no New Castle, disse que ela e uma amiga estavam em Chicago e ele estava tocando em um bar e, tipo, ficou com as duas? Bom, meu irmão estava lá quando ele acendeu os fogos de artifício e contou que antes de a polícia aparecer, ele disse: "A não ser que vocês me reembolsem pelos fogos, vou ficar para o grand finale"?*

Aparentemente, sou trágico e perigoso. *É isso aí*, penso. *Isso mesmo. Estou aqui, agora, não só acordado, mas desperto, e todos vão ter que aprender a lidar com isso.* Chego mais perto e digo:

— Ouvi dizer que ele fez isso por causa de uma garota — e sigo com passos firmes para a aula.

Já na sala, sento no meu lugar, me sentindo infame e invencível e inquieto e estranhamente animado, como se tivesse acabado de escapar... da morte. Olho ao redor, mas ninguém está prestando atenção em mim ou no sr. Black, nosso professor, que é literalmente o maior homem que já vi. Ele tem a cara vermelha, bem vermelha, então sempre parece que está com insolação ou à beira de um ataque cardíaco, e fica sem fôlego quando fala.

Durante todo esse tempo que vivi em Indiana, ou seja, minha vida inteira — os anos de purgatório, como sempre digo —, aparentemente estivemos a apenas dezessete quilômetros do ponto mais alto do estado. Ninguém nunca me disse isso, nem meus pais nem minhas irmãs nem meus professores, até agora, neste exato minuto, na seção "Sobre Indiana" da aula de geografia — instituída pela diretoria este ano como uma tentativa de "ensinar aos alunos a riqueza histórica do próprio estado e inspirar o orgulho de nascer em Indiana".

É sério.

O sr. Black se acomoda na cadeira e limpa a garganta.

— Será que existe... um jeito melhor e mais... apropriado de iniciar... o semestre do que começando... pelo ponto mais alto?

É difícil dizer se o sr. Black está mesmo impressionado com a informação que transmite ou se está apenas com falta de ar.

— O monte Hoosier está... 383 metros acima do nível do mar... e fica no quintal... de uma casa de família... Em 2005, um escoteiro de Kentucky... obteve permissão para... abrir uma trilha e montar... uma área para piquenique... e colocou uma placa...

Levanto a mão, mas sou ignorado pelo sr. Black.

Enquanto ele continua falando, deixo a mão levantada e penso: *E se eu fosse até lá e ficasse em pé no ponto mais alto? As coisas pareceriam diferentes a 383 metros de altura? Não deve ser tão alto assim, mas as pessoas têm orgulho disso, e quem sou eu para dizer que 383 metros não são suficientes para impressionar alguém?*

Finalmente, ele acena com a cabeça pra mim, com os lábios tão cerrados que parece que os engoliu.

— Sim, sr. Finch? — Ele solta um suspiro que parece ter saído de um homem de cem anos e lança um olhar apreensivo e desconfiado.

— Sugiro uma excursão. Precisamos ver os lugares maravilhosos de Indiana enquanto podemos, porque pelo menos alguns dos que estão nesta sala vão se formar e ir embora deste grandioso estado no fim do ano, e como poderemos divulgá-lo se só tivermos a formação básica oferecida por um dos piores sistemas educacionais do país? Além do mais, é difícil compreender a grandeza de um lugar sem vê-lo. É como o Grand Canyon ou o Parque Yosemite: é preciso estar lá para apreciar de verdade seu esplendor.

— Obrigado, sr. Finch — diz o sr. Black em um tom que indica exatamente o oposto de agradecimento, apesar de eu estar sendo apenas vinte por cento sarcástico. Começo a desenhar montanhas no caderno em homenagem ao ponto mais alto do estado, mas elas parecem bolotas disformes ou cobras voadoras, sei lá.

—Theodore tem razão... Alguns de vocês... vão embora daqui... no fim do ano... para estudar. Deixarão nosso... grande estado e... antes de ir embora... vocês deveriam... conhecê-lo. Deveriam... andar por aí...

Um barulho vindo do outro lado da sala o distrai. Alguém chegou atrasado e derrubou um livro e, na hora de apanhá-lo, derrubou todos os outros. O que segue são risadas, porque estamos no ensino médio, o que significa que somos previsíveis e quase qualquer coisa é engraçada, principalmente se causar a humilhação pública de alguém. Quem derrubou o material foi Violet Markey, a garota da torre do sino. Ela fica roxa de vergonha e parece que quer morrer. Não uma morte do tipo pulando de uma torre, mas sim do tipo *Por favor, Terra, abra um buraco e me engula.*

Conheço essa sensação melhor do que conheço minha mãe ou minhas irmãs ou Charlie Donahue. Andamos juntos a vida inteira. Como a vez em que bati a cabeça e tive uma concussão na frente da Suze Haines na aula de educação física; ou a vez em que ri tanto que uma coisa saiu voando do meu nariz e aterrissou em Gabe Romero; ou o oitavo ano inteiro.

Então, como estou acostumado com isso e essa tal de Violet vai chorar se derrubar mais *um* lápis que seja, jogo um livro no chão. Todos os olhos se voltam pra mim. Me inclino para recolher e jogo todos os outros de propósito — eles batem na parede, na janela, na cabeça dos outros — e, só pra garantir, inclino a cadeira e me jogo no chão. A cena é acompanhada de risadinhas e aplausos e alguns gritos de "aberração", e o sr. Black diz, ofegante:

— Se já terminou... Theodore... eu gostaria de continuar.

Levanto, arrumo a cadeira, faço uma reverência, junto os livros, faço outra reverência, sento e sorrio para Violet, que me olha de um jeito que só pode ser descrito como surpresa e alívio e alguma outra coisa — preocupação, talvez. Eu gostaria de acreditar que tem um pouco de desejo ali também, mas seria só ilusão. Abro o melhor sorriso que posso, aquele que faz com que minha mãe me perdoe por chegar muito tarde ou por ser estranho. (Às vezes, pego minha mãe me olhando — *quando me olha* — como se pensasse: *De onde é que você surgiu? Com certeza puxou isso do seu pai.*)

Violet sorri de volta. Imediatamente me sinto melhor, porque ela se sente melhor e por causa do jeito que olha pra mim, como se não precisasse me evitar. Essa é a segunda vez, em um dia, que a salvo. *Todo generoso, esse Theodore*, minha mãe sempre diz. *Generoso demais para o seu próprio bem.* Ela diz isso em tom de crítica e é assim que eu encaro.

O sr. Black fixa os olhos em Violet e depois em mim.

— Como eu ia dizendo... o projeto para esta... aula é escrever sobre... pelo menos duas, preferencialmente três... maravilhas de Indiana.

Quero perguntar "E a excursão?", mas estou muito ocupado olhando para Violet enquanto ela se concentra na lousa, com o canto da boca ainda denunciando um sorriso.

O sr. Black continua falando sobre como quer que a gente fique à vontade para escolher lugares que agucem a imaginação, mesmo que sejam obscuros ou distantes. Nossa missão é visitar cada um, tirar fotos, filmar, pesquisar sua história a fundo e contar exatamente o que nesses lugares nos deixou orgulhosos por ser de Indiana. Se for possível relacioná-los de algum jeito, melhor. Temos o resto do semestre pra terminar o projeto e precisamos levar a sério.

— Vocês vão trabalhar... em duplas. O trabalho vale... trinta e cinco por cento... da nota final...

Levanto a mão de novo.

— Podemos escolher as duplas?

— Sim.

— Escolho Violet Markey.

— Você pode combinar... com ela depois da aula.

Me viro para ela, cotovelo apoiado nas costas da cadeira.

— Violet Markey, queria ser sua dupla.

Seu rosto fica vermelho quando todos olham pra ela.

— Sr. Black, eu pensei em talvez fazer outra coisa, quem sabe pesquisar e escrever uma breve dissertação — ela fala baixo, mas parece um pouco irritada —, pois não estou pronta pra...

Ele a interrompe:

— Srta. Markey, vou lhe fazer... o maior favor... possível e... vou dizer... não.

— Não?

— Não. Começamos um novo ano... é hora de retomar as rédeas... do seu burrico...

Algumas pessoas riem. Violet olha pra mim e percebo que, sim, ela está irritada, e é aí que me lembro do acidente. Violet e a irmã, na última primavera. Violet sobreviveu, mas a irmã morreu. É por isso que ela está assim.

O sr. Black passa o restante da aula falando sobre lugares de que podemos gostar e que, independente de qualquer coisa, precisamos visitar antes da formatura — pontos turísticos, como o Parque Histórico Conner Prairie, a casa de Levi Coffin, o Museu Lincoln e a casa onde James Whitcomb Riley passou a infância —, mas sei que a maioria de nós ficará aqui nesta cidade até morrer.

Tento chamar a atenção de Violet de novo, mas ela não levanta mais o rosto. Em vez disso, se encolhe na cadeira e olha fixo pra frente.

Fora da sala, Gabe Romero bloqueia minha passagem. Como sempre, não está sozinho. Amanda Monk espera logo atrás, jogando o quadril pro lado, entre Joe Wyatt e Ryan Cross. Ryan é tranquilo, decente, do bem, atleta, aluno exemplar, representante da turma. Seu maior defeito é que, desde o jardim de infância, ele sabe exatamente quem é.

— É bom eu não pegar você olhando pra mim de novo — diz Roamer.

— Eu não estava olhando pra você. Pode acreditar que tem uma centena de coisas naquela sala que chamariam minha atenção antes de você, incluindo o bundão do sr. Black.

— Bicha.

Como Roamer e eu somos inimigos declarados desde o fundamental, ele derruba os livros que estou segurando e, apesar de isso ser *bullying* digno do sexto ano, sinto uma chama de raiva familiar — como uma velha amiga — se acender em meu estômago, a fumaça espessa e tóxica subindo e se espalhando pelo meu peito. A mesma sensação que tive no ano passado um instante antes de pegar uma mesa e arremessá-la — não no Roamer, como ele quer que todos acreditem, mas na lousa da sala do sr. Geary.

— Cata aí, bichinha — Roamer passa por mim e, com o ombro, bate forte no meu peito. Quero bater a cabeça dele em um armário e enfiar a mão em sua garganta e puxar seu coração pela boca, porque estar desperto faz com que tudo na gente esteja vivo e pulsante e compense pelo tempo perdido.

Em vez disso, conto até sessenta, com um sorriso idiota estampado na minha cara idiota. *Não vou tomar advertência. Não vou ser expulso. Vou ficar na boa. Vou ficar calmo. Vou ficar quieto.*

O sr. Black assiste da porta da sala, e tento acenar pra ele com naturalidade pra mostrar que está tudo bem, tudo sob controle, não tem nada de mais acontecendo, as mãos não estão coçando, a pele não está queimando, o sangue não está fervendo, siga em frente, por favor. Prometi a mim mesmo que este ano vai ser diferente. Se eu continuar no controle de tudo, incluindo de mim mesmo, talvez consiga ficar desperto e aqui, não parcialmente aqui, mas aqui, presente, agora.

A chuva parou e, no estacionamento, Charlie Donahue e eu estamos encostados no carro dele, sob o sol pálido de janeiro, enquanto ele fala daquilo que mais ama falar além de si mesmo: sexo. Nossa amiga Brenda está junto, com os livros apertados contra os peitos enormes e o cabelo brilhando em tons de rosa e vermelho.

Charlie passou as férias de inverno trabalhando no cinema do shopping e aparentemente deixou todas as gostosas entrarem sem pagar. Isso fez com que conseguisse pegar mais garotas do que até mesmo ele conseguiria dar conta, aproveitando bem os assentos do fundo, que não têm encosto de braço.

— E você? — ele diz, acenando pra mim com a cabeça.
— O que tem eu?
— Por onde andou?
— Por aí. Não estava a fim de vir pra aula, então peguei a estrada e não olhei pra trás.

Não tem como explicar o Apagão aos meus amigos, e mesmo se tivesse, não tem por que tocar no assunto. Umas das coisas que eu gosto no Charlie e na Bren é que não preciso ficar me explicando. Apareço, sumo, e... *Bom, é o Finch*.

Charlie acena de novo.

—A gente tem que arrumar uma garota pra você. — Ele está falando indiretamente do incidente na torre. Se eu pegar alguém, não vou tentar me matar. De acordo com Charlie, pegar alguém conserta tudo. Se os líderes mundiais pegassem alguém pra valer e com frequência, talvez os problemas do mundo desaparecessem.

Brenda fecha a cara.
—Você é nojento, Charlie.
—Você me ama.
— Nem em sonho. Por que você não é como Finch? Ele é um cavalheiro.

Não são muitas as pessoas que diriam isso de mim, mas um ponto positivo da vida é que podemos ser alguém diferente pra cada pessoa.

— Me deixa fora disso — digo.

Bren balança a cabeça.

— Não, estou falando sério. É raro encontrarmos cavalheiros. São como virgens ou duendes. Se um dia eu casar, vai ser com um...

Não resisto e complemento:

— Um virgem ou um duende?

Ela me dá um murro no braço.

— Existe uma diferença entre ser cavalheiro e não ter as manhas — Charlie aponta pra mim. — Sem ofensa, cara.

— Tudo bem.

Afinal de contas é verdade, pelo menos em comparação a ele, e o que Charlie quer dizer é que não tenho talento com mulheres. Sempre acabo indo atrás das mal-humoradas ou doidas ou que fingem não me conhecer quando tem alguém por perto.

Enfim, mal estou prestando atenção, porque por cima do ombro da Bren vejo Violet. Sinto que estou me apaixonando — e sou famoso por isso. (Suze Haines, Laila Collman, Annalise Lemke, as três Brianas — Briana Harley, Briana Bailey, Briana Boudreau...) Só porque ela sorriu pra mim. Mas foi um belo sorriso. Um sorriso genuíno, o que é difícil de encontrar nos dias de hoje. Principalmente quando se é Theodore Aberração.

Bren vira pra ver o que estou olhando. Balança a cabeça, a boca em um sorriso debochado que me faz proteger o braço.

— Meu Deus! Vocês garotos são todos iguais.

Em casa, minha mãe está no telefone e colocou um dos ensopados que minha irmã Kate prepara no início de toda semana pra descongelar. Acena pra mim e continua falando. Kate desce a escada correndo, pega a chave do carro no balcão e diz:

— Até mais tarde, trouxa.

Tenho duas irmãs: Kate, um ano mais velha que eu, e Decca, de oito anos. Ela claramente não foi planejada — e descobriu isso aos seis anos. Mas todos sabemos que, se tem alguém na família que foi um equívoco de verdade, esse alguém sou eu.

Com os sapatos molhados fazendo barulho, subo a escada e fecho a porta do quarto. Pego um vinil antigo qualquer e enfio na vitrola que encontrei no porão. O disco pula e chia, lembrando um som talvez dos anos 20. Estou numa fase meio Split Enz, por isso o tênis. Estou testando um Theodore Finch anos 80, vendo se ele se encaixa.

Procuro um cigarro na mesa, coloco na boca e, enquanto pego o isqueiro, lembro que o Theodore Finch anos 80 não fuma. Cara, como eu odeio esse certinho imbecil. Deixo o cigarro na boca sem acender, tentando mastigar a nicotina, e pego a guitarra, acompanho a música, desisto e vou para o computador, virando a cadeira e sentando ao contrário, pois só assim consigo compor.

Digito: **5 de janeiro. Método: torre do sino do colégio. Numa escala de um a dez, quanto cheguei perto? Cinco. Curiosidade: os casos de gente que se joga aumentam em dias de lua cheia e feriados. Um dos mais famosos a pular foi Roy Raymond, criador da Victoria's Secret. Outra curiosidade: em 1912, Franz Reichelt pulou da torre Eiffel com um paraquedas confeccionado por ele mesmo. Pulou para testar a invenção — tinha intenção de voar —, mas caiu, atingindo o solo como um meteoro e deixando uma cratera de quinze centímetros com o impacto. Ele queria se matar? Duvido. Acho que só era arrogante... e burro.**

Uma pesquisa rápida na internet revela que apenas cinco a dez por cento de todos os suicídios são cometidos pulando de algum lugar (pelo menos é o que a Universidade Johns Hopkins afirma). Parece que essa forma de suicídio geralmente é escolhida por conveniência, por isso lugares como San Francisco e sua Golden Gate Bridge (o maior destino suicida do mundo) são tão famosos. Aqui, tudo o que temos é a torre Purina e um monte de 383 metros de altura.

Escrevo: **Motivos para não ter pulado: muito estrago. Muito aberto. Muita gente.**

Saio do Google e acesso o Facebook. Entro no perfil de Amanda Monk porque ela é amiga de todo mundo, mesmo das pessoas com quem não tem a menor afinidade, entro em sua lista de amigos e digito "Violet".

Simples assim, encontrei. Clico na foto e ali está ela, ainda maior, com o mesmo sorriso que deu pra mim no colégio. É preciso ser amigo dela para ler o perfil e ver o resto das fotos. Fico olhando pra tela, desesperado pra saber mais. Quem é Violet Markey? Tento uma pesquisa no Google, porque talvez exista uma entrada secreta pro perfil do Facebook, que requer um comando especial ou um código de três dígitos, algo que eu possa descobrir com facilidade.

Em vez disso o que encontro é um site chamado eleanoreviolet.com, que lista Violet Markey como cocriadora/ editora/ autora. Tem todos aqueles posts do tipo garotos-e-beleza, sendo o mais recente de 3 de abril do ano passado. Outra coisa que encontro é uma notícia.

Eleanor Markey, dezoito anos, aluna do último ano do colégio Bartlett e integrante do grêmio estudantil, perdeu o controle do carro na ponte da rua A, aproximadamente à 0h45, no último 5 de abril. Gelo na pista e alta velocidade podem ter causado o acidente. Eleanor morreu com o impacto. A irmã, de dezesseis anos, Violet, que estava no banco do passageiro, teve apenas ferimentos leves.

Leio e releio, com uma sensação ruim no estômago. Então faço algo que jurei pra mim mesmo que jamais faria. Crio uma conta no Facebook, só pra mandar um pedido de amizade pra ela. Ter Facebook vai fazer com que eu pareça sociável e normal, e talvez compense toda essa situação estranha de termos nos encontrado à beira do suicídio, e quem sabe ela sinta que é seguro me conhecer. Tiro uma foto com meu celular, me acho sério demais, tiro outra — muito bobão — e escolho a terceira, que ficou no meio do caminho.

Deixo o computador em espera pra não ficar conferindo de cinco em cinco minutos e toco guitarra, leio algumas páginas de *Macbeth*, faço lição de casa e janto com Decca e minha mãe, uma tradição que começou no ano passado, depois do divórcio. Apesar de eu não ser muito fã dessa coisa de comer, o jantar é uma das partes mais agradáveis do dia, porque consigo desligar o cérebro.

— Decca, conta pra gente o que você aprendeu hoje — diz minha mãe.

Ela faz questão de perguntar sobre a escola pra sentir que cumpre seu dever materno. É assim que ela gosta de começar.

— Aprendi que Jacob Barry é um imbecil — diz Dec, que anda meio boca suja ultimamente, testando a reação da mamãe, pra ver se ela está mesmo ouvindo.

— Filha! — minha mãe repreende, sem muita convicção, porque não está prestando tanta atenção assim.

Decca continua contando que esse tal de Jacob colou a mão na mesa pra não ter que fazer um teste de ciências e, quando tentaram descolar, a pele saiu junto. Os olhos de Decca brilham como os de um animalzinho raivoso. Dá pra perceber que ela acha que o garoto mereceu e depois ela mesma afirma isso.

De repente, minha mãe presta atenção.

— Decca! — Ela balança a cabeça.

Seu papel de mãe acaba aí. Desde que meu pai foi embora, ela tenta ser a legalzona. Mesmo assim, me sinto mal por ela, que ainda o ama, apesar de ele ser egoísta e podre e tê-la trocado por uma mulher chamada Rosemarie — nome que a gente ainda não consegue pronunciar. E também tem uma coisa que ela me disse no dia em que ele foi embora: "Nunca pensei que estaria sozinha aos quarenta anos". Foi o jeito como ela falou, não as palavras em si. Ela fez parecer tão *definitivo*.

Desde então, faço tudo o que posso para ser agradável e calmo, tentando me manter invisível — o que inclui fingir ir à aula quando estou apagado — pra não ser mais um fardo. Mas nem sempre consigo.

— Como foi seu dia, Theodore?

— Ótimo.

Empurro a comida pelo prato, tentando criar um desenho. O problema de comer é que existem tantas coisas mais interessantes pra fazer. Também sinto isso em relação a dormir. Perda de tempo.

Curiosidade: um chinês morreu por falta de sono quando ficou acordado durante onze dias direto pra assistir a todos os jogos do Campeonato Europeu (*futebol, para aqueles que, como eu, não têm ideia do que se trata*). *Na décima primeira noite, viu a Itália bater a Irlanda por 2 a 0, tomou banho e dormiu por volta das cinco da manhã. E morreu. Sem querer ofender o morto, mas é muito idiota ficar acordado por causa de futebol.*

Minha mãe parou de comer pra me encarar. Quando presta atenção, o que não é muito comum, ela tenta de verdade ser compreensiva com a minha "tristeza", assim como tenta ser paciente quando Kate fica fora a noite toda e Decca é mandada pra sala do diretor. Ela coloca a culpa por nosso mau comportamento no divórcio e no meu pai. Diz que precisamos de tempo pra superar.

Com menos sarcasmo, continuo:

— Foi tudo bem. Sem grandes acontecimentos. Chato. Comum.

Passamos a falar de coisas mais simples, como a casa que minha mãe está tentando vender para os clientes dela e o clima.

Quando acabamos de jantar, ela coloca a mão em meu braço, tocando minha pele bem de leve, e comenta:

— Não é bom ter seu irmão de volta, Decca?

Ela diz como se eu corresse o risco de desaparecer de novo, bem diante de seus olhos. O ligeiro tom de acusação em sua voz me faz encolher, e tenho vontade de ir pro quarto e ficar lá. Apesar de tentar perdoar minha tristeza, ela quer que eu seja o homem da casa, e embora não saiba que não fui à aula durante todo aquele período de quatro, quase cinco semanas, sentiu minha falta nos jantares de família. Ela tira a mão do meu braço e então estamos livres, e é exatamente assim que agimos, cada um dos três correndo em uma direção.

Perto das dez horas, depois de todo mundo ter ido pra cama — menos Kate, que ainda não chegou —, ligo o computador de novo e entro no Facebook.

Violet Markey aceitou seu pedido de amizade.

E agora somos amigos.

Quero gritar e correr pela casa, talvez subir no telhado e abrir os braços, mas não pular, de jeito nenhum. Em vez disso chego mais perto da tela e vejo as fotos dela — Violet sorrindo com duas pessoas que parecem ser seus pais, Violet sorrindo com amigos, Violet sorrindo em uma festa da escola, Violet sorrindo de orelha a orelha com uma garota, Violet sorrindo sozinha.

Me lembro da foto do jornal. É a irmã dela, Eleanor. Com os mesmos óculos que Violet usava hoje.

De repente, uma mensagem aparece na caixa de entrada.

Violet: **Você me encurralou. Na frente de todo mundo.**

Eu: **Você aceitaria ser minha dupla se eu não tivesse feito aquilo?**

Violet: **Pra começar, eu teria dado um jeito de não ter que fazer o trabalho. Por que você quer que eu seja sua dupla no projeto, afinal?**

Eu: **Porque nossa montanha está esperando.**

Violet: **O que você quer dizer com isso?**

Eu: **Quero dizer que talvez você nunca tenha sonhado em conhecer Indiana, mas, além de a gente fazer isso por causa do trabalho, e eu ter me oferecido pra ser sua dupla — tá, encurralado você —, o que eu acho é o seguinte: tenho no carro um mapa que praticamente pede pra ser usado, e existem lugares que precisam ser vistos. Talvez ninguém nunca vá até lá nem valorize esses lugares nem se dê o trabalho de pensar o quanto são importantes, mas talvez até o menor deles tenha algum significado. Se não tiverem pros outros, talvez tenham pra gente. No mínimo, quando a gente for embora, saberemos que pelo menos os visitamos. Então vamos. Vamos até lá. Vamos fazer alguma coisa. Vamos sair do parapeito.**

Como ela não responde, escrevo: **Estou aqui, se você quiser conversar.** Nada.

Imagino Violet em casa, do outro lado do computador, a boca perfeita esboçando um leve sorriso para a tela, apesar de tudo. *Violet sorrindo*. De olho no computador, pego a guitarra, começo a inventar palavras, a melodia logo em seguida.

Ainda estou aqui, e sou grato por isso, porque senão perderia este momento. Às vezes é bom estar desperto.

— Então não foi hoje — canto —, porque ela sorriu pra mim.

REGRAS PARA ANDAR POR AÍ

1. Não há regras, porque na vida já existem muitas.
2. Mas há três "orientações" (porque soa menos rígido do que "regras"):
   a) Nada de celular. Temos que fazer tudo à moda antiga, o que significa aprender a interpretar mapas de verdade.
   b) Cada dia um escolhe o lugar, mas também devemos estar dispostos a ir aonde a estrada nos levar, o que inclui lugares grandiosos, pequenos, bizarros, poéticos, bonitos, feios, surpreendentes. Como a vida. Porém, absolutamente, incondicionalmente e decididamente *nenhum lugar comum*.
   c) Em cada lugar, deixamos alguma coisa, quase como uma oferenda. Seria nosso jogo de *geocaching* ("atividade recreativa de encontrar objetos escondidos usando coordenadas de GPS postadas em um site"), mas só pra gente. As regras do *geocaching* são "pegue algo, deixe algo". Sempre queremos ficar com algo dos lugares por onde passamos, então por que não deixar alguma coisa em troca? Também é um jeito de provar que estivemos lá e de manter uma parte de nós ali.

VIOLET

153 DIAS PARA A FORMATURA

Sábado à noite. Casa de Amanda Monk.

Vou andando até lá porque são só três quadras. Amanda diz que seremos só nós duas, além de Ashley Dunston e Shelby Padgett, já que ela não está falando com Suze. De novo. Amanda era uma das minhas melhores amigas, mas desde abril a gente se afastou. Como eu saí da equipe de torcida, não temos mais muita coisa em comum. Me pergunto se algum dia tivemos.

Cometi a burrice de contar sobre a festa do pijama pros meus pais, e é por isso que estou indo.

— Amanda está se esforçando. E você também devia se esforçar, Violet. Não pode usar a morte da sua irmã pra sempre como desculpa. Tem que voltar a viver.

Não estou pronta não funciona mais com meus pais.

Quando cruzo o quintal dos Wyatt e viro a esquina, escuto a festa. A casa de Amanda está iluminada como se fosse Natal. Tem gente pendurada nas janelas. E no gramado. O pai dela é dono de uma rede de lojas de bebida, por isso Amanda é tão popular. Além do fato de ela ficar com todo mundo.

Espero na rua, mochila no ombro, travesseiro embaixo do braço. Me sinto no sexto ano. Uma boba. Eleanor riria da minha cara e me arrastaria pela calçada. Já estaria lá dentro. Fico com raiva dela só de imaginar.

Me obrigo a entrar. Joe Wyatt me dá alguma coisa em um copo de plástico vermelho.

— A cerveja está no porão — grita.

Roamer tomou conta da cozinha com alguns jogadores de beisebol e futebol americano.

— Pegou? — Roamer pergunta a Troy Satterfield.

— Não, cara.

— Nem um beijo?

— Não.

— Pegou na bunda?

— Peguei, mas meio de raspão.

Eles dão risada, Troy também. Todos estão falando muito alto.

Vou até o porão. Amanda e Suze Haines, melhores amigas de novo, estão jogadas em um sofá. Não vejo Ashley nem Shelby em lugar nenhum, mas quinze ou vinte garotos estão espalhados pelo chão fazendo jogos de beber. As garotas estão dançando em volta deles, incluindo as três Brianas e Brenda Shank-Kravitz, amiga de Theodore Finch. Casais estão se pegando.

Amanda acena a cerveja pra mim.

— Meu Deus! A gente precisa dar um jeito no seu cabelo. — Ela está falando da franja que cortei. — E por que você ainda está usando esses óculos? Eu entendo que quer lembrar da sua irmã, mas ela não tinha, tipo, uma blusa fofa pra você pegar?

Apoio o copo numa mesa. Ainda estou carregando o travesseiro.

— Estou com um pouco de dor de estômago. Acho que vou pra casa.

Suze me encara com aquele olhão azul.

— É verdade que você tirou Theodore Finch do parapeito?

(Ela era "Suzie" até o nono ano, quando deixou de usar o "i". Agora a gente pronuncia "Suz".)

— Sim. — Por favor, Deus, só queria que aquele dia desaparecesse.

Amanda olha pra Suze.

— Eu disse que era verdade. — Ela olha pra mim e revira os olhos. — Ele faz essas coisas mesmo. Conheço Finch desde o jardim de infância, e de lá pra cá ele só ficou mais esquisito.

Suze toma um gole.

— Eu o conheço melhor ainda — ela diz, num tom malicioso. Amanda dá um tapa em seu braço e Suze bate de volta. Quando terminam a brincadeirinha, Suze me diz: — A gente ficou no segundo ano. Finch pode ser esquisito, mas tenho que admitir uma coisa: ele sabe o que está fazendo. — A voz dela fica ainda mais maliciosa. — Ao contrário da maioria dos caras entediantes que estão por aí.

Alguns dos caras entediantes gritam do chão:

— Por que não vem experimentar, cachorra?

Amanda dá outro tapa em Suze. E elas continuam com a brincadeira.

Troco a mochila de ombro.

— Ainda bem que eu estava lá.

Pra ser mais exata, ainda bem que *ele* estava lá antes que eu caísse do parapeito e me matasse na frente de todo mundo. Não consigo imaginar o que seria dos meus pais, forçados a lidar com a morte da única filha que restava. E nem pareceria acidental. Esse é um dos motivos para eu ter vindo hoje sem questionar. Sinto vergonha de quase tê-los feito passar por isso.

— Lá onde? — Roamer vem tropeçando com um balde de cervejas. Coloca no chão, derrubando gelo por toda parte.

Suze o encara com o olhar afiado.

— Na torre do sino.

Roamer olha pros peitos dela. Depois se obriga a olhar pra mim.

— Por que você estava lá, afinal?

— Eu estava indo pro setor de humanas quando vi ele passar pela porta no final do corredor. A porta que vai pra torre.

— Humanas? Mas não é só no segundo período? — pergunta Amanda.

— Sim. Mas eu precisava falar com o sr. Feldman.

— Aquela porta fica trancada e bloqueada. É mais difícil de alguém abrir do que a sua calça, pelo que eu saiba. — Roamer cai na risada.

— Ele deve ter arrombado.

Ou talvez tenha sido eu. Uma das vantagens de parecer inocente é que a gente pode fazer qualquer coisa. As pessoas nunca desconfiam.

Roamer abre a cerveja e toma de uma vez.

— Que idiota. Você devia ter deixado ele pular. O imbecil quase arrancou minha cabeça ano passado. — Ele está falando do incidente com a lousa.

—Você acha que ele gosta de você? — Amanda me olha com cara de repulsa.

— Claro que não.

— Espero que não. Se eu fosse você, teria cuidado com ele.

Dez meses atrás, eu estaria sentada ao lado delas, bebendo cerveja, me enturmando e fazendo comentários espirituosos na minha cabeça: *Ela pensa bem ao soltar essas palavras, como uma advogada tentando convencer o júri. "Protesto, srta. Monk." "Me desculpe. Por favor, desconsidere." Mas é tarde demais, porque o júri ouviu as palavras e não tira elas da cabeça — se ele gosta dela, ela também deve gostar dele...*

Mas agora estou aqui, me sentindo indiferente e deslocada e me perguntando como um dia fui amiga da Amanda pra começo de conversa. O ar está pesado. A música, alta demais. Sinto cheiro de cerveja por toda a parte. Estou enjoada. Então vejo Leticia Lopez, repórter do jornal do colégio, vindo até mim.

— Tenho que ir, Amanda. Falo com você amanhã.

Antes que alguém diga alguma coisa, subo a escada e vou embora daquela casa.

A última festa a que fui aconteceu no dia 4 de abril, véspera da morte de Eleanor. A música e as luzes e os gritos me fazem lembrar de tudo. A tempo, afasto o cabelo do rosto, me abaixo e vomito no meio-fio. Amanhã eles vão achar que foi algum bêbado.

Procuro o celular e mando uma mensagem para Amanda.

Desculpa. Não estou me sentindo bem. ☹ **Bj, V**

Viro pra ir pra casa e dou de cara com Ryan Cross. Ele está suado e despenteado. Os olhos grandes e bonitos estão vermelhos. Como todos os caras gatos, sempre abre um sorriso provocante. Quando sorri com os dois cantos da boca, aparecem covinhas. Ele é perfeito e conheço seu rosto de cor.

Não sou perfeita. Tenho segredos. Sou uma bagunça. Não só meu quarto, mas eu mesma. Ninguém gosta de bagunça. As pessoas gostam da Violet que sorri. Me pergunto o que Ryan faria se soubesse que foi Finch que me salvou, não o contrário. Me pergunto o que qualquer um deles faria.

Ryan me ergue e me gira, com travesseiro, mochila e tudo. Tenta me beijar e eu viro a cabeça.

A primeira vez que ele me beijou foi na neve. Neve em abril. Bem-vindo ao Meio-Oeste. Eleanor estava de branco, eu estava de preto, uma coisa meio Sexta-feira muito louca que a gente fazia de vez em quando, irmã boa e irmã má com papéis invertidos. O irmão mais velho de Ryan, Eli, estava dando uma festa. Eleanor subiu com Eli e eu fiquei dançando. Amanda, Suze, Shelby, Ashley e eu. Ryan estava na janela. Foi ele que avisou:

— Está nevando!

Dancei até lá, passando pela multidão, e ele olhou pra mim.

— Vamos.

Simples assim.

Pegou minha mão e corremos pra fora. Os flocos eram pesados como a chuva, grandes, brancos e brilhantes. Tentamos pegar alguns com a língua, e a língua dele encontrou minha boca. Fechei os olhos enquanto os flocos pousavam em minhas bochechas.

Lá dentro, barulho de gritaria e coisas quebrando. Sons de uma festa. As mãos de Ryan embaixo da minha camiseta. Lembro que estavam quentes, e no meio do beijo eu estava pensando: Estou beijando Ryan Cross. *Coisas assim não aconteciam comigo antes de a gente se mudar para Indiana. Coloquei as mãos embaixo do moletom dele também e senti a pele quente e macia. Era exatamente como eu imaginava.*

Mais gritos, mais coisas quebrando. Ryan se afastou e eu olhei pra ele, pra mancha de batom em sua boca. Eu só conseguia pensar: É o meu *batom nos lábios de Ryan Cross. Ai-meu-Deus.*

Queria ter uma foto minha daquele instante exato pra lembrar co-

mo eu era. Aquele foi o último momento bom antes de tudo ficar ruim e mudar pra sempre.

Agora Ryan me abraça e me levanta do chão.

— Você está indo pro lado errado, V. — Começa a me levar em direção à casa de Amanda.

— Já passei lá. Tenho que ir pra casa. Estou enjoada. Me põe no chão. — Dou soquinhos nele e ele me põe no chão, porque Ryan é um bom garoto, que faz o que mandam.

— O que aconteceu?

— Estou enjoada. Acabei de vomitar. Tenho que ir. — Dou tapinhas no braço dele como se fosse um cachorro. Viro e corro pelo gramado, desço a rua, dobro a esquina e vou pra casa. Escuto Ryan gritar meu nome, mas não olho pra trás.

—Você voltou cedo. — Minha mãe está no sofá com o nariz enfiado num livro. Meu pai está jogado do outro lado, olhos fechados, fones de ouvido.

— Nem tanto. — Paro no início da escada. — Só pra você saber, foi uma má ideia. Eu sabia que era uma má ideia e fui mesmo assim pra você ver como estou tentando. Mas não era uma festa do pijama. Era uma festa mesmo. Do tipo "vamos ficar bêbados e fazer uma orgia" — digo tudo isso como se a culpa fosse deles.

Minha mãe cutuca meu pai, que tira os fones. Eles sentam.

—Você quer conversar? Sei que deve ter sido difícil, um susto. Por que não fica um pouco aqui com a gente?

Como Ryan, meus pais são perfeitos. Fortes, corajosos e carinhosos e, embora eu saiba que eles choram, ficam com raiva e talvez até atirem coisas quando estão sozinhos, raramente presencio cenas assim. Pelo contrário: eles me encorajam a sair de casa e entrar no carro e voltar pra estrada. Eles ouvem e perguntam e se preocupam, e estão do meu lado. Aliás, estão do meu lado *até demais* agora. Precisam saber onde vou, o que faço, quem vou encontrar e a que horas pretendo voltar. *Mande mensagem quando estiver indo, mande mensagem quando estiver voltando.*

Cogito sentar um pouco com eles, só pra concordar com alguma coisa, depois de tudo que passaram, depois do que quase fiz passarem ontem. Mas não sento.

— Estou cansada. Acho que vou deitar.

Dez e meia da noite. Meu quarto. Estou com a pantufa do Freud, uma felpuda com a cara dele estampada, e meu pijama tem uns macacos roxos desenhados. É o que visto quando quero ficar feliz. Risco o dia com um "X" preto no calendário que fica na porta do guarda-roupa e me acomodo na cama, encostada nos travesseiros, livros espalhados pelo edredom. Desde que parei de escrever, leio mais do que nunca. *Palavras de outras pessoas, não as minhas — minhas palavras se foram.* Neste momento, estou curtindo muito as irmãs Brontë.

Amo meu quarto. O mundo é melhor aqui do que lá fora, porque aqui sou o que eu quiser. Sou uma autora brilhante. Posso escrever cinquenta páginas por dia e nunca fico sem palavras. Sou uma futura aluna de escrita criativa na NYU. Sou a criadora de uma revista on-line popular — não a que fiz com a Eleanor, uma revista nova. Sou destemida. Sou livre. Estou segura.

Não consigo decidir de qual das irmãs Brontë gosto mais. De Charlotte não, porque ela parece minha professora do sexto ano. Emily é feroz e despreocupada, e Anne é a ignorada. Torço por Anne. Leio e depois fico deitada em cima do edredom olhando pro teto. Desde abril tenho a sensação de que estou à espera de alguma coisa. Mas não faço ideia do quê.

Depois de um tempo, levanto. Há pouco mais de duas horas, às 19h58, Theodore Finch postou um vídeo no Facebook. Ele tocando guitarra, sentado onde imagino que seja seu quarto. A voz é boa, mas rouca, como se tivesse fumado muito. Está inclinado na guitarra, o cabelo preto caindo nos olhos. A imagem está embaçada, como se tivesse filmado com o celular. A letra da música é sobre um cara que pula do telhado da escola.

No fim da música, ele fala pra câmera:

— Violet Markey, se você vir isso, ainda deve estar viva. Por favor, confirme.

Fecho o vídeo como se ele pudesse me enxergar. Quero que o dia de ontem, Theodore Finch e a torre do sino sumam. Pra mim, aquilo tudo foi um pesadelo. O pior deles. O PIOR que já tive.

Escrevo uma mensagem privada: **Por favor, apague o vídeo ou edite o que falou no fim pra ninguém mais ler/ ouvir.**

Ele responde imediatamente: **Parabéns! Imagino, pela mensagem, que está viva! Agora que sei disso, acho que devemos conversar sobre o que aconteceu, já que você é minha dupla no projeto. (E ninguém além de nós vai ver o vídeo.)**

Eu: **Estou bem. Quero muito parar de falar disso e esquecer que aconteceu. (Como você sabe?)**

Finch: **(Porque só entrei no Facebook pra falar com você. Além do mais, agora que você já viu, o vídeo se autodestruirá em cinco segundos. Cinco, quatro, três, dois...)**

Finch: **Por favor, atualize a página.**

O vídeo some.

Finch: **Se você não quiser conversar pelo Facebook, posso ir aí.**

Eu: **Agora?**

Finch: **Bom, teoricamente, em cinco ou dez minutos. Tenho que me vestir primeiro, a não ser que você prefira que eu vá pelado, além do tempo que vou gastar no caminho.**

Eu: **Está tarde.**

Finch: **Isso é relativo. Olha só, eu não acho que está tarde. Eu acho que está cedo. É o início das nossas vidas. O início da noite. O início do ano. Se você parar pra pensar, vai ver que está mais cedo que tarde. A gente só vai conversar. Nada mais que isso. Não estou dando em cima de você.**

Finch: **A não ser que você queira. Que eu dê em cima de você.**

Eu: **Não.**

Finch: **"Não", você não quer que eu vá, ou "não", você não quer que eu dê em cima de você?**

Eu: **Os dois. Todas as anteriores.**

Finch: **Tá bom. A gente pode conversar na escola. Talvez na aula de geografia, ou posso procurar você no almoço. Você em geral está com Amanda e Roamer, né?**

Ai, meu Deus. Faz isso parar. Faz ele desistir.

Eu: **Se você vier aqui hoje, promete parar com isso de uma vez por todas?**

Finch: **Palavra de escoteiro.**

Eu: **Só pra conversar. Nada além disso. E tem que ser rápido.**

Assim que escrevo, me arrependo. Amanda e a festa estão ali, a poucas quadras. Qualquer um pode passar por aqui e ver Finch.

Eu: **Você ainda está aí?**

Ele não responde.

Eu: **Finch?**

DIA 7 DESPERTO

Entro no velho suv compacto da minha mãe, mais conhecido como Tranqueira, e vou pra casa de Violet Markey pela estrada que corre paralela à Nacional, principal via que corta a cidade. Piso no acelerador e o velocímetro sobe rápido, noventa, cem, cento e dez, cento e vinte, o ponteiro tremendo e o Tranqueira fazendo o melhor que pode pra ser um carro esportivo, não uma minivan de cinco anos de idade.

No dia 23 de março de 1950, o poeta italiano Cesare Pavese escreveu: *O amor é o grande manifesto; a urgência de ser, de ter alguma importância e, se a morte vier, morrer com valentia, com clamor — em suma, permanecer na memória.* Cinco meses mais tarde, entrou no escritório de um jornal e escolheu a foto de seu obituário no arquivo. Deu entrada em um hotel e, dias depois, foi encontrado esticado na cama, morto. Ele estava completamente vestido, com exceção dos sapatos. Na mesa de cabeceira havia dezesseis caixas de remédio pra dormir vazias e um bilhete: *A todos perdoo e a todos peço perdão. Tudo bem? Não façam muita fofoca, por favor.*

Cesare Pavese não tem nada a ver com dirigir rápido em uma estrada de Indiana, mas entendo a urgência de *ser* e de ter alguma importância. Apesar de achar que tirar o sapato em um quarto de hotel e engolir um monte de remédio pra dormir não seja uma forma de morrer com valentia e com clamor, o que importa é a intenção.

Faço o Tranqueira alcançar os cento e trinta. Vou aliviar quando chegar nos cento e quarenta. Nem cento e trinta e sete. Nem cento e trinta e oito. É cento e quarenta ou nada.

Me inclino para a frente, como se fosse um foguete, como se EU fosse o carro. E começo a gritar, porque a cada segundo fico mais desperto. Sinto a adrenalina — mais do que isso, sinto tudo à minha volta e dentro de mim, a estrada, meu sangue e meu coração batendo na garganta, e eu poderia acabar com tudo em um clamor valente de metal amassado e fogo explosivo. Piso mais fundo no acelerador e agora não posso parar porque estou mais rápido que tudo. A única coisa que importa é o impulso e como me sinto na colisão com o Grande Manifesto.

Então, no momento exato antes de meu coração ou o motor explodir, tiro o pé do acelerador e deslizo pela estrada irregular, o Tranqueira me levando sozinho quando saímos do chão e aterrissamos com tudo, a alguns metros de distância, metade dentro e metade fora da vala, onde recupero o fôlego. Levanto as mãos e elas não tremem nem um pouco. Estão mais firmes do que nunca, olho em volta, pro céu estrelado e pro campo e pras casas escuras e adormecidas, e estou aqui, filhos da p... Estou aqui.

Violet mora a uma rua de Suze Haines, em um casarão branco com chaminé vermelha em um bairro do outro lado da cidade. Quando chego ela está sentada na escada da frente, com um casaco gigante, parecendo pequena e sozinha. Levanta rápido e me encontra na metade da calçada, então olha atrás de mim como se estivesse procurando alguém ou alguma coisa.

—Você não precisava vir até aqui.

Está sussurrando, como se a gente fosse acordar a vizinhança.

Sussurro de volta.

— A gente não mora em Los Angeles nem em Cincinnati. Levei, tipo, cinco minutos pra chegar. Bela casa, aliás.

— Olha, obrigada por vir, mas não preciso conversar. — O cabelo está preso em um rabo de cavalo, e umas mechas estão caindo no rosto. Ela coloca uma atrás da orelha. — Eu estou bem.

— Nunca minta para um mentiroso. Sei reconhecer muito bem um pedido de ajuda, e acho que quase pular de um parapeito com certeza se classifica como um. Seus pais estão em casa?

— Estão.

— Que pena. Quer dar uma volta? — Começo a andar.

— Não pra lá. — Ela puxa meu braço e me leva para o outro lado.

— Estamos evitando alguma coisa?

— Não. É só... hum... mais agradável pra cá.

Faço minha melhor imitação do Embrião:

— Então, há quanto tempo você tem esses impulsos suicidas?

— Meu Deus! Fala baixo. E eu não sou... não sou...

— Suicida. Pode dizer.

— Bom, tanto faz, eu não sou.

— Ao contrário de mim.

— Não é isso que quero dizer.

— Você estava naquele parapeito porque não sabia mais pra onde ir nem o que fazer. Você tinha perdido a esperança. Então, como um cavaleiro valente, eu salvei sua vida. Aliás, você fica totalmente diferente sem maquiagem. Isso não é ruim, só diferente. Talvez até melhor. E qual é a desse seu site? Você sempre quis escrever? Me fale de você, Violet Markey.

Ela responde como se fosse um robô.

— Acho que não tem muito o que falar. Não tenho nada pra contar.

— Então, Califórnia. Deve ter sido uma mudança e tanto. Você gosta?

— Do quê?

— Bartlett.

— É legal.

— E este bairro?

— É legal também.

— Não são as palavras de alguém que acabou de ter sua vida de volta. Você deveria estar no topo da p... do mundo agora. Eu estou aqui. Você está aqui. Não só isso: você está aqui comigo. Consigo pensar em pelo menos uma garota que gostaria de estar no seu lugar.

Ela solta um grunhido de frustração (estranhamente atraente) e diz:
— O que você quer?
Paro embaixo de um poste. Deixo de lado as tentativas de persuasão e o charme.
— Quero saber por que você estava lá. E se está bem.
— Se eu contar, você vai embora?
— Sim.
— E nunca mais fala disso?
— Depende das respostas.
Ela suspira e começa a andar. Por um tempo, não fala nada, então fico quieto, esperando. Os únicos sons vêm da TV de alguém e de uma festa por perto.
Depois de algumas quadras, digo:
— Qualquer coisa que você disser fica entre a gente. Você pode não ter notado, mas não tenho muitos amigos. E mesmo que tivesse, não faria diferença. Aqueles imbecis já têm assunto suficiente.
Ela respira fundo.
— Quando fui até a torre, não estava pensando. Foi como se minhas pernas subissem a escada e eu só fosse guiada. Nunca fiz nada desse tipo antes. Quer dizer, aquela não sou eu. Depois, foi como se eu tivesse acordado naquele parapeito. Eu não sabia o que fazer, então comecei a me desesperar.
— Você contou pra alguém o que aconteceu?
— Não. — Ela para de andar e resisto à vontade de tocar seu cabelo, que sopra no rosto. Ela arruma.
— Nem pros seus pais?
— Muito menos pra eles.
— Você ainda não me falou *o que* estava fazendo lá em cima.
Eu não espero que ela responda, mas...
— Era aniversário da minha irmã. Ela faria dezenove anos.
— Merda. Sinto muito.
— Mas esse não é o motivo. O motivo é que nada disso importa. O colégio, a equipe de torcida, os namorados, os amigos, as festas, os

cursos de escrita criativa... — Ela gesticula com os braços. — Tudo isso é só pra passar o tempo até a gente morrer.

— Talvez. Talvez não. De qualquer maneira, estou muito feliz por estar aqui. — Se tem uma coisa que aprendi, é que a gente precisa aproveitar ao máximo. — Foi o suficiente pra você não pular.

— Posso perguntar uma coisa? — Ela mantém o olhar no chão.

— Claro.

— Por que chamam você de Theodore Aberração?

Agora eu é que encaro o chão como se fosse a coisa mais interessante que já vi. Demoro um tempo pra responder, tentando decidir o que dizer. *Sinceramente, Violet, não sei por que a galera não gosta de mim.* Mentira. Quer dizer, eu sei e não sei. Sempre fui diferente, mas pra mim diferente é normal. Decido por uma versão da verdade.

— No oitavo ano, eu era muito menor do que sou agora. Isso foi antes de você vir pra cá. — Levanto o olhar o suficiente pra ver que ela faz que sim com a cabeça. — Minhas orelhas eram enormes. Meus cotovelos também. Minha voz só ficou normal um verão antes do ensino médio, quando dei uma esticada de uns trinta e cinco centímetros.

— Só por isso?

— Por isso e porque às vezes eu digo e faço coisas sem pensar. As pessoas não aceitam muito bem.

Ela fica quieta enquanto viramos uma esquina, e enxergo sua casa ao longe. Caminho devagar pra gente ter mais tempo.

— Conheço a banda que está tocando no Quarry. A gente podia ir lá, esquentar um pouco, ouvir música, esquecer tudo. Também conheço um lugar que tem uma vista bem bacana da cidade. — Abro um dos meus melhores sorrisos.

—Vou entrar e dormir.

Sempre fico impressionado com o sono das pessoas. Eu nunca dormiria se não precisasse.

— Ou a gente pode dar uns amassos.

— Acho que não.

Mais ou menos um minuto depois, chegamos até meu carro.

— E como você subiu lá, afinal? A porta estava aberta quando cheguei, mas geralmente está trancada.

Ela sorri pela primeira vez.

— Talvez eu tenha arrombado a fechadura.

Solto um assobio.

— Violet Markey. Quem diria?

Em um piscar de olhos, ela atravessa a calçada e entra em casa. Fico ali olhando até a luz acender em uma janela no andar de cima. Uma sombra se mexe e vejo a silhueta de Violet, como se ela estivesse olhando através da cortina. Me encosto no carro, esperando pra ver quem desiste primeiro. Fico ali até a sombra sumir e a luz se apagar.

Em casa, estaciono o Tranqueira na garagem e vou pra minha corrida noturna. Corrida no inverno, natação no resto do ano. Meu trajeto de sempre é descer a estrada Nacional, passar pelo hospital e pela área de camping até uma ponte velha de metal que parece ter sido esquecida por todo mundo, menos por mim. Acelero sobre os muros que servem de barra de proteção e, ao passar sem cair, sei que estou vivo.

Inútil. Burro. Essas foram as palavras que cresci ouvindo. São palavras das quais tento fugir, porque, se deixá-las entrar, elas podem ficar e crescer e me preencher até que a única coisa restante dentro de mim seja *inútil burro inútil burro inútil burro aberração*. E não posso fazer nada além de correr mais rápido e me preencher com outras palavras: *Desta vez vai ser diferente. Desta vez vou ficar desperto.*

Corro quilômetros, não conto quantos, passando casas e mais casas com as luzes apagadas. Sinto pena de todos que estão dormindo.

Pego um caminho diferente pra casa, pela ponte da rua A. Essa ponte é mais movimentada porque liga o centro ao lado oeste de Bartlett, onde ficam o colégio, a faculdade e todos os bairros crescendo entre eles.

Corro pelo que restou da barra de proteção de concreto. Ainda tem um buraco no meio, e alguém colocou uma cruz perto. A cruz está tombada, a tinta branca desbotada em cinza por causa do clima de Indiana, e me pergunto quem a colocou ali — Violet? Seus pais? Alguém do colégio? Corro até o fim da ponte e corto caminho pela grama, até a ribanceira embaixo, que é um antigo leito de rio seco cheio de pontas de cigarro e garrafas de cerveja.

Chuto o lixo e as pedras e a sujeira. Alguma coisa brilha prateada no escuro, e então vejo outras coisas reluzindo — pedaços de vidro e metal. O plástico vermelho de uma lanterna traseira. Um espelho retrovisor quebrado. Uma placa amassada e quase dobrada ao meio.

Tudo isso de repente faz parecer real. Eu poderia afundar na terra como uma pedra e ser engolido inteiro com o peso do que aconteceu aqui.

Deixo tudo como estava, a não ser pela placa, que levo comigo. Deixá-la ali parece errado, como se fosse uma coisa muito pessoal pra ficar ao relento, onde alguém que não conhece Violet nem sua irmã pode pegar e achar bacana ou guardar como se fosse uma lembrancinha. Corro pra casa, me sentido pesado e vazio. *Desta vez vai ser diferente. Desta vez vou ficar desperto.*

Corro até o tempo parar. Até minha cabeça parar. Até que a única coisa que sinto é o metal gelado nas mãos e o sangue pulsando.

VIOLET

152 DIAS PARA A FORMATURA

Domingo de manhã. Meu quarto.

O domínio eleanoreviolet.com está expirando. Sei disso porque a empresa que hospeda o site me mandou um e-mail avisando que devo renovar agora ou desistir dele. No laptop, abro nossas pastas de anotações e dou uma olhada nas ideias em que estávamos trabalhando antes de abril. Mas, sem Eleanor pra me ajudar a decifrar as abreviações, são só fragmentos sem sentido.

Nós tínhamos opiniões diferentes sobre a revista. Eleanor era mais velha (e mandona), o que significava que geralmente ficava no comando e conseguia fazer as coisas do jeito que queria. Posso tentar salvar o site, talvez reformular e transformar em algo novo — um lugar onde escritores possam compartilhar seus textos. Um site que não seja só sobre esmalte e garotos e música, mas outras coisas também, tipo como trocar um pneu, falar francês ou o que esperar quando saímos pro mundo.

Anoto essas ideias. Então entro no site e leio a última postagem, escrita um dia antes da festa — duas interpretações do livro *Julie Plum, garota exorcista*. Nada de *A redoma de vidro* ou *O apanhador no campo de centeio*. Nada importante nem surpreendente. Nada que diga: *Essa é a última coisa que você vai escrever antes que o mundo mude*.

Apago nossas anotações. Apago o e-mail da empresa que hospeda o site. Então esvazio a lixeira pra que o aviso fique tão morto e enterrado quanto Eleanor.

DIA 8 DESPERTO

Domingo à noite, Kate, Decca e eu vamos até a casa nova do meu pai, na parte mais rica da cidade, para o Jantar em Família Semanal Obrigatório. Visto a mesma combinação de camisa azul-marinho e calça cáqui que sempre uso para visitar meu pai.

No caminho, permanecemos em silêncio, cada um olhando por uma janela. Nem ligamos o rádio.

— Divirtam-se — minha mãe disse antes de irmos, tentando parecer alegre, mas sei que, assim que o carro saiu da garagem, ela ligou para uma amiga e abriu uma garrafa de vinho.

Vai ser a primeira vez que vejo meu pai desde o Dia de Ação de Graças e a primeira vez que vou à casa onde ele mora com a Rosemarie e o filho dela.

É uma dessas casas enormes e novinhas que se parecem com todas as outras da rua. Quando estacionamos na frente, Kate diz:

— Imagina tentar encontrar a casa certa depois de beber...

Marchamos pela calçada branca e limpa. Dois SUVs iguais estão estacionados na frente da garagem, brilhando como se sua pretensiosa vida mecânica dependesse disso.

Rosemarie abre a porta. Talvez tenha trinta anos, o cabelo é loiro avermelhado e o sorriso, preocupado. Segundo minha mãe, ela é o que se chamaria de "cuidadora", o que — também segundo minha mãe — é exatamente do que meu pai precisa. Ela veio com um acordo de duzentos mil dólares do ex-marido e um menino banguela de sete anos chamado Josh Raymond, que pode ou não ser meu irmão de verdade.

Meu pai vem em nossa direção lá do quintal, onde está assando quinze quilos de carne, apesar de estarmos no inverno. Sua camiseta diz *Chupem, senadores*. Há doze anos ele era jogador de hóquei profissional, mais conhecido como Destruidor, até que quebrou o fêmur na cabeça de outro jogador. Parece igual à última vez que o vi — bonito e em forma pra um cara da idade dele, como se esperasse ser chamado de volta pro time a qualquer momento —, mas o cabelo escuro está salpicado de cinza, o que é novidade.

Abraça minhas irmãs e me dá um tapinha nas costas. Ao contrário da maioria dos jogadores de hóquei, de alguma maneira ele conseguiu manter todos os dentes, e os mostra pra nós como se fôssemos seu fã-clube. Quer saber como foi nossa semana, como vão as aulas, se aprendemos algo que ele não saiba. É um desafio pra ver se conseguimos vencer nosso velho pai, o que não é divertido pra ninguém, então nós três dizemos não.

Pergunta sobre o curso fora durante novembro/ dezembro, e eu demoro um pouco pra perceber que ele está falando comigo.

— Ah, foi legal.

Boa, Kate. Tenho que agradecer mais tarde. Ele não sabe dos apagões nem dos problemas no colégio desde o segundo ano porque no ano passado, depois do episódio com a guitarra, falei pro diretor Wertz que meu pai tinha morrido em uma caçada. Ele nunca se deu ao trabalho de confirmar, e agora sempre que tenho algum problema ele liga pra minha mãe, mas na verdade fala com Kate, porque minha mãe nunca ouve as mensagens de voz.

— Eles me convidaram pra ficar, mas não aceitei. Tipo, por mais que eu goste de patinação artística e seja bom nisso, acho que puxei de você, não sei se quero seguir carreira.

Um dos grandes prazeres da minha vida é fazer comentários como esse, porque ter um filho gay é o pior pesadelo do imbecil preconceituoso do meu pai.

Sua única resposta é abrir outra cerveja e atacar os quinze quilos de carne com o garfo, como se eles fossem pular da churrasqueira e nos devorar. Eu até queria que isso acontecesse.

Quando chega a hora de comer, sentamos à mesa na sala de jantar branca e dourada, com um tapete de lã natural, o mais caro que o dinheiro pode comprar. Parece que é uma melhora enorme com relação ao carpete de náilon de merda que estava na casa quando eles se mudaram.

Josh Raymond mal alcança a mesa, porque a mãe é baixinha e o ex-marido dela também, ao contrário do meu pai, que é um gigante. Meu meio-irmão é um nanico, diferente de como eu era quando tinha a idade dele — tem tudo na medida, proporcional, nada de cotovelos nem orelhas protuberantes. Essa é uma coisa que me faz acreditar que, no fim das contas, talvez ele não seja geneticamente ligado ao meu pai.

Agora, Josh Raymond chuta o pé da mesa e olha pra nós por cima do prato com olhos de coruja arregalados e enormes.

— Como vai, tampinha? — digo.

Ele responde alguma coisa com a voz fina, e meu pai, o Destruidor, põe a mão na barba perfeitamente aparada e diz com a calma de um monge:

— Josh Raymond, nós já falamos sobre chutar a mesa. — Ele nunca usou esse timbre comigo nem com minhas irmãs.

Decca, que já encheu o prato, começa a comer enquanto Rosemarie serve um por um. Quando chega a minha vez, digo:

— Não quero nada, a não ser que você tenha hambúrguer vegetariano.

Ela só pisca pra mim, a mão ainda pairando no ar. Sem virar o rosto, encara meu pai.

— Hambúrguer vegetariano? Cresci comendo carne e batata e cheguei aos trinta e cinco. — (Ele fez quarenta e três em outubro.) — E nunca questionei, porque eram meus pais que colocavam comida na mesa.

Ele levanta a camisa e acaricia a barriga — ainda retinha, mas não tão definida —, balança a cabeça e sorri pra mim, o sorriso de um homem que tem uma esposa nova e um filho novo e uma casa nova e dois carros novos e só tem que aguentar os filhos mais velhos por mais uma ou duas horas.

— Não como carne vermelha, pai. — Pra ser exato, tenho uma versão anos 80 que é vegetariana.

— Desde quando?

— Desde a semana passada.

— Ah! Pelo amor de... — Ele recosta na cadeira e olha pra mim enquanto Decca dá uma mordida grande no hambúrguer e o sangue escorre pelo queixo.

— Não seja babaca, pai. Ele não precisa comer se não quer — diz Kate.

Antes de eu impedir, o Finch dos anos 80 diz:

— Existem jeitos diferentes de morrer. Você pode pular de um telhado ou se envenenar aos poucos com a carne de outro ser vivo.

— Me desculpe, Theo. Eu não sabia. — Rosemarie dispara um olhar pro meu pai, que ainda está me encarando. — Que tal um sanduíche com salada de maionese? — Ela parece tão esperançosa que eu aceito, embora a salada de maionese tenha bacon.

— Ele não pode comer isso. A salada de maionese tem bacon. — Essa frase vem da Kate.

— Bom, ele pode tirar a droga do bacon. — Meu pai deixa transparecer um pouco do sotaque canadense. Está começando a ficar irritado, então calamos a boca, porque quanto mais rápido comermos, mais rápido vamos embora.

Em casa, dou um beijo no rosto da minha mãe, porque ela está precisando, e sinto o cheiro de vinho tinto.

— Vocês se divertiram? — ela pergunta, e a gente sabe que ela espera que imploremos pra nunca mais voltar lá.

— Definitivamente não — Decca diz e sobe a escada pisando firme.

Minha mãe suspira de alívio antes de tomar mais um gole e ir atrás dela. Domingo é o dia em que ela desempenha melhor seu papel materno.

Kate abre um pacote de salgadinho e comenta:

— Isso é tão ridículo. — Sei o que ela quer dizer. "Isso" se refere a nossos pais e aos domingos e talvez à nossa vida como um todo. — Não entendo por que temos que ir lá e fingir que gostamos uns dos outros se todos têm plena consciência de que é isso que estamos fazendo. Fingindo. — Ela me passa o salgadinho.

— Porque as pessoas são hipócritas, Kate. Elas preferem assim.

Ela joga o cabelo por cima do ombro e fecha a cara de um jeito reflexivo.

— Sabe, decidi ir pra faculdade no outono mesmo.

Kate se ofereceu pra ficar em casa na época do divórcio. *Alguém precisa cuidar da mamãe*, disse.

De repente sinto fome, e nós dois ficamos passando o pacote de salgadinho um pro outro. Com a boca cheia, digo:

— Achei que você estivesse gostando de ficar um tempo longe das aulas.

Amo Kate o bastante para fingir junto com ela que esse foi o outro motivo para ficar em casa, que não teve nada a ver com o namorado traidor do colégio, aquele em torno de quem ela tinha planejado o futuro.

Ela dá de ombros.

— Não sei. Talvez não esteja sendo como eu esperava. Estou pensando em ir pra Denver e ver o que tem de bom por lá.

— Tipo o Logan? — Mais conhecido como namorado traidor da época do colégio.

— Não tem nada a ver com ele.

— Espero que não.

Quero repetir as coisas que falo pra ela há meses: *Você é melhor que ele. Já perdeu muito tempo com aquele babaca.* Mas ela está rangendo os dentes e franzindo a testa pro pacote de salgadinhos.

— É melhor que ficar aqui.

Não posso argumentar, então pergunto:

— Você lembra da Eleanor Markey?

— Claro. Era da minha turma. Por quê?

— Ela tem uma irmã. — Eu a conheci na torre do sino quando nós dois estávamos pensando em pular. Poderíamos ter dado as mãos e saltado juntos. Iam achar que nós éramos amantes amaldiçoados. Escreveriam músicas sobre nós. Viraríamos lenda.

Kate dá de ombros.

— Eleanor era legal. Um pouco convencida. Mas engraçada às vezes. Não a conhecia tão bem. Não lembro da irmã dela. — Ela termina o vinho da taça da mamãe e pega a chave do carro. — Até depois.

No andar de cima, troco Split Enz, Depeche Mode e Talking Heads por Johnny Cash. Coloco *At Folsom Prison* na vitrola, procuro um cigarro e mando Finch dos anos 80 ficar quieto. Afinal, fui eu que o criei e posso sumir com ele quando quiser. Quando acendo o cigarro, no entanto, imagino meus pulmões ficando pretos como asfalto e penso no que disse pro meu pai mais cedo: *Existem jeitos diferentes de morrer. Você pode pular de um telhado ou se envenenar aos poucos com a carne de outro ser vivo.*

Nenhum animal morreu pra fazer esse cigarro, mas pela primeira vez não gosto do jeito como ele me faz sentir, como se eu estivesse me poluindo, como se eu estivesse me envenenando. Apago o cigarro e, antes de mudar de ideia, destruo todos os outros. Então corto os pedaços e jogo no lixo, ligo o computador e começo a digitar.

11 de janeiro. De acordo com o *New York Times*, quase vinte por cento dos suicídios são cometidos pelo uso de veneno; entre médicos que se matam, esse número chega a cinquenta e sete por cento. O que eu acho sobre o método: parece meio covarde. Preferiria sentir alguma coisa. Tendo dito isso, se alguém apontasse uma arma pra minha ca-

beça (ha, ha — desculpe, humor suicida) e me obrigasse a tomar algum veneno, eu escolheria cianeto. Na forma gasosa, a morte pode ser instantânea, o que acaba com o propósito de sentir alguma coisa, eu sei. Mas, pensando bem, depois de uma vida inteira de dor, talvez faça sentido defender o rápido e repentino.

Quando termino, vou pro banheiro vasculhar o armário de remédios. Advil, aspirina, um remédio pra dormir sem prescrição que roubei da Kate e coloquei num frasco velho da mamãe. Falei a verdade pro Embrião sobre drogas. Não nos damos bem. No fim das contas, já é difícil controlar meu cérebro sem outra coisa pra atrapalhar.

Mas nunca se sabe quando um bom remédio pra dormir pode ser necessário. Abro o frasco, jogo os comprimidos azuis na palma da mão e conto. Trinta. Na mesa do quarto, alinho um a um, como um pequeno exército.

Entro no Facebook, e na página da Violet alguém da escola escreveu que ela foi uma heroína por ter me salvado. Tem 146 comentários e 289 curtidas e, embora eu queira pensar que existem muitas pessoas felizes por eu estar vivo, sei muito bem que não é isso. Entro no meu perfil, que está vazio, a não ser pela foto da Violet na lista de amigos.

Ponho os dedos sobre o teclado, passo as mãos pelas letras, como se estivesse tocando piano. Então digito: **Refeições em família são uma merda, principalmente quando envolvem carne e intolerância. "Não podemos passar por mais uma daquelas crises terríveis." Principalmente quando temos tantas outras coisas a fazer.** A citação é do bilhete suicida de Virginia Woolf para o marido, mas acho que se encaixa na ocasião.

Mando a mensagem e fico perto do computador, organizando os comprimidos em grupos de três, depois de dez, quando na verdade estou esperando que Violet responda. Tento desamassar a placa do carro, escrevo *Mais uma daquelas crises terríveis* num papel e coloco na parede do quarto, que já está coberta de anotações do tipo. A parede tem vários nomes: Parede de Pensamentos, Parede de Ideias, Parede da Minha Mente ou simplesmente The Wall, mas não como a do Pink Floyd. A parede é um lugar pra manter o controle dos pensamentos, na velocidade em que vêm, e lembrar deles quando vão embora. Qualquer coisa interessante, estranha ou um pouco inspirada vai pra lá.

Uma hora depois, entro no Facebook de novo. Violet escreveu: **"Junte todos os pedaços que for encontrando"**.

Minha pele começa a queimar. Ela está citando Virginia Woolf de volta. Sinto o ritmo do meu pulso triplicar. *Merda*, penso. Eu só conheço isso de Virginia Woolf. Faço uma pesquisa rápida na internet, procurando pela resposta certa. De repente desejo ter prestado mais atenção em Virginia Woolf, uma escritora que nunca me foi muito útil até agora. De repente desejo não ter feito nada que não fosse estudar Virginia Woolf durante todos os meus dezessete anos.

Digito uma resposta: **"Meu próprio cérebro é para mim a mais inexplicável das máquinas — sempre zunindo, sussurrando, planando rugindo mergulhando, e então se enterrando na lama. E por quê? Para que esta paixão?"**.

Isso é uma resposta pro que Violet disse sobre passar o tempo e nada ter importância, mas também sou eu, precisamente — zunindo, sussurrando, planando rugindo mergulhando e afundando na lama, tão fundo que não consigo respirar. Apagado ou desperto, nunca no meio do caminho.

É uma boa citação, tão boa que me arrepia. Estudo os pelos em pé no meu braço e, quando olho de novo pra tela, Violet respondeu. **"Quando a gente considera coisas como as estrelas, os nossos negócios não parecem importar muita coisa, não é?"**

Agora estou trapaceando de verdade, abrindo todo site que encontro sobre Virginia Woolf. Me pergunto se ela também está trapaceando. Escrevo: **"Tenho raízes, mas sou fluida"**.

Quase mudo de ideia. Penso em apagar, mas ela responde. **Gostei dessa. De onde é?**

As ondas. Trapaceio de novo e encontro a passagem. É assim: "Sinto **mil capacidades brotarem em mim. Ora sou brejeira, alegre, lânguida, ora melancólica. Tenho raízes, mas sou fluida. Toda dourada, fluindo..."**.

Decido terminar por aqui, sobretudo porque estou ansioso pra ver se ela vai responder.

Demora três minutos. **Gosto dessa: "Este é o momento mais excitante que jamais vivi. Adejo. Ondulo. Flutuo como planta no rio, deslizando para um lado, para outro, mas enraizada, de modo que ele possa aproximar-se de mim. 'Venha', digo, 'venha.'".**

A pulsação não é a única parte do meu corpo agitada neste momento. Me ajeito na cadeira e penso em como isso é estranha e estupidamente atraente.

Escrevo: **Você faz eu me sentir dourado, fluindo.** Mando sem pensar. Poderia continuar citando Virginia Woolf — acredite, o trecho fica cada vez mais quente —, mas decido que quero usar minhas próprias palavras.

Espero pela resposta. Espero três minutos. Cinco minutos. Dez. Quinze. Abro o site, aquele que ela mantinha com a irmã, e verifico a data da última postagem, que não mudou desde a última vez em que entrei.

Entendi, penso. Nada dourado, nada fluindo. Parado.

Então outra mensagem aparece: **Recebi suas regras pra andar por aí e tenho mais uma: não saímos com tempo ruim. Andamos, corremos ou pedalamos. Nada de dirigir. Não vamos muito longe de Bartlett.**

Ela esta negociando. Respondo: **Se vamos andando, correndo ou de bicicleta, não importa.** Pensando no site dela, abandonado e vazio, complemento: **Devíamos escrever sobre nossas andanças pra termos algo além de fotos pra mostrar. Na verdade, você devia escrever. Eu só sorrio e faço pose pra foto.**

Ainda estou sentado ali uma hora depois, mas ela já foi. Simples assim. Ou a assustei ou a irritei. Então escrevo músicas e mais músicas. Na maioria das noites, são músicas que vão mudar o mundo, porque são boas e profundas e incríveis. Mas hoje estou só dizendo pra mim mesmo que não tenho nada a ver com Violet, não importa o quanto eu queria, e me perguntando se as palavras que trocamos eram mesmo tão quentes ou se talvez eu só estivesse imaginando, empolgado com uma garota que mal conheço, só porque ela é a primeira pessoa que parece falar minha língua. Algumas palavras dessa língua, pelo menos.

Junto os comprimidos pra dormir e seguro na palma da mão. Posso engoli-los agora mesmo, deitar na cama, fechar os olhos, ir pra longe. Mas quem vai ficar de olho em Violet Markey e garantir que ela não suba de novo naquele parapeito? Jogo os comprimidos na privada e dou descarga. Então entro de novo no eleanoreviolet.com, procuro a primeira postagem e vou avançando até ler todas.

Fico acordado o máximo que posso e pego no sono por volta das quatro da manhã. Sonho que estou pelado em cima da torre do sino do colégio, no frio e na chuva. Olho pra baixo e todos estão lá, professores e alunos e meu pai comendo um hambúrguer cru, erguendo-o em direção ao céu como se brindasse comigo. Ouço um barulho atrás de mim, viro e vejo Violet, no lado oposto da torre, nua também, a não ser pelo par de botas pretas. É surpreendente — a melhor coisa que já vi —, mas, antes que eu possa me soltar do parapeito e ir até ela, ela abre a boca, salta no ar e começa a gritar.

Ouço o despertador, claro, e desligo com um soco antes de jogá-lo contra a parede, onde cai, berrando como uma ovelha perdida.

VIOLET

151 DIAS PARA A FORMATURA

Segunda de manhã. Primeira aula.

Todos estão comentando a última postagem da *Boatos de Bartlett*, a revistinha de fofoca do colégio que não só tem o próprio site, como parece tomar conta da internet inteira. "Heroína do último ano salva colega louco de pular da torre do sino". Não citaram nomes, mas tem uma foto do meu rosto, olhos assustados atrás dos óculos da Eleanor, franja torta. Pareço o "antes" de uma transformação. Também tem uma foto de Theodore Finch.

Jordan Gripenwaldt, editora do jornal da escola, lê o artigo para Brittany e Priscilla em voz baixa e enojada. De vez em quando, elas olham na minha direção e balançam a cabeça, não pra mim, mas para o perfeito exemplo do pior do jornalismo.

São garotas inteligentes que falam o que pensam. Eu devia ser amiga delas, não de Amanda. Nessa mesma época no ano passado, eu teria conversado e concordado com elas e escrito um texto crítico sobre fofoca no ambiente escolar. Em vez disso, pego minha mochila e digo ao professor que estou com cólica. Passo pela enfermaria e subo a escada até o último andar. Arrombo a fechadura da porta que leva à torre do sino. Vou apenas até a escada, onde sento e, com a luz do celular, leio dois capítulos de *O morro dos ventos uivantes*. Desisti de Anne Brontë e decidi que só existe Emily — Emily rebelde, com raiva do mundo.

"*Se tudo o mais perecesse e ele continuasse, eu ainda deveria continuar a*

existir; e se tudo o mais continuasse e ele fosse aniquilado, o universo tornar-se-ia para mim completamente estranho..."
— Uma vastidão desconhecida — repito pra ninguém. — É isso.

FINCH

DIA 9

Segunda de manhã, fica claro que o Finch anos 80 já era. Primeiro, a foto dele na *Boatos de Bartlett* não é boa. Parece irritantemente saudável — suspeito que seja todo certinho, com essa coisa de não fumar e o vegetarianismo e as golas viradas para cima. Segundo, simplesmente não parece certo. É o tipo de cara que deve se dar bem com professores e provas surpresa e que na verdade não se importa de dirigir o SUV compacto da mãe, mas desconfio que ele se dê mal com as garotas. Mais especificamente, não acho que consiga chegar a algum lugar com Violet Markey.

Encontro Charlie na Goodwill durante a terceira aula. Tem uma filial perto da estação de trem, em uma área que antes não era nada mais que fábricas abandonadas e grafitadas. Agora foi revitalizada, recebeu uma pintura nova e alguém decidiu prestar atenção nela.

Charlie traz Brenda pra ajudar a escolher as roupas, ainda que nada do que ela usa combine, o que jura ser proposital. Enquanto ele dá em cima de uma das vendedoras, Bren vem atrás de mim de gôndola em gôndola bocejando. Ela passa devagar por cabides de jaquetas de couro.

— O que exatamente estamos procurando?

— Preciso renovar. — Ela boceja de novo sem cobrir a boca, e consigo ver suas obturações. — Não dormiu?

Ela sorri, os lábios cor-de-rosa brilhantes bem abertos.

— Amanda Monk deu uma festa sábado à noite. Fiquei com Gabe Romero.

Além de ser namorado de Amanda, Roamer é o maior babaca da escola. Por algum motivo, Bren tem uma quedinha por ele desde o primeiro ano.

— Ele se lembra disso?

O sorriso dela murcha um pouco.

— Ele estava bem bêbado, mas deixei uma dessas no bolso dele. — Ela levanta a mão e mexe os dedos. Está faltando uma das unhas postiças azuis. — E, só pra garantir, meu piercing do nariz.

— Bem que percebi que você estava diferente hoje.

— É só meu brilho natural. — Está mais desperta agora. Esfrega as mãos como uma cientista maluca. — Então, o que estamos procurando?

— Não sei. Alguma coisa menos certinha, talvez um pouco mais atraente. Cansei dos anos 80.

Ela franze a testa.

— É por causa da Não Sei o Nome? A magrela?

— Violet Markey. E ela não é magrela. Ela tem quadril.

— E uma bundinha linda. — Neste momento, Charlie se junta a nós.

— Não. — Bren está balançando a cabeça com tanta força e tão rápido que parece uma convulsão. — Você não tem que se vestir pra agradar uma garota, principalmente uma garota como ela. Você se veste pra agradar a si mesmo. Se ela não gostar de como você é, então você não precisa dela. — Tudo isso seria ótimo se eu soubesse exatamente *quem* eu sou. Ela continua: — Ela é a do blog? Aquele que a Gemma Sterling gosta? Que salvou o "colega louco" de pular? Bom, que se danem ela e a bundinha magrela. — Bren odeia todas as garotas que não vestem pelo menos tamanho 42.

Enquanto ela continua matraqueando sobre Violet, Gemma Sterling e a *Boatos de Bartlett*, fico calado. De repente não quero que Bren e Charlie falem sobre Violet, porque quero que ela seja só minha, como no Natal em que eu tinha oito anos — nessa época o Natal ainda era bom — e ganhei minha primeira guitarra, que batizei de Intocável, porque ninguém além de mim podia encostar nela.

No entanto, não tenho escolha a não ser interromper.

— Ela estava com a irmã naquele acidente em abril do ano passado, aquele em que o carro caiu da ponte da rua A.

— Meu Deus! Era ela?

— A irmã dela estava no último ano.

— Que merda! — Bren põe a mão no queixo. — Sabe, talvez seja melhor escolher algo mais garantido. — Sua voz está mais suave. — Pense em Ryan Cross. Você sabe como ele se veste. A gente devia ir na Old Navy ou na American Eagle ou, melhor ainda, na Abercrombie em Dayton.

Charlie diz a Brenda.

— Ela nunca vai cair na dele. Não importa o que vista. Sem ofensa, cara.

— Tudo bem. E que Ryan Cross se foda. — Uso a expressão inteira pela primeira vez na vida. É tão libertador que tenho vontade de correr pela loja. — Que se foda. — Decido que o novo Finch fala palavrão quando e como quiser. É o tipo de garoto que subiria em um telhado e pensaria em pular só porque não tem medo de nada. É um cara fodão.

— Nesse caso... — Charlie arranca uma jaqueta do cabide e estende para mim. É bem foda. Com o couro gasto, como algo que Keith Richards usaria nos primórdios da banda.

É a jaqueta mais legal que já vi. Enquanto visto, Bren suspira, se afasta da gente e volta contente com uma bota chelsea preta gigante.

— É 46 — diz —, mas do jeito que você cresce sexta-feira já vai servir.

Na hora do almoço, passo a curtir o Finch Fodão. Pra começar, as garotas parecem aprovar. Uma aluna mais nova, bonita, me para no corredor e pergunta se estou perdido e preciso de ajuda. Ela deve ser do primeiro ano, porque é óbvio que não faz ideia de quem eu sou. Quando pergunta se sou de Londres, começo a falar com um sotaque britânico que considero bem convincente. Ela alterna risadinhas e jogadas de cabelo enquanto me acompanha até a cantina.

Como no Bartlett tem uns dois mil alunos, somos divididos em três horários diferentes de almoço. Brenda está matando aula pra comer comigo e com Charlie, e eu os cumprimento com meu sotaque britânico. Bren só pisca pra nós dois.

— Por favor, me diga que ele não resolveu ser inglês. — Ele dá de ombros e continua comendo.

Passo o resto do almoço conversando com eles sobre meus lugares favoritos em Londres — Honest Jon's, Rough Trade East e Out on the Floor, as lojas de discos que costumo frequentar. Conto sobre Fiona, minha namorada irlandesa sexy e malvada, e meus melhores amigos, Tam e Natz. Quando o almoço termina, já criei um universo inteiro nos mínimos detalhes — pôsteres do Sex Pistols e do Joy Division na parede do quarto, os cigarros que fumo na janela do apartamento onde eu e Fiona moramos, as noites tocando no Hope and Anchor e no Halfmoon, os dias dedicados a gravar músicas nos estúdios da Abbey Road. Quando o sinal toca, Charlie diz:

—Vamos, bundão.

Sinto saudade dessa Londres que deixei pra trás.

Sim, senhor. Ao andar pelos corredores, não há como prever o que Finch Fodão vai fazer. Dominar o colégio, a cidade, o mundo. Será um mundo de compaixão, de amor ao próximo, de amor entre alunos ou, pelo menos, de respeito entre as pessoas. Sem julgamentos. Sem xingamentos. Nada, nada, nada disso.

Quando chego à aula de geografia, estou quase convencido de que esse mundo existe. Até que vejo Ryan Cross, dourado, fluindo, a mão na cadeira da Violet como se fosse atendente de um restaurante italiano. Sorri pra ela enquanto fala, e ela sorri pra ele com a boca fechada, os olhos verde-cinza arregalados e sérios atrás dos óculos; simples assim, volto a ser o Theodore Finch de Indiana com um par de botas de segunda mão. Caras como Ryan Cross conseguem fazer com que você se lembre de quem é, mesmo que não queira lembrar.

Enquanto tento chamar a atenção de Violet, ela está muito ocupada ouvindo Ryan e concordando com ele, então vejo Roamer e Amanda Monk, que me encara com um olhar mortal e dispara:

— O que você está olhando?

Violet é engolida por eles, e tudo o que posso fazer é ficar olhando para onde ela estava antes.

Quando o sinal toca, o sr. Black chega ofegante na frente da sala e pergunta se alguém tem alguma dúvida sobre o projeto. Mãos levantam e, uma a uma, ele responde às perguntas.

— Saiam por aí e vejam... seu estado. Vão a museus... parques... e lugares históricos. Vão atrás de... um pouco de cultura... pra levar com vocês... quando forem embora.

Com meu melhor sotaque britânico, faço uma piadinha. Violet ri. Ela é a única. Imediatamente, vira de costas pra todo mundo e encara a parede à direita.

Quando o sinal toca, passo por Ryan, Roamer e Amanda até chegar perto o suficiente de Violet pra sentir o cheiro de seu xampu. Uma coisa sobre Finch Fodão é que caras como Ryan não o intimidam por muito tempo.

Amanda diz, com aquela voz anasalada de criança:

— O que você quer?

Com meu sotaque normal, não britânico, digo pra Violet:

— É hora de começar as andanças.

— Onde? — Seus olhos estão frios e um pouco cautelosos, como se estivesse com medo de que eu a entregasse, aqui e agora.

— Você já foi ao monte Hoosier?

— Não.

— É o ponto mais alto do estado.

— Ouvi falar.

— Acho que você vai gostar. A não ser que tenha medo de altura. — Inclino um pouco a cabeça.

Seu rosto fica branco, mas ela se recupera, os cantos da boca perfeita se curvando em um falso sorriso perfeito.

— Não. Não tenho medo de altura.

— Ela salvou você naquele parapeito, não salvou?

Quem diz isso é Amanda. Ela mostra o celular, no qual só consigo distinguir a manchete da *Boatos de Bartlett*.

— Talvez você devesse subir lá de novo e tentar mais uma vez — Roamer resmunga.

— E perder a oportunidade de andar por Indiana? Não, obrigado. — Os olhos deles me fuzilam enquanto me viro pra Violet. — Vamos.

— Agora?

— Não dizem que não existe hora melhor do que agora? Você melhor do que ninguém deveria saber que só o agora é garantido.

— Ei, imbecil, por que não pergunta pro namorado dela? — Roamer me provoca.

— Porque não estou interessado no Ryan, estou interessado na Violet. — E complemento, para Ryan: — Não é um encontro, é um projeto.

— Ele não é meu namorado — Violet diz, e Ryan parece tão mal que quase tenho pena dele, só que é impossível ter pena de um cara como ele —, mas não posso matar aula.

— Por que não?

— Porque não sou inconsequente. — O tom dela é claro, *não como você*. Mas digo a mim mesmo que ela só está exagerando pra enganar o pessoal em volta.

— Espero você no estacionamento depois da aula. — Me afasto, mas, antes, falo: — "'Venha', digo, 'venha'".

Pode ser minha imaginação, mas ela quase sorri.

— Aberração — Amanda resmunga.

Sem querer, bato o cotovelo na porta e, pra dar sorte, bato o outro.

VIOLET

151 DIAS PARA A FORMATURA

Três e meia. Estacionamento do colégio.

Fico no sol, protegendo os olhos. De início, não o vejo. Talvez tenha ido embora sem mim. Ou talvez eu tenha saído pela porta errada. A cidade é pequena, mas a escola é grande. Tem mais de dois mil alunos porque é a única em quilômetros. Finch poderia estar em qualquer lugar.

Seguro o guidão da bicicleta, uma antiga de dez marchas, laranja, que herdei de Eleanor. Ela batizou a bicicleta de Leroy porque gostava de dizer pros nossos pais: "Eu estava por aí, montando no Leroy" e "Vou montar no Leroy um pouco".

Brenda Shank-Kravitz passa por mim como uma nuvem rosa brilhante. Charlie Donahue vem atrás dela.

— Ele está ali — diz Brenda. Ela aponta um dedo com a unha azul pra mim. — Se partir o coração dele, chuto essa sua bundinha magrela daqui até Kentucky. Estou falando sério. A última coisa que ele precisa é você mexendo com a cabeça dele. Entendido?

— Entendido.

— E sinto muito. Sabe. Pela sua irmã.

Olho na direção que Brenda indicou e lá está ele. Theodore Finch encostado em uma minivan, mãos no bolso, como se tivesse todo o tempo do mundo pra me esperar. Penso nas citações de Virginia Woolf, as do livro *As ondas*: *Pálido, cabelos escuros, o que se aproxima é melancólico, romântico. Sou brejeira e fluida e caprichosa, pois ele é melancólico, romântico. Está aqui, ao meu lado.*

Vou com a bicicleta até ele. O cabelo escuro está meio bagunçado como se tivesse ido à praia, apesar de não existir praia em Bartlett, e brilha num preto azulado sob a luz. A pele pálida é tão branca que consigo ver as veias em seus braços.

Ele abre a porta do passageiro.

— Por favor.

— Eu disse: nada de dirigir.

— Esqueci minha bicicleta, vamos até minha casa buscar.

— Eu sigo você.

Ele dirige mais devagar que o necessário, e chegamos em dez minutos. É uma casa colonial de dois andares com tijolo aparente, cheia de arbustos embaixo das janelas, com persianas pretas e uma porta vermelha. Tem uma caixa de correio vermelha onde se lê FINCH. Espero na entrada da garagem enquanto ele procura pela bicicleta no meio da bagunça. Finalmente a encontra e a levanta, e vejo os músculos de seus braços se contraírem.

— Pode deixar a mochila no meu quarto. — Ele limpa a poeira do banco da bicicleta com a camiseta.

— Mas minhas coisas estão aqui... — Um livro sobre a história de Indiana, que peguei na biblioteca depois da última aula, e sacos plásticos de tamanhos variados, cortesia de uma das moças que servem o almoço, para quaisquer lembranças que a gente resolva pegar.

— Eu tenho tudo de que a gente precisa. — Ele destranca a porta e a segura aberta pra mim.

Dentro, parece uma casa normal, comum, não a casa onde eu esperava que Theodore Finch morasse. Sigo até o andar de cima. As paredes estão revestidas com fotos. Finch no jardim de infância. Finch no ensino fundamental. Ele parece diferente a cada ano, não só em idade ou fisicamente. Finch palhaço da turma. Finch esquisito. Finch convencido. Finch atleta. No fim do corredor, ele abre uma porta.

As paredes são de um vermelho escuro e intenso, e todo o resto é preto — mesa, cadeira, estante, colcha, guitarras. Uma parede inteira está coberta de fotos, post-its, guardanapos e pedaços rasgados de papel. Nas outras, pôsteres de shows e uma foto grande em preto e branco dele tocando guitarra.

Paro na frente da parede com as anotações.

— O que é tudo isso?

— Planos — ele diz. — Músicas. Ideias. Visões. — Ele joga minha mochila em cima da cama e tira alguma coisa de uma gaveta.

A maioria parece fragmentos de coisas, palavras ou frases que não fazem sentido sozinhas: **Flores noturnas. Eu faço para que pareça real. Vamos cair. Minha decisão. Obelisco. Será que hoje é um bom dia?**

Um bom dia pra quê? Quero perguntar, mas, em vez disso, digo:

— Obelisco?

— É minha palavra preferida.

— Sério?

— Uma delas, pelo menos. Olha pra ela. — Eu olho. — É uma palavra direta, íntegra, poderosa. Única, original e meio furtiva porque não parece ser o que é. É uma palavra que surpreende e faz a gente pensar *Ah, então tá*. Exige respeito, mas também é modesta. Não como "monumento" ou "torre". — Ele balança a cabeça. — Imbecis pretensiosas.

Não digo nada porque costumava amar palavras. Eu as amava e era boa em combiná-las. Por isso, sentia que tinha que proteger as melhores. Mas agora todas, boas e ruins, me deixam frustrada.

— Você já tinha ouvido a frase "retomar as rédeas do burrico"? — ele pergunta.

— Não antes de o sr. Black dizer isso.

Ele se inclina sobre a mesa, rasga uma folha de papel ao meio e anota a frase. Gruda na parede antes de sairmos.

Lá fora, subo no Leroy, deixando um pé no chão. Theodore Finch coloca a mochila nas costas e a camiseta sobe um pouco, revelando uma cicatriz vermelha no meio da barriga.

Levanto os óculos de Eleanor e apoio na cabeça.

— Como fez isso?

— Desenhei. Descobri, por experiência própria, que as garotas gostam mais de cicatrizes que de tatuagens. — Ele sobe na bicicleta, descansando no banco, com os dois pés firmes no chão. — Você já entrou em algum carro desde o acidente?

— Não.

— Deve ter batido um recorde. Já passaram, o quê? Oito, nove meses? Como você vai pra aula?

— De bicicleta ou andando. Não moro longe.

— E quando chove ou neva?

— Vou de bicicleta ou andando.

— Então você tem medo de andar de carro, mas sobe no parapeito da torre do sino numa boa?

— Vou pra casa.

Ele ri e estende o braço em direção à minha bicicleta, segurando, antes que eu consiga sair.

— Não vou falar mais disso.

— Não acredito em você.

— Olha, você já está aqui, e a gente já se comprometeu com o projeto, então quanto mais cedo chegarmos ao monte Hoosier, mais cedo isso tudo acaba.

Passamos por várias plantações de milho. O monte Hoosier fica a apenas dezoito quilômetros da cidade, então não falta muito. O dia está frio, ainda que ensolarado, e é gostoso passear ao ar livre. Fecho os olhos e levanto a cabeça. Me sinto um pouco como a Violet de antes. Violet adolescente comum. Violet Nada-Markante.

Finch pedala ao lado.

— Sabe do que gosto quando dirijo? O movimento adiante, a propulsão, como se a gente pudesse ir pra qualquer lugar.

Abro os olhos e franzo a testa.

— Isso não é dirigir.

— Você que pensa. — Ele vai pro outro lado da estrada em zigue-zague, depois anda ao redor de mim e pedala do meu lado de novo. — Estou surpreso por você não estar de capacete ou com uma armadura completa. E se acontecesse o apocalipse e todos menos você virassem zumbis e a única forma de se salvar fosse sair da cidade? Nada de aviões, trens nem de ônibus. Transporte público completamente destruído. De bicicleta é muita exposição, muito perigo. O que você faria?

— Como você sabe que eu estaria segura fora daqui?

— Bartlett seria o único lugar atingido.

— E eu tenho certeza disso?

— É de conhecimento público. O governo confirmou.

Não respondo.

Ele anda em zigue-zague à minha volta.

— Pra onde você iria se pudesse escolher qualquer lugar?

— Ainda é o apocalipse?

— Não.

Nova York, penso.

— Voltaria pra Califórnia — digo. Estou me referindo à Califórnia de quatro anos atrás, antes de me mudar pra cá, quando Eleanor estava no segundo ano do ensino médio e eu, no nono ano do fundamental.

— Mas você já esteve lá. Você não quer ir pra lugares desconhecidos? — Ele segue pedalando, agora com as mãos enfiadas debaixo do braço.

— Lá é quente e nunca neva. — Odeio neve e sempre vou odiar. Então ouço a sra. Kresney e meus pais me dizendo pra fazer um esforço. E digo: — Talvez eu fosse pra Argentina ou pra Cingapura estudar. Não me inscrevi pra nenhuma universidade a menos de três mil quilômetros daqui. — Ou qualquer lugar onde neve mais que um centímetro e meio por ano, que é o motivo de a NYU ter ficado de fora. — Talvez eu fique por aqui. Não decidi.

— Você não quer saber pra onde eu iria?

Na verdade, não, penso.

— Pra onde você iria se pudesse escolher qualquer lugar? — A frase sai mais mal-humorada do que o desejado.

Ele se inclina sobre o guidão, olhando pra mim.

— Eu iria pro monte Hoosier com uma garota bonita.

De um dos lados, há um bosque de árvores. Do outro, a terra plana se espalha, salpicada de neve. Finch diz:

— Acho que é por ali.

Deixamos as bicicletas perto das árvores, atravessamos a estrada e seguimos alguns metros por um caminho de terra. Minhas pernas doem da pedalada. Me sinto estranhamente sem ar.

Algumas crianças estão no campo, se balançando na cerca. Quando nos veem chegando, uma cutuca a outra e elas se endireitam.

— Podem seguir — diz a que cutucou. — Pessoas de todo o mundo vêm, vocês não são os primeiros.

— Antes tinha uma placa de papel — outra criança completa. Parece entediada.

Com sotaque australiano, Finch diz:

— Somos de Perth. Viemos ver o pico mais alto de Indiana. Tudo bem escalarmos o cume?

Eles não perguntam onde fica Perth. Só dão de ombros.

Viramos e entramos no bosque de árvores secas de inverno, afastando galhos do rosto. Seguimos por um caminho mais estreito, não mais lado a lado. Finch vai na frente e presto mais atenção no brilho de seu cabelo e no jeito como anda, solto e fluido, do que na paisagem.

De repente estamos ali, no meio de um círculo marrom. Um banco de madeira embaixo de uma árvore, uma mesa de piquenique logo à frente. A placa está à direita: PONTO MAIS ALTO DE INDIANA, MONTE HOOSIER, 383 METROS. A marca está logo à frente — uma estaca de madeira apontando pra cima no meio de uma pilha de pedras, não mais larga nem mais alta que a área de um arremessador de beisebol.

— É só isso? — Não consigo evitar.

Que pico, hein? É incrivelmente frustrante. Mas, também, o que eu esperava?

Ele pega minha mão e me puxa e ficamos lado a lado sobre as pedras.

No instante em que a pele dele toca a minha, sinto um leve choque.

Digo pra mim mesma que não é nada além do choque natural do contato físico quando não estamos acostumados com alguém novo. Mas então correntes elétricas começam a subir pelo meu braço e ele está esfregando a palma da minha mão com o dedo, o que faz com que a corrente corra pelo resto do corpo. *Oh-oh*.

Com sotaque australiano, Finch diz:

— O que achamos? — Sua mão é firme e quente e, de alguma forma, apesar de grande, se encaixa na minha.

— Se tivéssemos vindo de Perth? — Estou distraída pelas correntes elétricas mas tentando não deixar transparecer. Senão, sei que ele nunca mais vai parar de falar disso.

— Ou de Moscou. — Seu sotaque russo também é bom.

— Estamos muito putos.

Com seu próprio sotaque, ele diz:

— Não tão putos quanto os caras que foram para o monte Sand, o segundo ponto mais alto de Indiana. Só tem 328 metros de altura e nem tem área pra piquenique.

— Se é o segundo, não precisa de área para piquenique.

— Ótimo argumento. Não vale a pena visitá-lo. Não se podemos vir ao monte Hoosier. — Ele sorri pra mim, e, pela primeira vez, noto como seus olhos são azuis... tipo, azul-celeste. — Pelo menos é o que sinto aqui com você. — Ele fecha os olhos e respira fundo. Quando abre de novo, diz: — Na verdade, do seu lado parece tão alto quanto o Everest.

Puxo a mão de volta. Mesmo depois de soltar, sinto a corrente idiota.

— Não deveríamos recolher alguma coisa? Escrever? Filmar? Como organizamos isso?

— Não organizamos. Quando andamos por aí, precisamos estar presentes de verdade, não enxergando através de lentes.

Juntos, olhamos para além do círculo marrom, do banco, das árvores e da paisagem plana branca. Há dez meses, eu descreveria este lugar na minha cabeça. *Tem uma placa, o que é bom, porque senão ninguém saberia que está olhando para o ponto mais alto de Indiana...* Teria pensado em toda uma história para as crianças, algo épico e instigante. Agora elas são só crianças do interior de Indiana penduradas numa cerca.

— Acho que é o lugar mais feio que já vi. Não só aqui. O estado inteiro — digo e ouço meus pais me pedindo para não ser negativa, o que é engraçado porque sempre fui a irmã feliz. Eleanor é que era mal-humorada.

— Eu também achava isso, mas percebi que, acredite ou não, é bonito para algumas pessoas. Um número considerável de pessoas vive aqui, e elas não devem, *todas*, achar que o lugar é feio. — Ele sorri para as árvores feias e as fazendas feias e as crianças feias como se olhasse para Oz. Como se realmente visse beleza ali. Então desejo ver com seus olhos. Queria que ele tivesse óculos para me dar. — Além disso, acho que, já que estou aqui, devo pelo menos conhecer o lugar... sabe... ver o que tem para ser visto.

— Andar por Indiana?

— Isso.

— Você parece diferente daquele dia.

Ele olha pra mim de canto, os olhos meio fechados.

— É a altitude.

Eu rio e me obrigo a parar.

— Não tem problema rir, sabia? A terra não vai se abrir. Você não vai pro inferno. Acredite. Se existe inferno, eu vou pra lá antes, e eles vão estar muito ocupados comigo pra fazer seu *check-in*.

Quero perguntar o que aconteceu com ele. É verdade que teve um colapso? É verdade que sofreu uma overdose? Onde estava no final do semestre passado?

— Ouvi muitas histórias.

— Sobre mim?

— São verdade?

— Provavelmente.

Ele tira o cabelo do olho e me dá uma boa encarada. Seu olhar desce devagar por meu rosto até chegar à boca. Por um segundo, acho que vai me beijar. Por um segundo, quero que me beije.

— Então, podemos riscar este da lista, certo? Um já foi, falta mais um. Pra onde vamos agora? — Pareço a secretária do meu pai falando.

— Tenho um mapa na mochila. — Ele não se mexe para pegá-lo. Em vez disso, fica ali parado, respirando, olhando tudo em volta. Quero pegar o mapa porque é assim que sou, ou era: eficaz. Mas ele não vai a lugar nenhum, e sua mão encontra a minha. Em vez de puxá-la de volta, me obrigo a ficar ali parada também, e é bom. As correntes elétricas correm. Meu corpo está tenso. A brisa sopra, fazendo as folhas nas árvores sussurrarem. É quase como música. Ficamos lado a lado, olhando pra fora e pra cima e ao redor.

Então ele diz:

— Vamos pular.

— Tem certeza? É o ponto mais alto de Indiana.

— Tenho certeza. É agora ou nunca, mas preciso saber se você vem comigo.

— Tá bom.

— Pronta?

— Pronta.

— No três.

Pulamos enquanto as crianças tagarelam. Aterrissamos, empoeirados e rindo. Com o sotaque australiano, Finch diz pra elas:

— Somos profissionais. Não tentem fazer isso em casa.

Deixamos para trás algumas moedas britânicas, uma palheta vermelha e um chaveiro do colégio. Colocamos tudo em uma pedra falsa que Finch encontrou na garagem de casa. Ele deixa a pedra entre aquelas que cercam o ponto mais alto. Bate as mãos pra tirar a poeira enquanto levanta.

— Quer você queira, quer não, agora faremos parte deste lugar pra sempre. A não ser que aquelas crianças venham aqui e roubem o que deixamos.

Minha mão parece fria sem a dele. Pego o celular e digo:

— Precisamos documentar este momento de alguma forma.

Começo a tirar fotos antes que ele concorde, e revezamos quem posa no ponto mais alto.

Então ele pega o mapa e um caderno na mochila. Me entrega o caderno e uma caneta e, quando recuso, ele me diz que a letra dele é um garrancho e que sou eu que vou anotar tudo. O que não digo é que eu preferia dirigir até Indianápolis a escrever no caderno.

Mas como ele está me olhando, rabisco algumas coisas — local, data, hora, uma descrição breve do lugar e das crianças na cerca — e depois abrimos o mapa na mesa de piquenique.

Finch segue as linhas rodoviárias vermelhas com o dedo indicador.

— Sei que Black disse pra escolhermos dois lugares e fazer o projeto com eles, mas eu acho que não é o suficiente. Acho que precisamos ver todos.

— Todos o quê?

— Todos os lugares interessantes do estado. Todos que conseguirmos visitar durante o semestre.

— Só dois. Era esse o trato.

Ele estuda o mapa, balança a cabeça. Sua mão se move pelo papel. No fim, fez marcas de caneta em todo o estado, circulando as cidades onde sabe que existe uma atração — o Parque Estadual das Dunas; o Maior Ovo do Mundo; a casa de Dan Patch, o cavalo de corrida; as catacumbas da Market Street; e os Sete Pilares, uma série de colunas de calcário enormes, esculpidas pela natureza, com vista para o rio Mississinewa. Alguns círculos são perto de Bartlett, outros não.

— É muita coisa — digo.

— Talvez. Talvez não.

Início da noite. Entrada da garagem de Finch. Seguro Leroy enquanto ele guarda a bicicleta. Ele abre a porta da casa pra entrar e, como eu não me mexo, diz:

— Temos que pegar sua mochila.

— Espero aqui.

Ele só ri e vai. Enquanto está lá dentro, mando uma mensagem de texto pra minha mãe pra avisar que volto logo. Imagino que está esperando na janela, me procurando, embora jamais deixe que eu a flagre fazendo isso.

Em alguns minutos, Finch está de volta e para muito perto, olhando pra mim com aqueles olhos superazuis. Com uma mão, tira o cabelo do rosto. Faz muito tempo que não fico tão perto assim de um garoto além de Ryan e de repente me lembro do que Suze disse sobre Finch, que ele sabe o que faz com uma garota. Theodore, "Aberração" ou não, é atraente e bonito e problemático.

Então me afasto. Coloco os óculos de Eleanor no rosto e Finch parece distorcido e estranho, como se estivéssemos na casa dos espelhos de algum parque de diversões.

— Porque você sorriu pra mim.

— O quê?

— Você perguntou por que quis fazer o projeto com você. Não é porque você também estava no parapeito, apesar de que, sim, isso tem a ver. Não é porque sinto essa estranha responsabilidade de ficar de olho em você, o que também tem a ver. É porque você sorriu pra mim naquele dia na aula. Um sorriso verdadeiro, não aquele de mentira que você dá pra todo mundo, com os olhos dizendo uma coisa e a boca, outra.

— Foi só um sorriso.

— Pra você, talvez.

— Você sabe que estou saindo com Ryan Cross.

— Achei que você tinha dito que ele não era seu namorado. — Antes que eu possa responder, ele ri. — Relaxa. Não gosto de você desse jeito.

*

Hora do jantar. Minha casa. Meu pai faz *piccata* de frango, então a cozinha está uma bagunça. Arrumo a mesa enquanto minha mãe prende o cabelo e pega as travessas. Em casa, comer é um evento acompanhado pela música certa e pelo vinho certo.

Minha mãe come uma garfada, faz sinal de positivo pro meu pai e olha pra mim.

— Então, conta pra gente sobre esse projeto.

— A gente tem que andar por Indiana, como se tivesse alguma coisa interessante pra ver aqui. Temos que fazer em dupla, então estou fazendo com um garoto da minha sala.

Meu pai ergue uma sobrancelha pra minha mãe e depois pra mim.

— Olha só, eu era ótimo em geografia. Se vocês precisarem de ajuda...

Minha mãe e eu cortamos o assunto ao mesmo tempo, dizendo como a comida está boa, perguntando se ainda tem mais. Ele se levanta, satisfeito e distraído, e minha mãe sussurra pra mim:

— Essa foi por pouco.

Meu pai adora ajudar nos projetos escolares. O problema é que ele acaba fazendo tudo sozinho.

Ele volta e diz:

— Então, esse projeto...

Ao mesmo tempo em que minha mãe fala:

— Então, esse garoto...

Tirando o fato de que agora querem saber tudo o que faço, meus pais agem mais ou menos como sempre agiram. Fico mal quando eles são os mesmos de antes, porque nada em mim é como costumava ser.

— Pai, eu estava pensando — começo, com a boca cheia de frango —, onde este prato surgiu? Quer dizer, como ele foi inventado?

Se tem algo de que meu pai gosta ainda mais que de projetos, é explicar a origem das coisas. Durante o resto da refeição, ele fala sem parar sobre a Itália antiga e o amor dos italianos pelos pratos simples, o que significa que meu projeto e Finch foram esquecidos.

No andar de cima, dou uma olhada no perfil de Finch no Facebook. Ainda sou a única amiga. De repente aparece uma nova mensagem. **Sinto como se tivesse acabado de atravessar o fundo do guarda-roupa e entrado em Nárnia.**

Pesquiso imediatamente por citações de Nárnia. A que se destaca é esta: "*Finalmente voltei para casa! Este, sim, é o meu verdadeiro lar! Aqui é o meu lugar. É esta a terra pela qual tenho aspirado a vida inteira, embora até agora não a conhecesse. [...] Avancemos! Continuemos subindo!*".

Mas em vez de copiar e enviar, levanto e risco o dia do calendário. Fico olhando pra palavra "Formatura", em junho, enquanto penso sobre o monte Hoosier, os olhos superazuis de Finch e como me sinto em relação a ele. Como tudo que é finito, o dia de hoje está acabando, e foi bom. O melhor que tive em meses.

FINCH

A NOITE DO DIA EM QUE MINHA VIDA MUDOU

Minha mãe me encara por cima do prato. Decca, como sempre, come como um cavalinho voraz e até eu estou fazendo minha parte e colocando comida pra dentro.

Minha mãe diz:

— Decca, conta pra gente o que você aprendeu hoje.

Antes que ela possa responder, digo:

— Na verdade, gostaria de falar primeiro.

Dec para de comer e olha pra mim, boquiaberta, a boca cheia de caçarola parcialmente mastigada. Minha mãe dá um sorrisinho nervoso e segura o copo e o prato, como se eu fosse levantar e começar a jogar as coisas.

— Claro, filho. Como foi seu dia?

— Aprendi que existem coisas boas no mundo, se você procurar por elas. Aprendi que nem todo mundo é uma decepção, incluindo eu mesmo, e que um salto a 383 metros de altura pode parecer mais alto que uma torre do sino se você estiver ao lado da pessoa certa.

Minha mãe espera educadamente e, quando eu não digo mais nada, concorda com a cabeça.

— Isso é ótimo. Muito bom, Theodore. Não é interessante, Decca?

Enquanto tiramos a mesa, minha mãe parece confusa e desconcertada como sempre, só que um pouco mais, porque não tem nem ideia do que fazer comigo e com minhas irmãs.

Estou feliz com meu dia, mas me sinto mal por ela, porque meu pai não só partiu seu coração, como simplesmente cagou todo seu orgulho e sua autoestima. Então digo:

— Mãe, eu lavo a louça hoje. Pode colocar os pés pra cima.

Quando meu pai nos deixou dessa última e definitiva vez, minha mãe tirou licença de corretora, mas, como o mercado imobiliário está quase parando, ela trabalha meio período em uma livraria. Está sempre cansada.

Seu rosto se contorce e por um momento terrível acho que ela vai chorar, mas então recebo um beijo na bochecha e ouço:

— Obrigada.

Ela soa tão cansada da vida que sou *eu* quem quase chora, mas estou bem demais pra isso.

Estou calçando o tênis no momento exato em que o céu se abre e começa a cair o mundo. Ao que parece, teremos granizo gelado e pesado, então, em vez de sair pra correr, tomo um banho de banheira. Tiro a roupa, entro na banheira, derrubo água no chão, deixando pequenas poças pelo banheiro. Toda a operação não funciona muito bem de início porque tenho o dobro do tamanho da banheira, mas ela está cheia de água e, como já comecei, vou até o fim. Meus pés se apoiam no azulejo da parede quando afundo, com os olhos abertos, olhando pra cima pro chuveiro e pra cortina preta e pro forro de plástico e pro teto, então fecho os olhos e finjo que estou num lago.

A água proporciona paz. Estou descansando. Submerso, estou seguro. Não tenho vontade de sair. Tudo desacelera — o barulho e a velocidade dos pensamentos. Me pergunto se poderia dormir assim, aqui no fundo da banheira, se quisesse, o que não quero. Deixo minha mente vagar. Palavras se formam como se fosse a tela do computador.

Em março de 1941, depois de três colapsos graves, Virginia Woolf escreveu um bilhete pro marido e andou até um rio próximo. Enfiou pedras pesadas no bolso e mergulhou na água. *Meu querido*, o bilhete começa, *tenho certeza de que vou enlouquecer de novo. Não podemos passar por mais uma daquelas crises terríveis.* [...] *Por isso estou fazendo o que me parece a melhor coisa.*

Há quanto tempo estou aqui? Quatro minutos? Cinco? Mais? Meus pulmões começam a queimar. *Fique calmo*, digo a mim mesmo. *Fique relaxado. O pior que pode fazer é entrar em pânico.*

Seis minutos? Sete? O máximo que já segurei a respiração foi por seis minutos e meio. O recorde mundial é de vinte e dois minutos e vinte e dois segundos e pertence a um competidor alemão de mergulho livre. Ele diz que tudo depende do controle e da resistência, mas eu imagino que tem mais a ver com o fato de que ele tem a capacidade pulmonar vinte por cento maior que a de uma pessoa comum. Me pergunto se vale a pena fazer mergulho livre, se seria possível ganhar a vida com isso.

Você foi, sob todos os aspectos, tudo o que alguém poderia ser. [...] *Se existisse alguém capaz de me salvar, seria você.*

Abro os olhos e sento rápido, arfando, enchendo os pulmões de ar. Estou feliz por ninguém me ver, porque estou cuspindo e espirrando e tossindo água. Não há a satisfação de ter sobrevivido, só vazio, pulmões que precisam de ar e cabelo molhado grudando na cara.

VIOLET

148 DIAS PARA A FORMATURA

Quinta-feira. Geografia.

A *Boatos de Bartlett* listou os dez alunos suicidas mais famosos do colégio, e meu celular não para de tocar porque Theodore Finch é o primeiro da lista. Jordan Gripenwaldt cobriu a primeira página do jornal da escola com pesquisas e informações sobre suicídio adolescente e o que fazer se você pensa em se matar, mas ninguém prestou atenção nisso.

Desligo o celular e deixo de lado. Pra me distrair, e distrair Ryan também, pergunto a ele sobre o projeto "Andando em Indiana". A dupla dele é Joe Wyatt. Escolheram beisebol como tema. Estão planejando visitar o museu do beisebol e o Hall da Fama de Indiana, em Jasper.

— Parece bem legal — digo. Ele mexe em meu cabelo e, pra fazê-lo parar, me abaixo e finjo procurar alguma coisa na mochila.

Amanda e Roamer estão planejando se concentrar no Museu James Whitcomb Riley e no museu histórico local da fazenda, que fica aqui em Bartlett e tem uma múmia de verdade. Não consigo pensar em nada mais deprimente que ser um sumo sacerdote egípcio e ficar exposto perto de rodas antigas e de uma galinha de duas cabeças.

Amanda examina a ponta do cabelo, preso num rabo. Ela é a única pessoa além de mim que ignora o celular.

— E aí, como é? Terrível? — Por um instante, ela para de examinar o cabelo e me encara.

— O quê?

— Finch?

— Está tudo bem.

— Ai, meu Deus. Você gosta dele!

— Não gosto, não. — Mas consigo sentir meu rosto corar, porque todos estão olhando pra mim. Amanda é meio escandalosa.

Felizmente o sinal toca e o sr. Black pede a atenção da sala. No meio da aula, Ryan me passa um bilhete, já que meu celular está desligado. Vejo o papel embaixo do braço dele, balançando pra mim, e pego. **Sessão dupla no drive-in sábado à noite? Só nós dois?**

Escrevo: **Posso responder depois?**

Cutuco o braço dele e devolvo o bilhete. O sr. Black anda até a lousa e escreve TESTE SURPRESA e, em seguida, uma lista de questões. Pela sala há resmungos e barulho de papel rasgando.

Cinco minutos depois, Finch entra como se nada tivesse acontecido, mesma camiseta preta, mesmo jeans preto, mochila pendurada no ombro, livros e cadernos e jaqueta de couro embaixo do braço. As coisas caem pelo chão e ele recolhe chaves e canetas e cigarros antes de fazer uma pequena saudação ao sr. Black. Olho pra ele e penso comigo mesma: *Essa é a pessoa que sabe seu pior segredo.*

Finch para pra ler a lousa.

— Teste surpresa? Desculpe, senhor, só um momento — diz com sotaque australiano. Antes de sentar, vem na minha direção. Apoia alguma coisa em cima do meu caderno.

Dá um tapinha nas costas de Ryan, larga uma maçã na mesa do professor com mais um pedido de desculpas e se joga na cadeira do outro lado da sala. O que deixou pra mim foi uma pedra cinza feia.

Ryan olha pra pedra e depois pra mim e depois pro Roamer, atrás de mim, que estreita os olhos para Finch.

— Aberração! — ele diz em voz alta. Faz um gesto de que está se enforcando.

Amanda dá um soco um pouco forte demais no meu braço.

— Deixa eu ver.

O sr. Black bate na mesa.

— Mais cinco segundos disso... e vou dar nota F pra todos... nesse teste. — Pega a maçã e parece que vai jogá-la.

Todos ficamos quietos. Ele coloca a maçã sobre a mesa. Ryan vira e vejo as sardas na base de seu pescoço. O teste tem cinco perguntas fáceis. Depois que o sr. Black recolhe os papéis e começa a aula, pego a pedra e viro pra ver a base.

Sua vez, diz.

Depois da aula, Finch sai antes que eu possa falar com ele. Deixo a pedra dentro da mochila. Ryan me acompanha até a aula de espanhol mas não damos as mãos.

— Então, o que é isso aí? Por que ele tá dando coisas pra você? É tipo um agradecimento por salvar a vida dele?

— É uma pedra. Se fosse um agradecimento por ter salvado a vida dele, eu esperaria alguma coisa um pouco melhor.

— Não importa.

— Não seja esse tipo de cara, Ryan.

— Que tipo de cara?

Enquanto andamos, ele cumprimenta as pessoas que passam, todas sorrindo e chamando:

— Oi, Ryan.

— E aí, Cross?

Eles quase se curvam e jogam confete. Alguns são simpáticos e falam comigo também, agora que sou uma heroína.

— O cara que tem ciúme do garoto com quem a ex-namorada está fazendo um projeto da escola.

— Não estou com ciúme. — Paramos na frente da sala. — Só sou louco por você. E acho que a gente devia voltar.

— Não sei se estou pronta.

— Vou continuar insistindo.

— Acho que não posso impedir.

— Se passar do limite, me avise.

Um canto de sua boca se curva. Quando ele sorri assim, aparece uma covinha única. Foi o que me chamou atenção na primeira vez que o vi.

Sem pensar, fico na ponta dos pés e beijo a covinha, quando o que pretendo é beijar a bochecha. Não sei dizer quem de nós ficou mais surpreso.

— Você não precisa se preocupar. É só um projeto da escola.

No jantar, aquilo que mais temo acontece. Minha mãe vira pra mim e pergunta:

— Você estava na torre do sino da escola na semana passada?

De lados opostos da mesa, ela e meu pai me encaram. Imediatamente engasgo com a comida de maneira tão barulhenta e violenta que minha mãe levanta pra me dar tapinhas nas costas.

Meu pai pergunta:

— Muito apimentado?

— Não, pai, está ótimo. — As palavras mal saem porque ainda estou tossindo. Cubro a boca com o guardanapo e tusso e tusso como um velho tuberculoso.

Minha mãe continua batendo nas minhas costas até que eu me acalme e então senta de novo.

— Uma repórter do jornal local me ligou querendo fazer uma matéria sobre nossa filha heroína. Por que não nos contou?

— Sei lá. Todos estão dando muita importância pro que aconteceu. Não sou uma heroína. Simplesmente aconteceu de eu estar lá. Não acho que ele teria pulado. — Bebo toda minha água porque de repente sinto a boca seca.

— Quem é esse garoto que você salvou? — meu pai quer saber.

— É só um garoto que estuda comigo. Ele está bem agora.

Os dois se entreolham e naquele olhar compartilhado percebo o que estão pensando: nossa filha não está tão perdida quanto pensávamos. Vão começar a ter esperanças de uma nova Violet, mais valente, que não tem medo da própria sombra.

Minha mãe pega o garfo novamente.

— A repórter deixou nome e telefone e pediu pra você ligar pra ela quando puder.

— Ótimo — digo. — Obrigada. Vou ligar.

— Falando nisso... — a voz dela fica mais casual, mas tem alguma coisa que me faz querer terminar logo a comida pra poder sair dali rápido. — O que acha de irmos a Nova York nas férias? Faz um tempo que não viajamos juntos.

Não viajamos juntos desde antes do acidente. Seria nossa primeira viagem sem Eleanor, mas até aí já tivemos vários "primeiros" desses — primeiro Dia de Ação de Graças, primeiro Natal, primeiro Ano-Novo. Este é o primeiro ano da minha vida em que ela não está.

— Podemos assistir a alguns shows, fazer umas compras. Também podemos passar na NYU e ver se tem alguma palestra interessante.

Ela sorri exageradamente. Pior, meu pai também está sorrindo.

— Parece ótimo — digo, mas todos sabemos que não é isso que quero dizer.

À noite, tenho o mesmo pesadelo que venho tendo há meses — alguém se aproxima de mim por trás e tenta me estrangular. Sinto as mãos na minha garganta, apertando cada vez mais forte, mas não consigo ver quem é. Às vezes nem chega a me tocar, mas sei que está lá. Outras vezes, sinto minha respiração se esvaindo. Minha cabeça fica leve, meu corpo flutua e começo a cair.

Acordo e por alguns segundos não sei onde estou. Sento, acendo a luz e olho ao redor, como se a pessoa pudesse estar atrás da mesa ou dentro do closet. Pego o notebook. Nos dias de Antes, eu teria escrito alguma coisa — um conto ou um post pro blog ou só alguns pensamentos aleatórios. Teria escrito até que aquilo saísse de mim e virasse palavras. Mas agora abro um novo documento e encaro a tela. Escrevo duas ou três palavras, apago. Escrevo, apago. Eu era a escritora, não Eleanor, mas tem alguma coisa no ato de escrever que me faz sentir como se traísse minha irmã. Talvez por eu estar aqui e ela não, tudo — cada momento pequeno ou grande que vivi desde abril — de alguma forma parece trapaça.

Finalmente, entro no Facebook. Tem uma mensagem do Finch, à 1h04. **Você sabia que a mulher mais alta do mundo e um dos homens mais altos do mundo eram de Indiana? O que isso diz do nosso estado?**

Vejo que horas são: 1h44. Escrevo: **Temos mais recursos nutricionais que os outros estados?**

Olho para a página, a casa quieta à minha volta. Digo a mim mesma que ele deve estar dormindo, que só eu estou acordada. Devia ler ou apagar a luz e tentar descansar um pouco antes de ter que levantar e ir pra aula.

Finch escreve: **E também o homem mais gordo do mundo. Na verdade estou achando que nossos recursos nutricionais estão estragados. Talvez esse seja um dos motivos para eu ser tão alto. E se eu não parar de crescer? Você ainda vai me querer quando eu tiver quatro metros e oitenta de altura?**

Eu: **Como vou querer você com quatro metros e oitenta de altura se nem te quero agora?**

Finch: **Dê tempo ao tempo. O que mais me preocupa é como vou andar de bicicleta. Acho que não fazem bicicletas tão grandes assim.**

Eu: **Veja pelo lado bom — suas pernas serão tão compridas que um passo seu vai ser o mesmo que trinta ou quarenta passos de uma pessoa normal.**

Finch: **Isso quer dizer que vou poder carregar você quando estivermos andando por Indiana.**

Eu: **Sim.**

Finch: **Afinal de contas, você é famosa.**

Eu: **Você é o herói, não eu.**

Finch: **Acredite, não sou nenhum herói. E o que você está fazendo acordada, afinal?**

Eu: **Pesadelos.**

Finch: **Você tem isso direto?**

Eu: **Mais do que eu gostaria.**

Finch: **Começou depois do acidente ou antes?**

Eu: **Depois. E você, por que está acordado?**

Finch: **Muito a fazer e escrever e pensar. Além do mais, quem faria companhia a você?**

Quero dizer que sinto muito pela matéria da *Boatos de Bartlett* — ninguém acredita de verdade nas mentiras que eles publicam; uma hora todo mundo vai esquecer —, mas aí ele escreve: **Me encontre no Quarry.**

Eu: **Não posso.**

Finch: **Não me deixe esperando. Pensando melhor, encontro você aí.**

Eu: **Não posso.**

Nenhuma resposta.

Eu: **Finch?**

DIA 13

Jogo pedras na janela, mas ela não desce. Penso em tocar a campainha, mas isso só acordaria seus pais. Tento esperar, mas a cortina não se mexe e a porta não abre e está frio pra cacete, então entro no Tranqueira e vou pra casa.

Fico acordado o resto da noite fazendo uma lista chamada "Como ficar acordado". Escrevo o óbvio — Red Bull, cafeína e alguns remédios —, mas não se trata de evitar algumas horas de sono, e sim ficar acordado e aqui a longo prazo.

1. Correr.
2. Escrever (inclui quaisquer pensamentos indesejáveis — anotando rápido para que saiam de mim e passem pro papel).
3. Ao longo das linhas, aceitar todo e qualquer pensamento (não tenha medo deles, independente do que sejam).
4. Me cercar de água.
5. Planejar.
6. Dirigir pra todo e qualquer lugar, mesmo quando não tiver aonde ir. (Lembrete: Há sempre um lugar aonde ir.)
7. Tocar guitarra.
8. Organizar o quarto, as anotações, a cabeça. (Não é a mesma coisa que planejar.)

9. Fazer o que for preciso pra não esquecer que estou aqui e que minha opinião importa.
10. Violet.

VIOLET

147-146 DIAS PARA A LIBERDADE

Manhã seguinte. Minha casa. Saio pela porta e encontro Finch deitado no gramado, olhos fechados, botas pretas cruzadas na altura do tornozelo. A bicicleta está encostada ao seu lado, metade na rua e metade fora.

Chuto a sola de uma bota.

—Você ficou aqui fora a noite toda?

Ele abre os olhos.

— Então você *sabia* que eu estava aqui. É difícil saber se estamos sendo ignorados quando estamos, devo ressaltar, no frio congelante do ártico. — Ele levanta, coloca a mochila no ombro, pega a bicicleta. — Mais algum pesadelo?

— Não.

Enquanto tiro Leroy da garagem, Finch pedala pela entrada.

— Então, pra onde vamos?

— Pra aula.

— Não... Amanhã, quando andarmos por Indiana. A não ser que você já tenha planos.

Ele diz isso como quem sabe que não tenho. Penso em Ryan e no drive-in. Ainda não confirmei se vou.

— Não sei se estarei livre.

Vamos em direção à escola, com Finch saindo em disparada e voltando, saindo em disparada e voltando...

A pedalada é quase tranquila, até ele dizer:

— Eu estava pensando que, como sou sua dupla e o cara que salvou sua vida, deveria saber o que aconteceu na noite do acidente.

Leroy oscila e Finch estende o braço para me estabilizar na bicicleta. A corrente elétrica começa a correr pelo meu corpo, exatamente como antes, e lá se vai meu equilíbrio de novo. Pedalamos por um minuto com a mão dele na parte de trás do banco. Fico atenta pra ver se Amanda ou Suze surgem no caminho, porque sei exatamente o que vai parecer.

— Então, o que aconteceu? — Odeio o jeito como ele fala do acidente, tão direto, como se tocar no assunto não fosse um problema. — Eu conto sobre minha cicatriz se você me contar sobre aquela noite.

— Por que você quer saber?

— Porque gosto de você. Não um gostar romântico, do tipo vamos dar uns amassos, mas como um colega da sala de geografia. E porque falar sobre isso pode ajudar.

— Você primeiro.

— Eu estava fazendo um show em Chicago com uns caras que conheci num bar. Eles disseram algo tipo: "Ei, cara, nosso guitarrista acabou de sair, e parece que você sabe o que fazer no palco". Eu subi, sem ter ideia nenhuma do que estava fazendo, do que eles estavam fazendo, e nós destruímos. DES-TRU-Í-MOS. Mandei melhor que o Hendrix… Eles sabiam disso, e o guitarrista original sabia disso. Então o FDP subiu no palco atrás de mim e me cortou com a palheta.

— Isso aconteceu mesmo? — Estamos perto da escola. Os alunos saem do carro e conversam no gramado.

— Pode ser que uma garota também estivesse envolvida. — Não sei dizer pela cara dele se está mentindo ou não, mas acho que está. — Sua vez.

— Só depois que você me contar o que aconteceu de verdade. — Acelero e voo em direção ao estacionamento e ao bicicletário. Quando paro, Finch está logo atrás, morrendo de rir. No bolso, meu celular não para de tocar. Pego e vejo cinco mensagens de Suze, todas dizendo a mesma coisa: **Theodore Aberração?!? Que merda é essa?!** Olho em volta, mas ela não está em lugar nenhum.

— Até amanhã — ele diz.
— Na verdade, já tenho planos.

Ele olha pro meu celular e depois pra mim, um olhar difícil de interpretar.

— Tá bom. Sem problemas. Até mais tarde, então, Ultravioleta.
— Do que você me chamou?
— Você ouviu.
— O colégio é pra lá. — Aponto para o prédio.
— Eu sei. — E ele segue para o lado oposto.

Sábado. Minha casa. Estou no telefone com Jerri Sparks, a repórter do jornal local, que quer mandar alguém pra me fotografar. Ela pergunta:

— Como é salvar a vida de alguém? Eu sei, claro, da tragédia horrível pela qual você passou no ano passado. De alguma forma, isso alivia um pouco seu sofrimento?

— Como isso aliviaria meu sofrimento?

— Você não conseguiu salvar sua irmã, mas salvou esse garoto, Theodore Finch...

Desligo na cara dela. *Como se eles fossem a mesma pessoa... E além do mais não fui eu quem salvou alguém.* Finch é o herói, não eu. Sou só uma garota fingindo ser heroína.

Ainda estou fervendo de raiva quando Ryan aparece, cinco minutos adiantado. Vamos andando até o drive-in porque fica só a um quilômetro e meio de casa. Enfio as mãos nos bolsos do casaco, mas nossos braços ficam encostando um no outro. É como se fosse o primeiro encontro de novo, tudo de novo.

No drive-in, encontramos Amanda e Roamer, que estão no carro dele. Ele tem um Chevy Impala antigo enorme, que quase ocupa o quarteirão inteiro. Chama de Baladeiro, porque cabem umas sessenta e cinco pessoas.

Ryan abre a porta de trás pra mim e eu entro. Como o Impala está estacionado, não ligo de entrar, apesar do cheiro de fumaça e fast-food e levemente de maconha. Só de ficar aqui dentro, vai ser como se eu fosse fumante passiva por alguns anos.

É dia de dose dupla de monstros japoneses, e antes de começar Ryan, Roamer e Amanda falam sobre como a faculdade vai ser incrível — os três vão pra Universidade de Indiana. Penso sobre Jerri Sparks e Nova York e as férias e como me sinto mal de ter dispensado Finch e de ter sido grossa sendo que ele *salvou minha vida*. Andar por Indiana com ele seria melhor que isto. Qualquer coisa seria melhor.

O carro está quente e cheio de fumaça, embora as janelas estejam abertas, e quando o segundo filme começa Roamer e Amanda deitam no enorme banco da frente e ficam quase completamente em silêncio. Quase. De tempo em tempo ouço um barulho que parece vir de dois cães famintos em volta da tigela de comida.

Tento assistir ao filme, mas não funciona, então tento descrever mentalmente a cena. *A cabeça da Amanda aparece acima do banco, a camisa entreaberta deixando entrever o sutiã, que é azul-claro com flores amarelas. A imagem queima em minhas retinas, onde permanecerá para sempre...*

As distrações são muitas, então tento conversar com Ryan, mas ele está mais interessado em enfiar a mão embaixo da minha blusa. Consegui ficar dezessete anos, oito meses, duas semanas e um dia sem fazer sexo no banco de trás de um Impala (ou em qualquer outro lugar, aliás), então digo que quero muito ver a vista do lugar, abro a porta e fico em pé do lado de fora. Estamos cercados de carros e, para além deles, campos de milho. Não tem vista nenhuma, a não ser do céu. Inclino a cabeça pra trás, em uma fascinação repentina pelas estrelas. Ryan vem atrás de mim e finjo conhecer as constelações, apontando pra elas e inventando histórias sobre cada uma.

Penso no que Finch está fazendo. Talvez tocando guitarra em algum lugar. Talvez esteja com uma garota. Devo a ele uma caminhada por aí e, na verdade, muito mais que isso. Não quero que pense que o dispensei hoje por causa dos meus *amigos*. Nota mental: assim que chegar em casa, pesquisar aonde vamos da próxima vez. (Termos de pesquisa: *atrações incomuns Indiana, Indiana nada comum, Indiana sem igual, Indiana excentricidade*.) Também é bom que eu tenha uma cópia do mapa, pra garantir que não vou duplicar nenhum lugar.

Ryan me abraça e me beija, e por um minuto retribuo. Viajo no tempo e em vez do Impala é o Jeep do irmão de Ryan, e em vez de Roamer e Amanda são Eli Cross e Eleanor, e estamos aqui no drive-in assistindo a uma dose dupla de *Duro de matar*.

Então a mão de Ryan está embaixo da minha blusa de novo, e me afasto. O Impala está de volta. Roamer e Amanda estão de volta. O filme de monstro está de volta.

— Sinto muito, mas tenho hora pra voltar pra casa — digo.

— Desde quando? — Então ele parece se lembrar de algo. — Sinto muito, V. — Sei que ele está pensando que é por causa do acidente.

Ryan se oferece pra me acompanhar. Digo que não, tudo bem, não precisa, mas ele vai mesmo assim.

— Hoje foi muito bom — ele diz, na porta.

— Também achei.

— Eu ligo pra você depois.

— Certo.

Ele se aproxima pra me dar um beijo de boa-noite e eu viro um pouquinho pra que acerte o rosto. Ele fica ali parado enquanto entro em casa.

FINCH

DIA 15 (AINDA ESTOU DESPERTO)

Vou pra casa de Violet cedo e encontro os pais dela tomando café da manhã. Ele tem barba e é sério e tem linhas de expressão bem marcadas em volta da boca e dos olhos, e ela parece o que Violet vai ser daqui a uns vinte e cinco anos, cabelo loiro-escuro ondulado, rosto em formato de coração, todos os traços um pouco mais acentuados. Os olhos são calorosos mas a boca é triste.

Eles me convidam pra tomar café junto, e pergunto como Violet era antes do acidente, pois só a conheci depois. No momento em que ela desce, eles estão contando da vez em que ela e a irmã iam pra Nova York nas férias, há dois anos, mas em vez disso decidiram seguir o Boy Parade de Cincinnati a Indianápolis e então até Chicago pra tentar conseguir uma entrevista. Quando Violet me vê, diz, como se eu fosse uma miragem:

— Finch?
— *Boy Parade?* — questiono.
— Ai, meu Deus. Por que vocês contaram isso?

Não consigo evitar, começo a rir, o que faz com que a mãe dela comece a rir, e o pai também, até que nós três estamos rindo como velhos amigos enquanto Violet nos encara como se fôssemos loucos.

Mais tarde, Violet e eu estamos em frente à casa dela e, como é sua vez de escolher o destino, ela me dá uma ideia de qual vai ser a rota e me diz pra segui-la. Então sai pelo gramado em direção à rua.

— Não trouxe a bicicleta. — Antes que ela responda, levanto a mão como se fizesse um juramento. — Eu, Theodore Finch, por não estar em pleno gozo das minhas faculdades mentais, juro por meio desta não dirigir a mais de sessenta quilômetros por hora na cidade nem cento e dez na estrada. Se a qualquer momento você quiser parar, paramos. Só peço que me dê uma chance.

— Está nevando.

Exagero dela. A neve mal está caindo.

— Não do tipo que escorrega. Olha só, já andamos tudo o que podíamos de bicicleta. Podemos ver muito mais lugares se formos de carro. Quer dizer, as possibilidades são praticamente infinitas. Pelo menos entre. Faz isso por mim. Senta lá e eu fico bem longe, não chego nem perto, até você ter certeza de que não vou encurralá-la e começar a dirigir.

Ela fica parada perto da calçada.

— Você tem que parar de tentar convencer as pessoas a fazer o que elas não querem. Você é simplesmente invasivo e diz "vamos fazer isso", "vamos fazer aquilo", mas não ouve. Você não pensa em ninguém além de si mesmo.

— Na verdade, estou pensando em você escondida naquele quarto ou em cima dessa bicicleta laranja idiota. Tenho que ficar aqui. Tenho que ir ali. Aqui. Ali. Vai e volta, mas não chega a nenhum lugar novo nem passa de um raio de cinco ou seis quilômetros.

— Talvez eu goste desses cinco ou seis quilômetros.

— Não acredito nisso. Hoje de manhã seus pais mostraram a pessoa que você costumava ser. A outra Violet parece divertida e até meio durona, mesmo tendo um gosto musical horroroso. Agora tudo o que vejo é uma garota morrendo de medo de viver. Vejo as pessoas darem um empurrãozinho de vez em quando, mas nunca forte o suficiente porque não querem contrariar a pobre Violet. Você precisa de um baita tranco, não de um empurrãozinho. Você precisa retomar as rédeas. Ou vai ficar em cima do parapeito que construiu pra si mesma pra sempre.

De repente, ela passa correndo por mim. Entra no carro e senta, olhando em volta. Apesar de eu ter tentado limpar um pouco, o painel está cheio de tocos de lápis e pedaços de papel, bitucas de cigarro, um isqueiro, palhetas. Tem um cobertor no banco de trás, e um travesseiro, e pelo jeito que está me encarando dá pra perceber que ela viu.

— Ah, relaxa! O plano não é seduzir você. Se fosse, você saberia. Cinto. — Ela coloca o cinto. — Agora feche a porta. — Estou em pé no gramado, braços cruzados enquanto ela puxa a porta.

Então vou até o lado do motorista, abro a porta e coloco a cabeça pra dentro enquanto ela lê o que está escrito na parte de trás de um guardanapo de um lugar chamado Harlem Avenue Lounge.

— O que me diz, Ultravioleta?

Ela inspira fundo. Solta o ar.

— Tá bom.

Vou devagar no início, mal chegando aos trinta quilômetros por hora, enquanto atravessamos o bairro onde ela mora. Avançamos quadra a quadra. A cada placa de pare e semáforo, pergunto:

— Tudo bem aí?

— Tudo. Beleza.

Pego a saída pra estrada Nacional e vou a noventa.

— O que acha?

— Ótimo.

— E agora?

— Para de perguntar.

Estamos tão devagar que carros e caminhões passam em disparada e buzinam. Um cara grita com a gente e mostra o dedo do meio. Estou me esforçando muito pra não afundar o pé no acelerador, mas também estou acostumado a desacelerar para que os outros possam me acompanhar.

Como distração, pra mim e pra ela, converso como se estivéssemos na torre do sino.

— Minha vida inteira corri três vezes mais rápido ou três vezes mais devagar que qualquer outra pessoa. Quando eu era pequeno, corria em círculos em volta da sala, corria e corria, até marcar o carpete.

Corri em volta desse mesmo círculo, até meu pai tirar o carpete dali... simplesmente arrancou com as próprias mãos. Em vez de substituir por outro, deixou o concreto exposto com uns pedaços de cola e carpete grudados por toda a sala.

— Então tá. Pode correr.

— Não, não. Vamos a oitenta até lá, querida. — Mas subo pra cem. Neste momento, me sinto muito bem, porque fiz Violet entrar no carro e meu pai está indo viajar a negócios, ou seja, nada de jantar obrigatório esta semana. — Seus pais são incríveis, aliás. Você tem sorte, Ultravioleta.

— Obrigada.

— Então... Boy Parade. Você conseguiu fazer a entrevista?

Ela me olha feio.

— Tá bom, me fala do acidente então.

Não acho que ela vai falar, mas ela olha pela janela e começa a contar.

— Não lembro de muita coisa. Lembro de entrar no carro quando saímos da festa. Minha irmã e Eli tinham brigado...

— Eli Cross?

— Eles meio que namoraram durante o ano passado. Ela estava chateada, mas não me deixou dirigir. Fui eu que falei pra ela pegar a ponte da rua A. — Por um instante, ela fica muito, muito quieta. — Lembro da placa escrito "gelo na pista". Lembro de derrapar e da Eleanor dizendo "não consigo parar". Lembro de quando atravessamos a barra de proteção e dos gritos. Depois disso, tudo ficou preto. Acordei três horas depois no hospital.

— Me conta dela.

Violet olha pela janela.

— Ela era inteligente, teimosa, mal-humorada, engraçada, malvada quando perdia a paciência, doce, defensora das pessoas que amava. Sua cor preferida era amarelo. Ela sempre me protegia, apesar de a gente brigar às vezes. Eu podia falar qualquer coisa pra ela, porque Eleanor nunca julgava ninguém. Era minha melhor amiga.

— Nunca tive isso. Como é?

— Sei lá. Acho que você pode ser você mesmo, o que quer que isso signifique… Pode mostrar o melhor e o pior da sua personalidade. E a pessoa vai amar você mesmo assim. Vocês podem brigar, mas mesmo quando fica com raiva, você sabe que nunca vão deixar de ser amigos.

— Acho que estou precisando de um desses.

— Olha, eu queria pedir desculpa pelo Roamer e aquela galera.

O limite de velocidade é cento e dez quilômetros por hora, mas me obrigo a ficar nos noventa.

— Não é culpa sua. E ficar pedindo desculpa é perda de tempo. Você tem que viver sem arrependimentos. É mais fácil fazer a coisa certa desde o início pra que não tenha que pedir desculpas depois. — Não que eu tenha moral pra falar isso.

O Parque de Bibliotecas Móveis fica na entrada de Bartlett, em uma estrada ladeada por plantações de milho. Como a terra é plana e quase não há árvores, os trailers ocupam a paisagem como arranha-céus. Me inclino sobre o volante.

— O que é isso?

Violet também inclina o corpo pra frente. Enquanto saio da estrada para o estacionamento de cascalho, ela diz:

— Lá na Califórnia, meus pais, Eleanor e eu entrávamos no carro e saíamos em uma caçada a livrarias. Cada um de nós escolhia um livro para encontrar, e a gente não podia ir embora enquanto não tivesse todos eles. Às vezes chegávamos a ir a oito ou dez lojas em um dia.

Ela sai do carro e vai em direção à primeira biblioteca móvel — um trailer Airstream dos anos 50 —, que fica do outro lado do estacionamento, atravessando a plantação de milho. Ao todo são sete trailers, de marcas, modelos e anos diferentes, que ficam em fila com o milho crescendo ao redor. Cada um abriga uma categoria específica de livros.

— É uma das coisas mais fodas que eu já vi. — Não sei se Violet ouve o que digo, porque já está entrando no primeiro trailer.

— Olha a boca, mocinho. — Vejo um braço estendido e aperto a mão que pertence a uma mulher baixinha e redonda com cabelo descolorido, olhos calorosos e uma cara enrugada. — Faye Carnes.

— Theodore Finch. Você é a mente por trás disso? — Faço sinal em direção à fila de bibliotecas móveis.

— Sou. — Ela anda e eu sigo. — O estado interrompeu o serviço de bibliotecas móveis nos anos 80, e eu disse ao meu marido: "É uma pena. Sério, uma vergonha. O que vai acontecer com os trailers? Alguém tem que comprá-los e continuar esse trabalho". Então nós compramos. No início os levávamos pela cidade, mas Franklin tem problema na coluna, então decidimos plantá-los aqui, como o milho, e deixar que o pessoal venha até nós.

A sra. Carnes me leva de trailer em trailer, e eu entro e exploro cada um. Investigo pilhas de capas duras e livros de bolso, todos bem usados e bastante lidos. Estou procurando algo especial, mas até agora não encontrei.

A sra. Carnes segue comigo, arrumando os livros, tirando o pó das prateleiras, e me conta sobre o marido e a filha Sara e o filho Franklin Jr., que cometeu o erro de se casar com uma garota de Kentucky, o que significa que eles nunca o veem, a não ser no Natal. Fala sem parar, mas gosto dela.

Violet nos encontra no trailer seis (infantis), carregada de clássicos. Cumprimenta a sra. Carnes e pergunta:

— Como funciona? Preciso ter carteirinha da biblioteca?

— Você pode comprar ou pegar emprestado, mas não precisa de carteirinha. Se pegar emprestado, confiamos que vai trazê-los de volta. Se comprar, só aceitamos dinheiro.

— Quero comprar. — Violet faz sinal pra mim. — Pode pegar o dinheiro na minha mochila?

Em vez disso, pego minha carteira e dou uma nota de vinte pra sra. Carnes, a menor que eu tenho, e ela conta os livros.

— É um dólar cada livro, vezes dez. Vou até a casa pegar troco. — E some antes que eu diga para ficar com o dinheiro.

Violet deixa os livros por ali e vamos explorar os outros trailers juntos. Acrescentamos mais alguns livros à pilha e, por um momento, olho pra ela e vejo que sorri pra mim. É o tipo de sorriso que damos quando estamos analisando alguém e tentando decidir como nos sentimos em relação à pessoa. Sorrio de volta, e ela desvia o olhar.

Então a sra. Carnes volta, e discutimos sobre o troco — eu quero que ela fique com o dinheiro, ela quer que eu pegue de volta, e no fim cedo, porque ela simplesmente não aceita não como resposta. Sigo com os livros pro carro enquanto ela conversa com Violet. Na carteira, acho mais uma nota de vinte e quando volto pros trailers, entro no primeiro e coloco a nota e o troco na velha caixa registradora sobre um balcão improvisado.

Um grupo de crianças chega, e nos despedimos da sra. Carnes. Enquanto andamos até o carro, Violet diz:

— Foi incrível.

— Foi, mas não conta como andança.

— Tecnicamente, é mais um lugar, e era disso que precisávamos.

— Sinto muito. Por mais incrível que seja, é praticamente no jardim de casa, dentro da zona segura dos cinco ou seis quilômetros. Além do mais, não se trata simplesmente de riscar coisas de uma lista.

Agora ela caminha muitos metros à frente, fingindo que não existo, mas tudo bem, estou acostumado, e o que ela não sabe é que isso não me intimida. As pessoas me veem ou não. Imagino como deve ser andar na rua, confiante e calmo, sentindo-se bem consigo mesmo, e simplesmente se misturar. Sem que ninguém se afaste, ninguém encare, ninguém espere ou imagine qual será a próxima maluquice que você vai fazer.

Então não quero mais ficar pra trás, e saio correndo, e a sensação é a de me libertar do ritmo lento e normal do resto das pessoas. Me liberto da minha mente, que está, por algum motivo, me imaginando tão morto quanto os autores dos livros que Violet comprou, apagado pra sempre desta vez, enterrado sob camadas e mais camadas de terra e plantações de milho. Quase posso sentir a terra fechando sobre mim, o ar ficando rançoso e úmido, a escuridão me pressionando pra baixo, e tenho que abrir a boca pra respirar.

Em um borrão, Violet passa por mim, cabelos ao vento, o reflexo do sol deixando-o dourado nas pontas. Estou tão imerso em meus pensamentos que de início não tenho certeza de que é ela, mas então disparo pra alcançá-la e corro ao lado, acompanhando seu ritmo. Ela acelera novamente, e corremos tão rápido que parece que vamos alçar voo. Esse é meu segredo: a qualquer momento posso sair voando. Todos exceto eu — e agora Violet — andam em câmera lenta, como se estivessem envoltos em lama. Somos mais rápidos que todo mundo.

De repente chegamos no carro, e Violet me dá uma encarada do tipo "toma essa". Digo pra mim mesmo que a deixei ganhar, mas foi uma vitória real e justa.

Depois que entramos no carro e ligo o motor, jogo pra ela nosso caderno, o que estamos usando para anotar nossas andanças, e digo:

— Anote tudo antes que a gente esqueça alguma coisa.

— Achei que hoje não ia valer. — Mas ela vai virando as páginas.

— Faz isso por mim. Ah, e vamos passar em mais um lugar no caminho pra casa.

Deixamos o cascalho e seguimos pelo asfalto de novo quando ela levanta os olhos do caderno onde escreve.

— Estava tão preocupada com os livros que esqueci de deixar alguma coisa pra trás.

— Não tem problema. Eu deixei.

VIOLET

145 DIAS PARA A LIBERTAÇÃO

Ele perde o desvio e passa por cima do canteiro central e chega ao outro lado, voltando à interestadual, seguindo na direção oposta. Em determinado momento, pegamos uma saída para uma estrada calma de interior.

Seguimos por essa estradinha por mais ou menos um quilômetro e meio, e Finch liga o rádio e canta junto. Batuca no volante do carro e entramos em uma cidadezinha que tem só umas duas quadras. Ele se debruça sobre o painel e diminui bastante a velocidade.

— Está vendo alguma placa?
— Aquela ali diz "Igreja".
— Ótimo. Perfeito. — Ele vira e, depois de uma quadra, estaciona. — Chegamos. — Ele sai do carro e vem até a porta do passageiro, abrindo-a e oferecendo a mão. Andamos até uma enorme fábrica antiga que parece abandonada. Vejo algo que se estende por todo o muro. Finch continua andando e para lá no fim.

Antes de morrer... está escrito no que parece ser uma lousa gigante. E embaixo das letras brancas gigantes estão colunas e mais colunas, linhas e mais linhas, que dizem **Antes de morrer quero _____**. E as lacunas foram preenchidas com cores diferentes de giz, tudo meio manchado e derretido por causa da chuva e da neve, em caligrafias variadas.

Andamos ao longo do muro, lendo. **Antes de morrer quero ter filhos. Morar em Londres. Ter uma girafa como bicho de estimação. Saltar de para-**

quedas. Dividir por zero. Tocar piano. Falar francês. Escrever um livro. Viajar pra outro planeta. Ser um pai melhor que o meu. Gostar de mim mesmo. Ir pra Nova York. Conhecer a igualdade. Viver.*

Finch esbarra em meu braço e me dá um pedaço de giz azul.

— Não tem mais espaço — digo.

— A gente arranja.

Ele escreve **Antes de morrer quero** e traça uma linha. Escreve de novo. Então escreve mais uma dúzia de vezes.

— Depois que completarmos todas, podemos seguir até a entrada do prédio e ir pro outro lado. É um bom jeito de entender exatamente por que estamos aqui.

Sei que com "aqui" ele não está se referindo à calçada.

Ele começa a escrever: **Tocar guitarra como Jimmy Page. Compor uma música que mude o mundo. Encontrar o Grande Manifesto. Ter algum valor. Ser quem sou e ficar satisfeito com isso. Saber como é ter um melhor amigo. Ter importância.**

Durante muito tempo fico só lendo, e depois escrevo: **Parar de sentir medo. Parar de pensar demais. Preencher os espaços deixados pra trás. Dirigir de novo. Escrever. Respirar.**

Finch está ao meu lado. Tão perto que consigo sentir sua respiração. Abaixa e completa: **Antes de morrer quero viver um dia perfeito.** Dá um passo pra trás, lendo o que escreveu, e então dá um passo à frente de novo. **E conhecer o Boy Parade.** Antes que eu possa dizer alguma coisa, ele ri, apaga, e substitui por: **E beijar Violet Markey.**

Espero ele apagar isso também, mas ele joga o giz no chão e tira o pó das mãos, esfregando-as na calça. Abre um sorriso provocante e fica olhando pra minha boca. Espero ele tomar iniciativa. Digo pra mim mesma: *Ele que tente.* Então penso: *Espero que tente*, e o simples pensamento dispara as correntes elétricas e faz com que corram pelo meu corpo. Imagino se beijar Finch seria tão diferente de beijar Ryan. Só beijei alguns garotos até agora, e eles eram todos meio parecidos.

Ele balança a cabeça.

— Não aqui. Não agora.

E corre em direção ao carro. Corro atrás e, lá dentro, motor ligado e música tocando, ele diz:

— Antes que você imagine coisas, isso não significa que gosto de você.

— Por que você fica repetindo isso?

— Porque vejo o jeito que você me olha.

— Meu Deus! Você é inacreditável.

Ele ri.

Na estrada, meus pensamentos aceleram. Só porque quis que ele me beijasse por, tipo, um segundo, não significa que gosto de Theodore Finch. É só porque faz um tempo que não beijo ninguém além do Ryan.

Em nosso caderno, escrevo **Antes de morrer quero...**, mas só vou até aí, porque tudo que vejo é a letra de Finch flutuando na página: *beijar Violet Markey*.

Antes de me levar pra casa, Finch segue pro Quarry, no centro de Bartlett, onde nem pedem nossa identidade. Entramos direto e o lugar está lotado e com bastante fumaça e a música bem alta. Todos parecem conhecê-lo, mas em vez de se juntar à banda no palco, ele pega minha mão e nós dançamos. Num segundo ele parece estar no meio de um *mosh* e no seguinte estamos dançando tango.

Grito mais alto que todo o barulho:

— Também não gosto de você!

Mas ele só ri mais uma vez.

FINCH

DIA 15 (AINDA)

No caminho de volta pra casa de Violet, invento epitáfios pras pessoas que conhecemos: Amanda Monk (*Eu era tão superficial quanto o leito do riacho seco que parte do rio Whitewater*), Roamer (*Meu plano era ser o maior babaca possível — e consegui*), o sr. Black (*Na próxima vida, quero descansar, evitar crianças e ter um salário decente*).

Ela permanece quieta, mas sei que está ouvindo, principalmente porque não tem mais ninguém aqui além de mim.

— Como seria o seu, Ultravioleta?

— Não sei. — Ela inclina a cabeça e olha por cima do painel pra algum ponto distante, como se a resposta estivesse ali. — E o seu? — Sua voz parece flutuar, como se ela estivesse em outro lugar.

Não preciso nem pensar.

—Theodore Finch, em busca do Grande Manifesto.

Ela lança um olhar penetrante, e vejo que está presente e prestando atenção de novo.

— Não sei o que isso significa.

— Significa "a urgência de *ser*, de ter alguma importância e, se a morte vier, morrer com valentia, com clamor — em suma, permanecer na memória".

Ela fica quieta, como se estivesse pensando sobre isso.

— E onde você estava na sexta? Por que não foi pra aula?

— Eu tenho dor de cabeça às vezes. Nada de mais.

Não é exatamente mentira, porque a dor de cabeça também tem a ver. É como se meus pensamentos acelerassem tanto que eu não conseguisse acompanhar meu próprio cérebro. Palavras. Cores. Sons. Às vezes tudo vira pano de fundo e o que sobra é o som. Consigo ouvir tudo, mas não só ouvir... consigo sentir também. Mas pode vir tudo de uma vez... os sons viram luz, e a luz fica muito brilhante, e é como se me partisse em dois, e aí vem a dor de cabeça. Não é só uma dor de cabeça que *sinto*; eu consigo ver, como se fosse composta de milhões de luzes, todas ofuscantes. Uma vez, quando tentei descrever pra Kate, ela disse:

— Agradeça ao papai. Se ele não tivesse usado sua cabeça como saco de pancada...

Mas não é isso. Gosto de pensar que as cores e os sons e as palavras não têm nada a ver com ele, que são apenas *eu* e meu próprio cérebro brilhante, complicado, zunindo, sussurrando, planando rugindo mergulhando, divino.

— Você está bem agora? — pergunta Violet. O cabelo ao vento e as bochechas rosadas. Querendo ou não, ela parece feliz.

Olho para ela longamente. Conheço a vida bem o suficiente pra saber que não podemos acreditar que as coisas vão ser sempre iguais, não importa o quanto a gente queira. Não podemos impedir que as pessoas morram. Não podemos impedi-las de ir embora. Não podemos impedir nós mesmos de ir embora. Me conheço bem o suficiente pra saber que ninguém consegue me manter acordado ou me impedir de dormir. Tenho que fazer isso sozinho. Mas, cara, como gosto dessa garota.

— Sim — respondo. — Acho que estou.

Em casa, pego os recados da secretária eletrônica, que Kate e eu ouvimos quando lembramos, e tem uma mensagem do Embrião. *Merda*. Merda. Merda. Merda. Ele ligou na sexta porque perdi nossa sessão de aconselhamento e quer saber onde estou, principalmente porque parece que leu a *Boatos de Bartlett* e sabe — ou acha que sabe — o que eu estava fazendo naquele parapeito. Pelo lado bom, passei no teste de drogas. Apago a mensagem e digo a mim mesmo que vou chegar cedo na segunda pra compensar a sexta.

Então vou pro quarto, sento na cadeira e imagino como seria um enforcamento. O problema é que sou muito alto e o teto é muito baixo. Também tem o porão, mas ninguém nunca vai lá, e pode levar semanas, talvez até meses, pra que minha mãe e minhas irmãs me encontrem.

Curiosidade: o enforcamento é o método suicida mais usado no Reino Unido porque, dizem os pesquisadores, é tido como rápido e fácil. Mas o comprimento da corda tem que ser calculado proporcionalmente ao peso da pessoa; caso contrário, não tem nada de rápido nem de fácil. Outra curiosidade: o método moderno de enforcamento judicial é chamado de "queda longa".

É exatamente assim que me sinto quando apago. É uma queda longa do estado desperto e pode acontecer de uma vez. Tudo simplesmente... para.

Mas às vezes existem indícios. O som, claro, e a dor de cabeça, mas também aprendi a prestar atenção em coisas como mudanças no ambiente, na maneira como o vejo, como o sinto. Os corredores da escola são um desafio — pessoas demais indo em direções aleatórias, como um formigueiro. O ginásio é ainda pior porque está lotado e todos gritam e posso ficar encurralado.

Fiz a besteira de falar sobre isso uma vez. Há alguns anos, perguntei ao meu então bom amigo Gabe Romero se ele sentia sons e via dores de cabeça, se os ambientes às vezes cresciam ou encolhiam, se ele alguma vez já tinha imaginado o que aconteceria se pulasse na frente de um carro ou de um ônibus, se ele achava que isso seria o suficiente pra fazer a sensação parar. Pedi que ele tentasse fazer isso comigo, só pra ver, porque eu tinha uma sensação, lá no fundo, de que eu era de faz de conta, o que significava ser invencível, e fomos pra casa e contamos pros pais dele, e eles contaram pro meu professor, que contou pro diretor, que contou pros meus pais, que me perguntaram: *Isso é verdade, Theodore? Você está inventando essas histórias?* No dia seguinte, o colégio inteiro sabia, e eu era oficialmente Theodore Aberração. Um ano depois, cresci mais que minhas roupas porque, ao que parece, crescer trinta e cinco centímetros é fácil, o difícil é conseguir crescer para além de um rótulo.

E é por isso que é mais vantajoso fingir ser como todo mundo, mesmo sabendo desde sempre que somos diferentes. *A culpa é toda sua*, eu disse a mim mesmo na época — culpa por não conseguir ser normal, por não conseguir ser como Roamer ou Ryan ou Charlie ou os outros. *A culpa é toda sua*, digo a mim mesmo agora.

Enquanto estou acordado na cadeira, imagino que o Apagão está chegando. Quando se é infame e invencível, é difícil imaginar que posso não estar desperto, mas me obrigo a me concentrar, porque isso é importante — questão de vida ou morte.

Espaços menores são melhores, e meu quarto é grande. Mas talvez possa cortá-lo ao meio, tirando a estante e a cômoda do lugar. Pego as pontas do tapete e começo a empurrar as coisas pro lugar certo. Ninguém sabe pra perguntar o que estou fazendo, embora eu saiba que minha mãe, Decca e até Kate, se estiver em casa, devem estar ouvindo o arrastar dos móveis pelo quarto.

Imagino o que teria que acontecer pra elas virem até aqui — uma explosão? Uma explosão nuclear? Tento me lembrar da última vez em que uma delas esteve no meu quarto, e a única cena que me vem à cabeça é de quatro anos atrás, quando eu realmente estava gripado. Mesmo assim, foi só Kate quem cuidou de mim.

FINCH

DIAS 16 E 17

Pra compensar a ausência no encontro de sexta-feira, decido contar ao Embrião sobre Violet. Não pretendo mencionar o nome dela, mas preciso contar a alguém que não seja Charlie ou Brenda, que só me perguntam se já ficamos ou me lembram da surra que vou levar de Ryan Cross se um dia eu fizer alguma coisa.

Mas, antes, o Embrião vai perguntar se tentei me machucar. Cumprimos essa rotina todas as semanas, e é mais ou menos assim:

Embrião: Você tentou se machucar desde a última vez em que nos vimos?

Eu: Não, senhor.

Embrião: Você pensou em se machucar?

Eu: Não, senhor.

Aprendi por experiência própria que a melhor coisa a fazer é não falar o que realmente pensamos. Se não falamos nada, as pessoas concluem que não estamos pensando em nada além do que deixamos que elas vejam.

Embrião: Você está mentindo pra mim?

Eu: Eu mentiria pra você, uma figura de autoridade?

Como ainda não desenvolveu senso de humor, ele me encara e diz:

— Espero que não.

Então decide quebrar a rotina.

— Sei sobre o artigo na *Boatos de Bartlett*.

Fico sem palavras por alguns segundos. Finalmente, digo:

—Você nem sempre deve acreditar no que lê, senhor.

Minha fala sai sarcástica. Decido deixar esse tom de lado e tentar mais uma vez. Talvez seja porque ele me deixou sem graça. Ou porque está preocupado e quer meu bem e é um dos poucos adultos na minha vida que me dão atenção.

— É sério. — Minha voz está embargada, e fica claro pra nós dois que aquele artigo idiota me incomoda mais do que deixo transparecer.

Depois desse diálogo, passo o resto do tempo provando pra ele que tenho vários motivos pra viver. Hoje foi o primeiro dia que falei sobre Violet.

— Então, conheci uma garota. Vamos chamá-la de Lizzy. — Elizabeth Meade é líder do grupo de crochê. Ela é tão gente boa que acho que não se incomodaria se eu pegasse seu nome emprestado pra proteger minha privacidade. — Nós acabamos ficando meio amigos, e isso está me fazendo muito, muito feliz. Tipo, estupidamente feliz. Tipo, tão feliz que meus amigos não me aguentam mais.

Ele me analisa como se tentasse entender meu ponto de vista. Continuo falando sobre Lizzy e como estamos nos dando bem e como tudo o que eu quero é passar meus dias feliz por estar tão feliz, o que é verdade, até que finalmente ele diz:

— Tudo bem. Já entendi. Essa "Lizzy" é a garota do jornal? — Ele faz aspas com os dedos quando diz o nome dela. — A que salvou você de pular daquele parapeito?

— Possivelmente. — Me pergunto se ele acreditaria se eu dissesse que foi o contrário.

— Só tenha cuidado.

Não, não, não, Embrião. Você, justo você, deveria saber que não se deve dizer algo desse tipo quando alguém está tão feliz. "Só tenha cuidado" significa que a coisa toda vai ter um fim, talvez em uma hora, talvez em três anos, mas um fim. Por acaso ele ia morrer se dissesse algo como Estou feliz por você, Theodore. Parabéns por encontrar alguém que faz você se sentir tão bem?

— Olha só, você podia só dizer parabéns e parar por aí.

— Parabéns.

Mas é tarde demais. Ele não pode retirar o que disse e agora não tiro o "Só tenha cuidado" da cabeça. Tento convencer meu cérebro de que o Embrião quis dizer "Só tenha cuidado quando fizerem sexo. Use camisinha", mas, em vez disso, como cérebros têm ideias próprias, começo a pensar em todas as maneiras que Violet Markey pode partir meu coração.

Cutuco o braço da cadeira onde alguém fez três cortes. Me pergunto quem e como enquanto cutuco cutuco cutuco e tento silenciar meu cérebro pensando num epitáfio para o Embrião. Quando percebo que não funciona, invento um pra minha mãe (*Eu era esposa e ainda sou mãe, mas não me pergunte onde meus filhos estão*) e pro meu pai (*A única mudança em que acredito é se livrar de sua mulher e seus filhos e começar tudo de novo com outra pessoa*).

O Embrião diz:

— Vamos falar sobre o exame de admissão nas universidades. Sua nota foi 2280. — Parece tão surpreso e impressionado que tenho vontade de dizer: *Ah, é?* Vai se danar, Embrião.

A verdade é que vou bem nas provas. Sempre fui. Digo:

— Parabéns também seria apropriado nesse caso.

Ele continua falando como se não tivesse ouvido.

— Pra qual faculdade você planeja ir?

— Ainda não sei.

— Não acha que está na hora de começar a pensar no futuro?

Eu penso sobre o futuro. Como o fato de que vou ver Violet mais tarde.

— Eu penso — digo. — Estou pensando agora.

Ele suspira e fecha minha pasta.

— Nos vemos na sexta. Se precisar de alguma coisa, me ligue.

Como Bartlett é um colégio gigante com uma quantidade gigante de alunos, não vejo Violet com tanta frequência. A única aula que temos juntos é de geografia. Estou no subsolo quando ela está no terceiro andar, estou no ginásio quando ela está do outro lado, na orquestra, estou na aula de ciências enquanto ela está na de espanhol.

Na terça-feira, jogo tudo pro alto e vou encontrá-la na saída de todas as aulas e a acompanho até a seguinte. Às vezes isso significa correr de uma ponta à outra do colégio, mas cada passo vale a pena. Minhas pernas são compridas, então sou rápido, mesmo quando tenho que desviar das pessoas e às vezes pular por cima delas. Isso é fácil porque todos andam em câmera lenta, como uma manada de zumbis ou lesmas.

— Oi, pessoal! — Grito enquanto corro. — Está um dia lindo! Um dia perfeito! Um dia cheio de possibilidades! — São tão apáticos que mal levantam os olhos.

Na primeira vez em que encontro Violet, ela está andando com sua amiga Shelby Padgett. Na segunda vez, ela diz:

— Finch, de novo?

Não sei dizer se ela está feliz em me ver ou com vergonha ou uma combinação dos dois. Na terceira, ela diz:

— Você não vai se atrasar?

— O que eles podem fazer? — Pego a mão dela e a puxo comigo, esbarrando nas pessoas. — Estamos passando, gente! Abram caminho!

Depois de levá-la pra aula de literatura russa, acelero de volta e desço escadas e mais escadas e corro pelo corredor principal, onde dou de cara com o diretor Wertz, que quer saber o que estou fazendo fora da aula, meu jovem, e por que estou correndo como o diabo da cruz.

— Só fazendo uma ronda, senhor. Segurança nunca é demais nos dias de hoje. Tenho certeza de que o senhor leu sobre as falhas de segurança em Rushville e New Castle. Equipamentos de informática roubados, livros da biblioteca destruídos, dinheiro levado da secretaria. E tudo isso em plena luz do dia, bem debaixo do nariz deles.

Estou inventando tudo, mas ele claramente não sabe.

— Vá pra aula — diz. — E ai se eu te pegar perambulando por aí de novo. Preciso lembrar que está sob provação?

— Não, senhor.

Finjo andar calmamente na direção oposta, mas quando o sinal toca decolo pelo corredor e subo as escadas como se estivesse pegando fogo.

As primeiras pessoas que vejo são Amanda, Roamer e Ryan; faço a besteira de esbarrar sem querer em Roamer, o que o joga contra Amanda. O que tinha dentro da bolsa dela sai voando pelo corredor, e ela começa a gritar. Antes que Ryan e Roamer me deem uma surra, saio correndo, aumentando o máximo possível a distância entre nós. Vou pagar por isso depois, mas neste exato momento não estou nem aí.

Desta vez Violet está esperando. Quando apareço, respirando fundo, ela diz:

— Por que você está fazendo isso?

Vejo que não está feliz nem com vergonha, mas com raiva.

— Vamos correr pra você não se atrasar pra aula.

— Não vou correr pra lugar nenhum.

— Então não posso ajudar.

— Meu Deus! Você está me deixando louca, Finch.

Me aproximo mas ela dá um passo pra trás e bate num armário. Não para de olhar em volta, como se estivesse morrendo de medo que alguém a visse comigo. Que Deus não permita que Ryan Cross veja e entenda tudo errado. Imagino o que ela diria a ele: *Não é o que parece. Theodore Aberração está me assediando. Ele não me deixa em paz.*

— Fico feliz em retribuir o favor. — Agora quem está com raiva sou eu. Ponho a mão no armário atrás dela. — Você é muito mais amigável quando estamos sozinhos, sem ninguém pra nos ver juntos, sabia?

— Talvez se você não corresse pelos corredores gritando com as pessoas... Não consigo entender se você faz isso porque é o que os outros esperam ou se você é assim mesmo.

— O que você acha? — Minha boca está a um centímetro da dela, e espero que ela me bata ou me empurre, mas ela fecha os olhos e aí eu sei: é agora.

Tudo bem, penso. *Reviravolta interessante*. Mas antes que eu possa tomar alguma atitude, alguém me pega pela gola e me joga pra trás. O sr. Kappel, treinador de beisebol, diz:

—Vá pra aula, Finch. Você também. — Ele faz sinal pra Violet. — E os dois vão ter que ficar depois da aula.

Depois da aula, ela entra na sala do sr. Stohler e nem olha pra mim. Ele diz:

— Acho que realmente existe uma primeira vez pra tudo. Estamos honrados com sua companhia, srta. Markey. A que devemos o prazer?

— A ele — ela diz, fazendo sinal na minha direção. Senta na frente da sala, o mais longe possível de mim.

VIOLET

SÓ MAIS 142 DIAS

Duas da manhã. Quarta-feira. Meu quarto.

Acordo com o barulho de pedras batendo na janela. Primeiro acho que estou sonhando, mas então ouço de novo. Levanto e olho pela persiana, e Theodore Finch está no jardim vestindo calça de pijama e um suéter escuro.

Abro a janela e inclino o corpo pra fora.

— Vai embora.

Ainda estou brava com ele por me fazer tomar uma advertência, a primeira da minha vida. Também estou brava com Ryan por achar que estamos namorando de novo, e é culpa de quem? Eu provoquei, beijei a covinha dele, fiquei com ele no drive-in. Estou brava com todo mundo, principalmente comigo mesma.

— Vai embora — repito.

— Por favor, não me faça subir na árvore, porque provavelmente vou cair e quebrar o pescoço e temos muita coisa pra fazer, não posso ficar hospitalizado.

— Não temos mais nada pra fazer. A gente já fez o que tinha que fazer.

Mas arrumo o cabelo e passo um pouco de gloss e visto um roupão. Se eu não descer, quem sabe o que pode acontecer?

Quando chego do lado de fora, Finch está sentado na varanda, encostado na cerca.

— Achei que você não ia descer nunca — diz.

Sento ao lado dele e sinto o piso gelado.
— O que você está fazendo aqui?
—Você estava acordada?
— Não.
— Desculpa, mas agora que acordou, precisamos ir.
— Não vou a lugar nenhum.
Ele levanta e anda até o carro. Vira e diz, bem alto:
—Vamos.
— Não posso simplesmente sair a hora que eu quiser.
—Você não está brava ainda, está?
— Na verdade, estou. E olha pra mim. Nem estou vestida.
— Tá bom. Tira esse roupão feio. Pega um sapato e uma jaqueta. Não vai perder tempo trocando o resto da roupa. Escreva um bilhete pros seus pais pra eles não ficarem preocupados se acordarem e virem que você não está em casa. Você tem três minutos até eu entrar atrás de você.

Vamos de carro em direção ao centro de Bartlett. Os quarteirões têm calçadões para pedestres. Desde que o shopping novo abriu, não tem por que vir aqui a não ser pela padaria, que tem os melhores cupcakes da região. As lojas são sobreviventes, relíquias de mais ou menos vinte anos atrás — uma loja de departamentos triste e muito antiga, uma loja de sapato que cheira a naftalina, uma loja de brinquedos, uma loja de doces, uma sorveteria.
Finch estaciona o Saturn e diz:
— Chegamos.
Todas as lojas estão com as luzes apagadas, é claro, e não tem ninguém na rua. É fácil fingir que somos as únicas pessoas no mundo.
Ele diz:
— Penso bem melhor à noite, quando todo mundo está dormindo. Sem interrupções. Sem barulho. Gosto da sensação de estar acordado quando ninguém está.

Me pergunto se ele dorme, nem que seja um pouco.

Vejo nossa imagem na vitrine da padaria, parecemos duas crianças de rua.

— Pra onde estamos indo?

—Você vai ver.

O ar está fresco e limpo e tudo está quieto. À distância, a torre Purina, a construção mais alta da cidade, está acesa, e atrás dela está a torre do sino do colégio.

Na frente da Bookmarks, Finch pega um molho de chaves e destranca a porta.

— Minha mãe trabalha aqui quando não está vendendo casas.

A livraria é estreita e escura, uma parede de revistas de um lado, prateleiras de livros, uma mesa e cadeiras, um balcão vazio onde café e doces são vendidos durante o horário comercial.

Ele para atrás do balcão e abre um refrigerador que fica escondido ali. Procura, procura e tira dois refrigerantes e dois muffins, e vamos até a seção infantil, que tem pufes e um tapete azul gasto. Acende uma vela que encontrou perto do caixa e a luz reflete trêmula por seu rosto enquanto ele a carrega de prateleira em prateleira e passa os dedos pelas lombadas dos livros.

— Está procurando alguma coisa específica?

— Sim.

Finalmente, senta ao meu lado e passa as mãos no cabelo, fazendo com que fique bagunçado em todas as direções.

— Não tinha lá nas bibliotecas móveis e não tem aqui. — Pega uma pilha de livros infantis e me dá alguns. — Mas, graças a Deus, eles têm esses.

Senta com as pernas cruzadas e o cabelo rebelde e se inclina sobre um dos livros, e imediatamente é como se fosse levado pra longe.

Digo:

—Ainda estou brava com você por ter me feito tomar advertência.

Espero uma resposta rápida, algo provocante e irreverente, mas ele nem tira os olhos do livro, só pega minha mão e continua lendo. Sinto o pedido de desculpas em seus dedos, e isso me tira o ar, então me inclino em direção a ele — só um pouquinho — e leio por sobre seu ombro. Sua mão está quente e não quero soltá-la.

Comemos com uma mão só e seguimos lendo a pilha, então começamos a ler alto um livro do dr. Seuss — *Ah, os lugares aonde você irá!* Alternamos as estrofes, primeiro Finch, depois eu, Finch, eu.

Hoje é o seu dia.
Você vai a Lugares Geniais!
E está cheio de energia!

De repente, Finch levanta e começa a encenar os versos. Não precisa do livro porque sabe de cor, e esqueço de ler porque é mais divertido assistir à interpretação, mesmo quando as palavras e a voz ficam sérias enquanto ele recita os versos sobre lugares escuros e lugares inúteis e lugares de esperar, onde as pessoas não fazem nada além de aguardar.

Então sua voz fica leve novamente e ele canta as palavras.

Você vai achar lugares radiantes
com Bandas do Barulho tocando.

Ele me puxa para eu levantar.

Entre bandeiras tre-tremulando,
mais uma vez você vai estar por cima!
Pronto para o que vier sob o sol que ilumina.

Pulamos por sobre as coisas — os pufes, o tapete, os livros. Cantamos os últimos versos juntos — *Sua montanha está à espera. / Então... vai indo, acelera!* — e terminamos nos jogando no chão, à luz da vela que dança sobre nós, rindo como se estivéssemos loucos.

O único jeito de subir na torre Purina é pela escada de metal lateral, que parece ter cerca de vinte e cinco mil degraus. No topo, paramos — ofegantes como o sr. Black — ao lado da árvore de Natal, que fica lá o ano inteiro. De perto, é maior do que parece lá do chão. Atrás dela há um espaço aberto, e Finch estende o cobertor e nos amontoamos sobre ele, os braços encostados, puxando o que restou do cobertor ao nosso redor.

Ele diz:

— Olha.

Espalhados lá embaixo por todos os lados, estão pequenas luzes brancas e aglomerados escuros de árvores. Estrelas no céu, estrelas no chão. Não sei dizer onde o céu termina e a terra começa. Odeio admitir, mas é lindo. Sinto necessidade de dizer algo grande e poético, mas a única coisa em que consigo pensar é:

— É adorável.

— "Adorável" é uma palavra adorável que devia ser usada mais vezes. — Ele se estica para cobrir meu pé, que encontrou o caminho pra fora do cobertor. — Parece que é nossa. — De início, acho que ele está falando da palavra, mas depois entendo que ele se refere à cidade. Então penso: *Sim, é isso. Theodore Finch sempre sabe o que dizer, melhor do que eu. Ele devia ser o escritor, não eu.* Sinto inveja, por um segundo, de sua mente. Neste momento, a minha parece tão comum.

— O problema das pessoas é que elas esquecem que na maior parte do tempo o que importa são as pequenas coisas. Todo mundo está tão ocupado no Lugar de Esperar. Se lembrássemos que existe uma coisa chamada torre Purina e uma vista como esta, todos seríamos mais felizes.

Por algum motivo, digo:

— Gosto de escrever. Gosto de um monte de coisas. Talvez, de todas elas, eu seja melhor na escrita. Talvez seja o que mais gosto de fazer. Talvez seja onde sempre me senti mais em casa. Ou talvez a parte de mim que escreve tenha chegado ao fim. Talvez exista outra coisa que eu deveria fazer em vez de escrever. Não sei.

— Tudo tem um prazo de validade, certo? Quer dizer, uma lâmpada de cem watts foi feita pra durar setecentas e cinquenta horas. O sol vai morrer em mais ou menos cinco bilhões de anos. Todos temos um período de vida útil. A maioria dos gatos vive quinze anos, talvez um pouco mais. A maioria dos cães, até os doze. O americano comum é feito para durar vinte e oito mil dias depois de seu nascimento, o que significa que existe um ano, um dia, uma hora e um minuto específicos para a vida acabar. O final da sua irmã foi aos dezoito anos. Mas se alguém pudesse evitar todas as doenças e infecções e acidentes, ele ou ela viveria até os cento e quinze anos.

— Então você quer dizer que talvez eu tenha alcançado o fim inevitável da minha escrita.

— Quero dizer que você tem tempo pra decidir. — Ele me dá nosso caderno oficial de andanças e uma caneta. — Por enquanto, por que não escreve alguma coisa que ninguém vai ver? Escreva em um pedaço de papel e cole na parede. Claro, até onde eu sei, pode ser que você escreva muito mal. — Ele ri enquanto desvia de mim e depois prepara os objetos que deixaremos para trás: os guardanapos da Bookmarks, a vela queimada, uma caixa de fósforos e um marca-página de crochê todo torto. Fechamos tudo isso em uma vasilha que Finch confiscou da casa dele e deixamos à vista para a próxima pessoa que aparecer. Então ele levanta e vai até a beirada, onde apenas uma grade de metal até a altura do joelho o impede de cair.

Ergue os braços, com os punhos cerrados, e grita:

— Olhem pra mim! Estou bem aqui! — Grita todas as coisas que odeia e quer mudar até ficar rouco. Então faz sinal pra mim. — Sua vez.

Me junto a ele na beirada, mas ele está mais na beirada que eu, como se não se importasse de cair. Seguro sua camiseta sem que ele perceba, como se isso fosse salvá-lo, e em vez de olhar pra baixo olho pra frente e pra cima. Penso em todas as coisas que quero gritar. *Odeio esta cidade! Odeio o inverno! Por que você morreu?* Este último pensamento é dirigido a Eleanor. *Por que você me deixou? Por que você fez isso comigo?*

Em vez disso fico ali segurando a camiseta de Finch, e ele olha pra mim e balança a cabeça, e de repente começa a cantar dr. Seuss de novo. Desta vez me junto a ele, e nossas vozes flutuam pela cidade adormecida.

Quando ele me leva pra casa, quero que me dê um beijo de boa-noite, mas não dá. Em vez disso, caminha de costas até a rua, devagar, as mãos enfiadas nos bolsos, os olhos fixos em mim.
— Na verdade, Ultravioleta, tenho certeza de que você não escreve mal — ele diz, alto o suficiente pro bairro inteiro ouvir.

FINCH

DIA 22 E AINDA ESTOU AQUI

No instante em que entramos na casa do meu pai, sinto que tem alguma coisa errada. Rosemarie nos cumprimenta e nos convida pra ir até a sala, onde Josh Raymond está sentado no chão brincando com um helicóptero que voa e faz barulho. Kate, Decca e eu ficamos olhando pra ele, e sei que elas estão pensando o mesmo que eu: brinquedos a pilha são muito barulhentos. Quando éramos crianças, não nos deixavam ter nada que falasse ou voasse ou fizesse qualquer barulho.

— Onde está o papai? — Kate pergunta. Olhando pela porta dos fundos, vejo a churrasqueira fechada. — Ele voltou de viagem, não?

— Ele voltou na sexta. Está no porão. — Rosemarie pega refrigerantes pra tomarmos direto da lata, que é outro sinal claro de que alguma coisa está errada.

—Vou lá — digo pra Kate. Se ele está no porão, só pode significar uma coisa. Está em uma daquelas fases, como nossa mãe costuma chamar. *Não ligue pro seu pai, Theodore; ele só está em uma daquelas fases. Dê um tempo pra ele se acalmar, e vai ficar tudo bem.*

O porão é bonito e acarpetado e recém-pintado, com luzes por toda a parte e os troféus de hóquei do meu pai e sua camisa emoldurada e prateleiras lotadas de livros, apesar de ele não ler absolutamente nada. Ocupando uma parede inteira há uma TV de tela plana gigante, e meu pai está plantado na frente dela, com os pés enormes em cima da mesinha de centro, assistindo algum jogo e gritando com a TV. Seu rosto está roxo, e as veias no pescoço, saltadas. Segura uma cerveja em uma mão e o controle remoto na outra.

Caminho até ficar em sua linha de visão. Permaneço ali parado, com as mãos no bolso, e o encaro até ele olhar pra mim.

— Céus! Não assusta as pessoas.

— Não queria assustar você. A não ser que tenha ficado surdo com a idade, deve ter me ouvido descer a escada. O jantar está pronto.

— Já subo.

Dou um passo pro lado e fico bem na frente da tela.

— Você devia subir agora. Sua família está aqui, sabia? Aquela família antiga, lembra? Chegamos e estamos com fome e não viemos pra ficar com sua nova mulher e seu novo filho.

Consigo contar nos dedos da mão as vezes que falei assim com meu pai, mas talvez sejam os poderes do Finch Fodão, porque não estou nem um pouco com medo dele.

Ele bate a cerveja tão forte na mesinha de centro que a garrafa quebra.

— Não venha na minha casa me dizer o que fazer. — Então levanta do sofá e avança na minha direção, me pega pelo braço e *bam!*, me joga na parede. Ouço um *crac!* quando minha cabeça acerta a parede, e por um minuto o porão gira.

Quando para de girar, digo:

— Tenho que agradecer a você por meu crânio ser tão forte. — Antes que ele me agarre de novo, subo a escada correndo.

Já estou sentado à mesa quando ele chega, e parece que ver sua família reunida faz com que caia na real. Diz:

— Que cheiro bom. — Beija Rosemarie no rosto e senta na minha frente, abrindo o guardanapo. Não olha pra mim nem fala comigo o resto do tempo que ficamos na casa.

No carro, depois, Kate diz:

— Você é idiota, sabia? Ele podia ter mandado você pro hospital.

— Que mande — respondo.

Em casa, minha mãe olha pra gente sentada à escrivaninha, onde tenta entender registros e extratos bancários.

— Como foi o jantar?

Antes que alguém responda, a abraço e dou um beijo em seu rosto, o que — como não somos uma família carinhosa — a deixa espantada.

— Vou sair.

— Se cuida, Theodore.

— Também amo você, mãe. — Isso a assusta mais ainda, e antes que comece a chorar eu saio, vou até a garagem e entro no Tranqueira. Me sinto melhor quando dou a partida. Ergo as mãos e elas estão tremendo, porque, como o resto de mim, queriam matar meu pai. Desde que eu tinha dez anos e ele mandou minha mãe pro hospital com o queixo quebrado, e um ano depois quando fez algo parecido comigo.

Com o portão da garagem ainda fechado, fico sentado, mãos no volante, pensando em como seria fácil simplesmente continuar aqui parado.

Fecho os olhos.

Me encosto no banco.

Descanso as mãos no colo.

Não sinto muita coisa, a não ser talvez um pouco de sono. Mas pode ser só o vórtice escuro e lento que sempre está ali em algum grau, dentro de mim e à minha volta.

A taxa de suicídios devido a intoxicação por monóxido de carbono nos Estados Unidos baixou desde meados dos anos 60, quando surgiram controles de emissão de gases. Na Inglaterra, onde os controles mal existem, a taxa dobrou.

Estou calmo como se estivesse na aula de ciências fazendo um experimento. O barulho do motor funciona como uma canção de ninar. Esvazio minha mente, como faço nas raras ocasiões em que tento dormir. Em vez de pensar, imagino um lago e eu flutuando, imóvel e pacífico, nenhum movimento além do coração batendo no peito. Quando me acharem, vai parecer que estou só dormindo.

Em 2013, um homem na Pensilvânia cometeu suicídio via monóxido de carbono, mas quando a família tentou resgatá-lo, foram dominados pelo gás e todos morreram antes que a equipe de resgate os salvasse.

Penso na minha mãe e na Decca e na Kate, então aperto o botão e o portão se abre e vou além do azul selvagem. Por mais ou menos um quilômetro e meio, me sinto ligado e animado, como se tivesse acabado de entrar em um prédio em chamas e salvado vidas, como um herói.

Mas então uma voz dentro de mim diz: *Você não é herói nenhum. Você é um covarde. Você só os salvou de você mesmo.*

Quando as coisas ficaram feias há uns dois meses, fui até French Lick, que parece muito mais interessante do que realmente é. O nome original era Salt Spring, e a cidade é famosa pelo cassino, pelo spa e resort extravagante, pelo jogador de basquete Larry Bird e pelas águas medicinais.

Em novembro fui pra French Lick e bebi a água e esperei que ela curasse o vórtice escuro e lento da minha cabeça e durante algumas horas me senti melhor mesmo, mas isso pode ter acontecido só porque eu estava bem hidratado. Passei a noite no Tranqueira e quanto acordei na manhã seguinte, fraco e me sentindo morto, encontrei um dos caras que trabalham lá e disse pra ele:

— Talvez eu tenha bebido a água errada.

Ele olhou por cima do ombro direito, depois do esquerdo, como se estivesse em um filme, depois se aproximou e disse:

— O lugar pra onde você quer ir é Mudlavia.

A princípio, achei que ele estivesse chapado. Cara, *Mudlavia*? Mas aí ele disse:

— É lá que eles sabem das coisas. Al Capone e a gangue do Dillinger sempre iam pra lá depois de roubar. Não sobrou muita coisa além das ruínas, já que o lugar pegou fogo em 1920, mas as águas correm mais fortes que nunca. Sempre que tenho dor nas juntas, é pra lá que eu vou.

Eu não fui na época porque quando voltei de French Lick estava esgotado e não aguentava mais, e não viajei por um bom tempo. Mas é pra Mudlavia que estou indo agora. Como é um assunto particular sério, não uma andança, não vou levar Violet.

Demoro mais ou menos duas horas e meia pra chegar a Kramer, Indiana, onde há trinta habitantes. O terreno é mais bonito aqui do que em Bartlett — montes e vales e quilômetros de árvores, tudo coberto de neve, como uma pintura de Norman Rockwell.

Quanto ao resort, imagino um lugar mais ou menos como a Terra-média, mas o que encontro são quilômetros de finas árvores marrons e ruínas. São só prédios desmoronando e muros cobertos de grafite, ervas daninhas e hera. Mesmo no inverno, dá pra ver claramente que a natureza está em uma missão de retomada do lugar.

Caminho pelo que costumava ser o hotel — a cozinha, os corredores, os quartos dos hóspedes. O lugar é sombrio e assustador, e me entristece. As paredes que ainda estão de pé estão marcadas com tinta.

Proteja o pênis.
Insanidade, por favor.
Fodam-se todos que lerem isso.

Não parece um lugar de cura. Do lado de fora, caminho entre folhas e sujeira e neve pra encontrar as fontes. Não tenho certeza de onde elas estão e preciso ficar muito tempo parado e quieto para achar a direção certa.

Me preparo para uma decepção. Em vez disso, atravesso as árvores e me vejo às margens de um riacho. A água não congelou, as árvores são mais cheias que as outras, como se a água as estivesse nutrindo. Sigo o riacho até as margens virarem paredes de pedra, então entro, sentindo a água correr pelos tornozelos. Me abaixo e faço uma concha com as mãos. Bebo. Está gelada e fresca e tem um leve gosto de lama. Como não me mata, bebo de novo. Encho a garrafa que trouxe e a enfio no fundo lamacento pra que não boie pra longe. Deito no meio do riacho e deixo a água me cobrir.

Quando entro em casa, Kate está saindo, já acendendo um cigarro. Por mais franca que seja, ela não quer que nossos pais saibam que ela fuma. Geralmente espera até que esteja dentro do carro ou na rua.

Ela pergunta:

— Você estava com aquela garota?

— Como você sabe que tem uma garota?

— Sei interpretar os sinais. Nome?

— Violet Markey.

— A irmã.

— É.

— A gente vai conhecer?

— Provavelmente não.

— Esperto. — Dá uma tragada longa. — Decca está chateada. Às vezes acho que essa situação com Josh Raymond é pior pra ela, porque eles são praticamente da mesma idade. — Solta três anéis de fumaça perfeitos. — Você já se perguntou?

— O quê?

— Se ele é mesmo filho do papai?

— Já; ele é tão pequeno.

— Você era pequeno até o nono ano e olha agora, varapau.

Kate segue pela calçada e entro em casa. Quando estou quase fechando a porta, ela diz:

— Ei, Theo. — Viro e ela está de pé ao lado do carro, nada além de uma silhueta na noite. — Só tenha cuidado com esse seu coração.

Mais uma vez: *Só tenha cuidado.*

No andar de cima, enfrento o show de horrores que é o quarto de Decca pra ver se ela está bem. É um quarto enorme, coberto de roupas e livros e todas as coisas estranhas que minha irmã coleciona — lagartos e besouros e flores e tampas de garrafa e pilhas e mais pilhas de papel de bala e bonecas que sobraram de quando tinha seis anos e passou por uma fase. Todas as bonecas têm pontos no queixo, como os que Decca tomava no hospital depois de um acidente no parquinho. Seus desenhos cobrem cada centímetro das paredes, junto com um único pôster do Boy Parade.

Ela está no chão, recortando palavras de livros que pegou pela casa, incluindo alguns romances da mamãe. Pergunto se ela tem outra tesoura, e sem me dirigir o olhar ela aponta pra escrivaninha. Tem umas dezoito tesouras ali; algumas foram surrupiadas da gaveta da cozinha durante os últimos anos. Escolho uma roxa e sento na frente dela, nossos joelhos batendo um no outro.

— Me diga como fazer.

Ela me entrega um livro — *Amor obscuro e proibido* — e diz:

— Tire as partes más e as palavras feias.

Fazemos isso por mais ou menos meia hora, sem falar, só recortando, e então começo a ter aquela conversa de irmão mais velho sobre como a vida vai melhorar e que não são só tempos difíceis e pessoas difíceis, que também existem coisas bacanas.

— Menos falação — ela diz.

Trabalhamos mais um pouco em silêncio, até que pergunto:

— O que eu faço com as coisas que não são exatamente más, mas só desagradáveis?

Ela para de recortar um tempo pra decidir. Coloca uma mecha de cabelo na boca e depois cospe.

— Tira as desagradáveis também.

Me atenho às palavras. Aqui uma, ali outra. Aqui uma frase. Aqui um parágrafo. Aqui uma página inteira. Logo faço uma pilha de palavras más e coisas desagradáveis ao lado do sapato. Dec pega as minhas e as coloca em sua própria pilha; quando termina um livro, joga pro lado, e nesse momento eu entendo: são as partes más que ela quer. Está juntando todas as palavras tristes, ruins, más, desagradáveis e guardando.

— Por que estamos fazendo isso, Dec?

— Porque elas não deviam estar ali misturadas com as boas. Elas gostam de enganar as pessoas.

De certa forma, entendo o que ela quer dizer. Penso na *Boatos de Bartlett* e em todas as palavras más, não só sobre mim, mas sobre todos os alunos estranhos ou diferentes. É melhor manter as palavras tristes, ruins, más, desagradáveis separadas, onde possam ser vigiadas pra gente ter certeza de que não vão nos pegar de surpresa.

Quando terminamos, e ela vai buscar outros livros, pego os descartados e os folheio até encontrar as palavras que estou procurando. Deixo-as no travesseiro de Decca: TORNE TUDO ADORÁVEL. Então levo os livros rejeitados e recortados comigo.

Tem alguma coisa diferente no meu quarto.

Fico parado na porta tentando entender o que é. As paredes vermelhas estão lá. A colcha preta, a cômoda, a escrivaninha e a cadeira estão no lugar. A estante de livros pode estar muito cheia. Analiso o quarto porque não quero entrar antes de saber o que está errado. As guitarras estão onde deixei. As janelas à mostra, porque não gosto de cortinas.

O quarto parece como antes. Mas a sensação é diferente, como se alguém tivesse entrado aqui e mexido nas coisas. Atravesso o ambiente devagar, como se esse mesmo alguém fosse aparecer e abrir a porta do closet, meio que esperando que levasse à versão real do meu quarto, à versão certa.

Está tudo bem.

Você está bem.

Entro no banheiro e tiro a roupa e entro na água pelando, fico ali até a pele ficar vermelha e o aquecedor desligar. Me enrolo em uma toalha e escrevo **Só tenha cuidado** no espelho embaçado. Volto pro quarto pra dar uma olhada de outro ângulo. O quarto está como o deixei, e penso que talvez não seja o quarto que está diferente. Talvez seja eu.

De volta ao banheiro, penduro a toalha, visto uma camiseta e uma cueca boxer e me olho no espelho em cima da pia enquanto o vapor começa a limpar e a escrita some, deixando um espaço grande o suficiente pra dois olhos, cabelo preto molhado, pele branca. Me inclino e observo meu reflexo, que agora é de outra pessoa.

Na cama, sento e folheio os livros cortados, um a um, lendo todas as passagens que restaram. São felizes e doces, engraçadas e calorosas. Quero ficar cercado por elas, então junto algumas das melhores frases e só as melhores palavras — como "sinfonia", "ilimitado", "dourado", "manhã" — e colo na parede, onde elas se sobrepõem a outras, numa combinação de cores e formas e humores.

Puxo o edredom e me cubro, o mais apertado possível — até que não possa mais nem ver o quarto —, e fico deitado na cama como uma múmia. É um jeito de prender o calor e a luz pra que não possam sair de novo. Coloco uma mão pra fora e pego outro livro, e depois outro. E se a vida pudesse ser assim? Só as partes felizes, nada das horríveis, nem mesmo as minimamente desagradáveis. E se a gente pudesse simplesmente cortar o ruim e ficar só com o bom? É isso que quero fazer com Violet — dar a ela só o bom, manter o ruim longe, para que o bom seja sempre tudo o que temos à nossa volta.

VIOLET

SÓ MAIS 138 DIAS

Domingo à noite. Meu quarto. Folheio nosso caderno, meu e do Finch. Pego a caneta que ele me deu e procuro uma página em branco. A Bookmarks e a torre Purina não são andanças oficiais, mas isso não significa que não deveriam ser lembradas.

Estrelas no céu, estrelas no chão. Não sei dizer onde o céu termina e a terra começa. Sinto necessidade de dizer algo grande e poético, mas a única coisa em que consigo pensar é:
— *É adorável.*
Ele diz:
— *"Adorável" é uma palavra adorável que devia ser usada mais vezes.*

Então tenho uma ideia. Em cima da escrivaninha tenho um mural enorme, e nele preguei fotografias em preto e branco de escritores trabalhando. Tiro as fotos e procuro uma pilha de post-its bem coloridos. Em um deles, escrevo: **Adorável.**

Meia hora depois, dou um passo pra trás e olho pro mural. Está coberto de fragmentos — alguns são palavras ou frases que podem ou não se tornar histórias. Outros são trechos de livros que gosto. Na última coluna, tenho uma seção pra *Nova revista on-line sem nome.* Em três post-its diferentes, preguei nessa coluna: **Literatura. Amor. Vida.** Não sei o que elas vão ser — categorias ou artigos ou só palavras bacanas.

Apesar de ainda não ser muito, tiro uma foto e mando pro Finch. Escrevo: **Olha o que estou fazendo por sua causa.** A cada meia hora vejo se ele respondeu, mas quando vou deitar ainda não tenho notícia dele.

DIAS 23, 24, 25...

A noite passada é como um quebra-cabeça — só que ainda não foi montado: todas as peças estão espalhadas e algumas estão faltando. Queria que meu coração não batesse tão rápido.

Pego os livros de novo e leio as palavras boas que Decca deixou pra trás, mas elas estão borradas e não fazem mais sentido. Não consigo me concentrar.

Começo a limpar e organizar. Tiro toda e qualquer anotação até que a parede esteja vazia. Enfio tudo em um saco de lixo, mas isso não é o suficiente, então decido pintar. Estou enjoado das paredes vermelhas do quarto. A cor é muito escura e deprimente. *É disso que preciso*, penso. *Uma mudança de ares. É por isso que o quarto parece estranho.*

Entro no Tranqueira e vou até a loja de materiais para construção mais próxima e compro tinta *primer* e cinco litros de tinta azul, porque não sei quanto vou usar.

São necessárias muitas, muitas camadas pra cobrir o vermelho. Não importa o que eu faça, a cor continua aparecendo, como se as paredes estivessem sangrando.

À meia-noite, a tinta ainda não está seca, então pego o edredom preto e enfio no fundo do armário de lençóis no corredor e remexo até encontrar um edredom azul velho da Kate. Depois o estico na cama. Abro as janelas e coloco a cama no meio do quarto, então entro embaixo do edredom e vou dormir.

No dia seguinte, pinto as paredes de novo. Leva dois dias até a cor — um azul-piscina — fixar. Deito me sentindo mais calmo, como se pudesse recuperar o fôlego. *Agora sim*, penso. *Isso*.

A única coisa que não mudo é o teto, porque o branco contém todos os comprimentos de onda do espectro visível em pleno brilho. Tudo bem, isso é tecnicamente verdade sobre a luz branca e não sobre a tinta branca, mas não ligo. Digo a mim mesmo que todas as cores estão ali, e isso me dá uma ideia. Penso em compor uma canção, mas em vez disso ligo o computador e mando uma mensagem pra Violet. **Você é todas as cores em uma, em pleno brilho.**

VIOLET

SÓ MAIS 135, 134, 133 DIAS

Finch não aparece na escola há uma semana. Alguém diz que ele foi suspenso, outros dizem que teve uma overdose e foi mandado pra reabilitação. Os rumores se espalham à moda antiga — em sussurros e mensagens de texto — porque o diretor Wertz descobriu a *Boatos de Bartlett* e mandou fechar.

Quarta-feira. Primeira aula. Em homenagem ao fim da *Boatos*, Jordan Gripenwaldt está distribuindo doces. Troy Satterfield enfia dois pirulitos na boca e diz:

— Onde está seu namorado, Violet? Você não devia estar de olho pra que ele não se mate?

Troy e seus amigos começam a rir. Antes que eu diga alguma coisa, Jordan arranca os pirulitos da boca dele e joga no lixo.

Na quinta-feira encontro Charlie Donahue no estacionamento depois da última aula. Digo que faço dupla com Finch em um projeto e que não tenho notícias dele há alguns dias. Não pergunto se os rumores são verdade, apesar de querer saber.

Charlie joga os livros no banco de trás do carro.

— Ele é assim mesmo. Vem e vai quando quer. — Tira a jaqueta e joga em cima dos livros. — Você logo vai perceber que ele é um bundão que faz o que bem entende.

Brenda Shank-Kravitz passa por nós e abre a porta do passageiro. Antes de entrar no carro, diz pra mim:

— Gostei dos óculos.

Eu senti que era sincero.

— Obrigada. Eram da minha irmã.

Ela parece pensar no que falei, então acena com a cabeça.

Na manhã seguinte, a caminho da terceira aula, o vejo no corredor — Theodore Finch —, mas ele está diferente. Pra começar, está usando um gorro vermelho surrado, um suéter preto largo, calça jeans, tênis e uma luva sem dedos. *Finch sem-teto*, penso. Finch largado. Está encostado no armário, com um joelho dobrado, conversando com Chameli Belk-Gupta, uma garota do penúltimo ano. Não parece perceber minha presença quando passo por ele.

Na aula, penduro a mochila na cadeira e tiro o livro de matemática. O sr. Heaton diz:

— Vamos começar repassando a lição de casa. — Mal termina de dizer essas palavras e o alarme de incêndio dispara. Junto minhas coisas e sigo com todo mundo pra fora da sala.

Uma voz atrás de mim diz:

— Me encontre no estacionamento dos alunos.

Viro, e Finch está parado ali, as mãos enfiadas no bolso. Sai de perto como se fosse invisível e não estivéssemos cercados de professores e outros funcionários, incluindo o diretor Wertz, urrando no telefone.

Hesito um pouco e depois começo a correr, a mochila batendo no quadril. Estou morrendo de medo de alguém vir atrás de mim, mas é tarde demais pra voltar. Corro até alcançar Finch, e então corremos mais rápido, e ninguém grita pra que a gente pare ou volte. Me sinto apavorada, mas livre.

Atravessamos a avenida do colégio e seguimos pela linha de árvores que separa o estacionamento principal do rio que corta a cidade ao meio. Quando chegamos a um buraco entre as árvores, Finch pega minha mão.

— Aonde estamos indo? — Estou ofegante.

— Ali embaixo. Mas fique quieta. O primeiro a fazer barulho tem que voltar correndo pelado pro colégio — ele fala rápido, se move rápido.

— Pelado?

— Sem roupa. É isso que "pelado" significa. Acredito que essa é a principal definição da palavra.

Escorrego e deslizo até a margem enquanto Finch vai na frente, sem fazer um barulho, como se fosse fácil. Quando chegamos à beira do rio, aponta pro outro lado, e de início não consigo ver o que está mostrando. Então alguma coisa se mexe e chama minha atenção. A ave tem mais ou menos um metro de altura, com uma coroa vermelha na cabeça branca e o corpo cinza-escuro como carvão. Mergulha na água e bica a margem oposta, andando pomposa como um homem.

— O que é?

— Um grou. O único em Indiana. Talvez o único nos Estados Unidos. Eles passam o inverno na Ásia, o que quer dizer que ele está a mais ou menos onze mil quilômetros de casa.

— Como você sabia que ele estava aqui?

— Às vezes, quando não aguento ficar lá — ele faz um gesto em direção à escola —, venho pra cá. Às vezes nado um pouco, outras só fico aqui sentado. Esse cara está aqui há mais ou menos uma semana. Eu estava com medo de que estivesse machucado.

— Ele está perdido.

— Nada disso. Olha só. — O pássaro fica no raso, bicando a água, e então vai mais pro fundo e começa a bater na água, fazendo com que espirre. Me lembra uma criança na piscina. — Viu, Ultravioleta? Ele está andando por aí.

Finch dá um passo pra trás, cobrindo os olhos porque o sol se infiltra entre a folhagem, e ouvimos um *crac!* quando seu pé acerta um galho.

— Merda — sussurra.

— Ai, meu Deus. Isso significa que você vai ter que voltar correndo pelado pro colégio?

Ele está fazendo uma cara tão engraçada que não consigo não rir.

Ele suspira, abaixa a cabeça em sinal de derrota e então tira o suéter, os sapatos, o gorro, as luvas e a calça, apesar de estar um frio congelante. Entrega cada peça pra mim, até ficar só de cueca.

— Tira, Theodore Finch. Foi você que disse "pelado", e acredito que "pelado" exige nudez completa. Acredito, inclusive, que essa é a principal definição da palavra.

Ele sorri, os olhos fixos nos meus, e, simples assim, tira a cueca. Estou surpresa porque apenas parte de mim acreditou que ele faria isso. Ele fica ali, o primeiro garoto que eu vejo pelado na vida, e não parece nem um pouco envergonhado. É alto e magro. Meus olhos percorrem as veias finas e azuis de seus braços e o desenho dos músculos dos ombros, do abdômen e das pernas. A cicatriz na barriga é um corte vermelho-vivo.

Ele diz:

— Isso seria muitíssimo mais divertido se você estivesse pelada também. — Em seguida mergulha no rio, um salto tão preciso que mal espirra água. Dá braçadas largas, como um nadador olímpico, e fico sentada na beirada, assistindo.

Nada tão longe que vira um borrão. Pego nosso caderno e escrevo sobre o grou errante e o garoto com gorro vermelho que nada no inverno. Perco a noção do tempo e, quando tiro os olhos do caderno de novo, Finch está vindo na minha direção, boiando com os braços dobrados atrás da cabeça.

— Você devia entrar.

— Obrigada. Não quero ter hipotermia.

— Vem, Ultravioleta Markante. A água está uma delícia.

— Do que você me chamou?

— Ultravioleta Markante. No três: um, dois...

— Eu estou bem aqui...

— Tá bom. — Ele nada na minha direção até a água ficar na cintura.

— Onde você estava esse tempo todo?

— Fazendo uma pequena reforma. — Faz conchas com as mãos como se quisesse pegar alguma coisa na água. O grou está parado na outra margem, olhando pra gente.

— Seu pai já voltou?

Finch parece pegar o que quer que estivesse procurando. Estuda as mãos em concha antes de soltar.

— Infelizmente.

Não ouço mais o alarme de incêndio e me pergunto se todos voltaram pra aula. Se sim, vão perceber que não estou lá. Eu devia estar mais preocupada com isso, principalmente depois de tomar uma advertência, mas fico aqui, sentada na beira da água.

Finch nada até a margem e anda até mim. Tento não olhar pra ele, pingando e pelado, então olho pro grou, pro céu, pra qualquer outra coisa. Ele ri.

— Por algum acaso não tem uma toalha nessa mochila enorme que você carrega por aí?

— Não.

Ele se seca no suéter, sacode o cabelo como um cachorro, pra me molhar, e depois põe as roupas. Quando termina de se vestir, enfia o gorro no bolso de trás e tira o cabelo do rosto.

— A gente tem que voltar pra aula — digo.

Os lábios estão azuis, mas ele não está tremendo.

— Tenho uma ideia melhor. Quer ouvir? — Antes que ele me conte o que é, Ryan, Roamer e Joe Wyatt vêm deslizando pela margem do rio. — Que ótimo — Finch diz baixinho.

Ryan vem direto na minha direção.

— Vimos vocês saindo quando o alarme tocou.

Roamer faz cara feia pro Finch.

— Isso faz parte do projeto de geografia? Estão explorando o leito do rio ou só um ao outro?

— Vê se cresce, Roamer — digo.

Ryan esfrega meus braços como se tentasse me esquentar.

— Você está bem?

Dou de ombros pra ele me soltar.

— É claro que sim. Você não precisa ficar cuidando de mim.

— Não a sequestrei, se é com isso que você está preocupado — Finch diz.

— Ele perguntou pra você? — Roamer rebate.

Finch encara Roamer de cima a baixo. Finch é uns nove ou dez centímetros mais alto.

— Não, mas eu queria que você perguntasse.

— Bicha.

— Deixa ele em paz, Roamer — digo, irritada. Meu coração bate forte porque não sei o que vai acontecer. — Não importa o que ele diga, você só quer arranjar briga. — Viro pro Finch: — Não piore as coisas.

Roamer o encara de perto.

— Por que você está molhado? Decidiu finalmente tomar banho?

— Não, cara, vou deixar pra tomar banho pra quando encontrar sua mãe mais tarde.

Com isso, Roamer pula pra cima do Finch, e os dois saem rolando pela ribanceira em direção à água. Joe e Ryan ficam olhando, e digo pro Ryan:

— Faça alguma coisa.

— Não tenho nada a ver com isso.

— Ainda assim, faça alguma coisa.

Roamer acerta um soco na cara do Finch. Acerta outro e mais outro, o punho batendo na boca, no nariz, na costela. A princípio Finch não revida — só bloqueia os golpes. De repente, torce o braço de Roamer atrás das costas e mergulha a cabeça dele na água e fica segurando.

— Solta ele, Finch.

Ele não me ouve ou não me dá ouvidos. As pernas de Roamer se debatem e Ryan agarra Finch pela gola do suéter preto, então pelo braço, tentando afastá-lo de Roamer.

— Wyatt, ajuda aqui.

— Solta ele — digo.

Então Finch olha pra mim e, por um segundo, é como se não soubesse quem eu sou.

— Solta ele! — grito, como se falasse com um cachorro ou uma criança.

Simples assim, ele solta Roamer, se ajeita, o levanta e o larga na margem, onde fica tossindo água. Finch vai subindo o morro devagar, passa por Ryan, por Joe e por mim. Seu rosto está vermelho e ele não espera nem olha pra trás.

Nem penso em voltar pro colégio, porque o dia está quase no fim e o estrago já foi feito. Como minha mãe não espera que eu chegue agora, vou até o estacionamento tentando não chamar a atenção, destranco Leroy e pedalo até o leste da cidade. Subo e desço as ruas até encontrar a casa colonial de dois andares com tijolo aparente. FINCH, está escrito na caixa do correio.

Bato na porta e uma garota de cabelo preto comprido aparece.

— Oi — diz, como se não estivesse surpresa por eu estar ali. — Você deve ser Violet. Eu sou Kate.

Sempre fico fascinada ao ver como os genes se reorganizam entre irmãos e irmãs. As pessoas achavam que Eleanor e eu éramos gêmeas, apesar de as bochechas dela serem mais finas, e o cabelo, mais claro. Kate parece Finch, mas ao mesmo tempo é bem diferente. Mesma cor de pele e cabelo, traços diferentes, com exceção dos olhos. É estranho ver os olhos dele no rosto de outra pessoa.

— Ele está aqui?

— Tenho certeza de que está lá em cima em algum lugar. Acho que você já sabe onde o quarto dele fica. — Ela dá uma risadinha, mas de um jeito simpático, e me pergunto o que ele falou a ela sobre mim.

No andar de cima, bato na porta do quarto.

— Finch?

Bato de novo.

— Sou eu, Violet.

Ele não responde. Tento abrir, mas está trancada. Bato de novo.

Digo a mim mesma que ele deve estar dormindo ou com fones de ouvido. Bato de novo e de novo. Enfio a mão no bolso, procurando o grampo de cabelo que sempre levo comigo só pra garantir, e me curvo pra examinar a fechadura. A primeira que arrombei foi a do armário do escritório da minha mãe. Eleanor me convenceu, porque era lá que nossos pais escondiam os presentes de Natal. Descobri que arrombar fechaduras é uma habilidade útil quando a gente quer desaparecer durante a educação física ou só precisa de um pouco de paz e sossego.

Dou uma forçada no trinco e guardo o grampo. Provavelmente eu conseguiria abrir, mas não o faço. Se Finch quisesse me deixar entrar, deixaria.

Quando desço de novo, Kate está de pé na pia, fumando apoiada na janela da cozinha.

— Ele estava lá?

Quando respondo que não, ela joga o cigarro no triturador de lixo.

— Hum. Bom, talvez esteja dormindo. Ou pode ter ido correr.

— Correr?

— Ele corre umas quinze vezes por dia.

É minha vez de dizer:

— Hum.

— É, ele é meio imprevisível.

FINCH

DIA 27 (AINDA ESTOU AQUI)

Olho pela janela e a vejo montar na bicicleta. Depois, sento no chão do boxe, a água batendo na cabeça, por uns vinte minutos. Não consigo nem me olhar no espelho.

Ligo o computador, porque é uma conexão com o mundo, e talvez seja disso que preciso no momento. A claridade da tela incomoda meus olhos, então diminuo até as formas e as letras ficarem quase como sombras. Assim é melhor. Entro no Facebook, que é só meu e de Violet. Volto ao início da troca de mensagens e leio cada palavra, mas elas não fazem sentido, a não ser que eu segure a cabeça e as repita em voz alta.

Tento ler a edição que baixei de *As ondas*, e ao perceber que isso não faz com que as coisas melhorem, penso: *É o computador. Não sou eu.* E procuro um livro normal, que folheio, mas as linhas dançam pela página como se fugissem de mim.

Vou ficar desperto.

Não vou apagar.

Penso em ligar pro Embrião. Chego a procurar o número no fundo da mochila e discar. Mas não ligo.

Poderia descer agora mesmo e contar pra minha mãe como estou me sentindo — se é que ela está em casa —, mas ela diria pra eu pegar um Advil em sua bolsa e que preciso relaxar e parar de ficar agitado, porque aqui em casa não existe isso de ficar doente a não ser que seja possível provar com um termômetro embaixo do braço. As coisas se encaixam nas categorias preto e branco — mau humor, mau temperamento, perda de controle, tristeza, melancolia.

Você é sempre tão sensível, Theodore. Desde criança. Você lembra do passarinho? Aquele que voava e batia nas portas de vidro da sala? Ele batia sempre, e você dizia: "Traga ele pra morar com a gente pra ele não fazer mais isso". Lembra? Um dia a gente chegou em casa e ele estava caído no pátio, tinha batido na porta vezes demais, e você chamou o túmulo dele de ninho de lama e disse: "Nada disso teria acontecido se você tivesse deixado ele entrar".

Não quero ouvir sobre o passarinho de novo. Porque a questão é que ele morreria de qualquer forma, entrando ou não. Talvez ele soubesse disso, e talvez por isso decidiu bater no vidro um pouco mais forte naquele dia. Aqui dentro, ele morreria mais devagar, porque é isso o que acontece quando se é um Finch. O casamento morre. O amor morre. As pessoas desaparecem.

Calço o tênis e desvio de Kate na cozinha. Ela diz:

— Sua namorada veio procurar você agora há pouco.

— Acho que eu estava de fone.

— O que aconteceu com sua boca e seu olho? Por favor, me diga que não foi ela.

— Dei de cara numa porta.

Ela me encara.

— Está tudo bem com você?

— Aham. Ótimo. Só vou correr um pouco.

Quando volto, o branco do teto do quarto está claro demais, então o pinto de azul com o que sobrou da tinta.

VIOLET

SÓ MAIS 133 DIAS

Seis horas. Sala de casa. Meus pais estão sentados na minha frente, com as sobrancelhas franzidas e infelizes. Parece que o diretor Wertz ligou pra minha mãe quando percebeu que não voltei pra terceira aula nem apareci na quarta, na quinta, na sexta e na sétima.

Meu pai ainda está com o terno do trabalho. É ele quem mais fala.

— Onde você estava?

— Teoricamente, na frente do colégio.

— Onde na frente?

— No rio.

— O que você estava fazendo no rio durante a aula, no meio do *inverno*?

Com a voz calma e equilibrada, minha mãe diz:

— James.

— O alarme de incêndio disparou, todos saímos, e Finch queria me mostrar um grou asiático raro...

— Finch?

— O menino com quem estou fazendo o projeto. Vocês conheceram ele.

— Quanto falta desse projeto?

— Temos que visitar mais um lugar e precisamos organizar as anotações.

Minha mãe diz:

— Violet, estamos muito decepcionados.

É como uma facada no meu estômago. Meus pais nunca foram a favor de nos botar de castigo ou nos deixar sem celular e computador, coisas que os pais de Amanda vivem fazendo. Em vez disso, conversam com a gente e dizem o quanto estão decepcionados.

Comigo, quer dizer. Conversam comigo.

— Você não é disso. — Minha mãe balança a cabeça.

Meu pai diz:

— Você não pode usar o fato de ter perdido sua irmã como desculpa pra ter essas atitudes impulsivas.

Queria muito, só desta vez, que eles me mandassem pro quarto.

— Não é isso que estou fazendo. Não foi o que aconteceu. É só que... Não sou mais do time de torcida. Saí do grêmio estudantil. Sou péssima na orquestra. Não tenho mais amigos nem namorado, porque o resto do mundo não para, sabia? — Minha voz está ficando mais alta, e por mais que tente não consigo evitar. — A vida de todo mundo continua, e talvez eu não esteja acompanhando. Talvez eu não queira. A única coisa em que sou boa não sei mais fazer. E nem queria fazer esse projeto, mas é a única coisa acontecendo na minha vida.

Então, como sei que eles não vão fazer isso, eu mesma me mando pro quarto. Me afasto enquanto meu pai diz:

— Em primeiro lugar, mocinha, você é boa em muitas coisas, não só uma...

Jantamos quase em silêncio e depois minha mãe vem até meu quarto e observa o mural em cima da escrivaninha. Ela diz:

— O que aconteceu com o eleanoreviolet.com?

— Desisti. Não fazia sentido continuar.

— É, acho que não — ela fala baixinho, e quando levanto a cabeça, seus olhos estão vermelhos. — Acho que nunca vou me acostumar — ela diz, e então suspira. Nunca ouvi nada assim. É um suspiro cheio de dor e perda. Ela limpa a garganta e aponta para o papel que diz **Nova revista on-line sem nome.** — Me fale sobre isso.

— Talvez eu comece outra revista. Talvez não. Acho que meu cérebro partiu pra isso naturalmente por causa do eleanoreviolet.

— Você gostava daquele site.

— Gostava, mas se começasse outro, queria que fosse diferente. Não só coisas bobas, mas também pensamento de verdade, escrita de verdade, vida real.

Ela aponta para **Literatura. Amor. Vida.**

— E isso?

— Não sei. Podem ser categorias.

Arrasta uma cadeira e senta comigo. Então começa a fazer perguntas: seria pra garotas da minha idade ou do ensino médio pra frente? Eu escreveria todo o conteúdo ou trabalharia com colaboradores? Qual seria o objetivo — por que eu quero começar outra revista, afinal? *Porque as pessoas da minha idade precisam de conselhos ou ajuda ou diversão ou apenas um lugar pra serem elas mesmas. Um lugar onde possam ser ilimitadas e destemidas e seguras, como em seu próprio quarto.*

Não cheguei a uma conclusão sobre isso, então respondo:

— Não sei. — E talvez seja tudo meio idiota. — Se eu fizer alguma coisa, tenho que começar de novo, mas tudo o que tenho são fragmentos de ideias. Só pedaços. — Aponto pro computador e pra parede. — Como uma semente de ideia pra isso, e uma semente de ideia praquilo. Nada completo ou concreto.

— "O próprio crescimento contém a semente da felicidade", Pearl S. Buck. Talvez uma semente seja suficiente. Talvez seja tudo de que você precisa. — Ela apoia o queixo na mão e faz sinal pra tela do computador. — Podemos começar devagar. Abrir um documento novo ou pegar uma folha em branco. Será nossa tela. Lembre-se do que Michelangelo disse sobre a escultura estar na pedra... Estava lá desde o início, e sua tarefa era revelá-la. Suas palavras estão aí dentro também.

Durante as duas horas seguintes pensamos em novas ideias e fazemos anotações, e no fim tenho o projeto de uma revista on-line e um esboço de colunas fixas divididas nas categorias literatura, amor e vida.

São quase dez horas quando ela me dá boa noite. Fica um tempo na porta e diz:

— Você confia nesse garoto, V?

Viro pra ela.

— Finch?

— É.

— Acho que sim. No momento, ele é basicamente o único amigo que tenho. — Não sei se isso é bom ou ruim.

Depois que ela sai, me enrolo na cama, com o notebook no colo. Jamais vou conseguir criar todo o conteúdo. Anoto alguns nomes, incluindo Brenda Shank-Kravitz, Jordan Gripenwaldt, e Kate Finch com uma interrogação ao lado.

Semente. Faço uma pesquisa, e está disponível: www.revistasemente.com. Cinco minutos depois, está comprado e registrado. Minha pedra a esculpir.

Acesso o Facebook e mando uma mensagem pro Finch: **Espero que esteja bem. Fui te ver mais cedo, mas você não estava. Meus pais descobriram que matei aula e não estão felizes. Acho que talvez este seja o fim das nossas andanças.**

A luz está apagada e meus olhos estão fechados quando me dou conta de que pela primeira vez esqueci de riscar o dia no calendário. Levanto, os pés tocando o chão gelado de madeira, e vou até a porta do guarda-roupa. Pego a canetinha preta que sempre deixo à mão, tiro a tampa, levo em direção ao calendário. Então minha mão congela no ar. Olho para todos os dias que faltam até a formatura e a liberdade e sinto um aperto estranho no peito. São só um punhado de dias, menos de meio ano, e aí quem sabe pra onde vou e o que vou fazer?

Tampo a canetinha, seguro uma ponta do calendário e o arranco da porta. Dobro e enfio no fundo do guarda-roupa, jogando a caneta atrás dele. Então saio do quarto e atravesso o corredor.

A porta do quarto da Eleanor está fechada. Abro e entro. As paredes são amarelas e cobertas de fotos dela com os amigos de Indiana, dela com os amigos da Califórnia. A bandeira da Califórnia está pendurada em cima da cama. O material de arte está empilhado em um canto. Meus pais têm entrado aqui e organizado as coisas devagar.

Coloco os óculos em cima da penteadeira.

— Obrigada pelo empréstimo — digo. — Mas me dão dor de cabeça. E são feios. — Quase consigo ouvir sua risada.

VIOLET

SÁBADO

Na manhã seguinte, quando desço, Theodore Finch está sentado à mesa de jantar com meus pais. O gorro vermelho está pendurado na cadeira e ele toma suco de laranja, com um prato vazio à frente. O lábio está cortado e tem um machucado no rosto.

— Você fica melhor sem óculos — ele diz.

— O que você tá fazendo aqui? — Olho pra ele, depois pros meus pais.

— Tomando café da manhã. A refeição mais importante do dia. Mas eu vim porque queria me explicar sobre ontem. Contei pra eles que a ideia foi minha e que você não queria matar aula. Que você só estava tentando impedir que eu me metesse em confusão me convencendo a voltar. — Pega mais frutas e mais um waffle.

— Também combinamos algumas regras pra esse projeto de vocês — meu pai diz.

— Então podemos continuar?

— Theodore e eu fizemos um acordo, não é? — Meu pai me serve um waffle e me passa o prato.

— Sim, senhor. — Finch pisca pra mim.

Meu pai o repreende com um olhar.

— Um acordo que não deve ser ignorado.

Finch se recompõe.

— Não, senhor.

Minha mãe diz:

— Vamos confiar nele. Ficamos gratos por ele ter feito você entrar num carro de novo, queremos que se divirta, dentro do que for razoável. Só se cuidem e vão pra aula.

— Tá bom. — Me sinto em transe. — Obrigada.

Meu pai vira pro Finch.

— Me passa seu telefone e o contato dos seus pais.

— O que for preciso, senhor.

— Seu pai é o Finch do Depósito Finch?

— Sim, senhor.

— Ted Finch, ex-jogador de hóquei?

— Ele mesmo. Mas não nos falamos há muito tempo. Ele foi embora quando eu tinha dez anos.

Fico olhando pra ele, e minha mãe diz:

— Sinto muito.

— No final das contas, estamos melhor sem ele, mas obrigado. — Ele abre um sorriso triste e dolorido pra minha mãe, e ao contrário da história que está contando, o sorriso é verdadeiro. — Minha mãe trabalha na Imobiliária Broome e na Bookmarks. Ela não fica muito em casa, mas, se quiser, já anoto o número dela.

Quem busca papel e caneta sou eu, e deixo ao lado dele, tentando chamar sua atenção, mas ele inclina a cabeça em direção ao papel e escreve em letras maiúsculas: *Linda Finch*, junto com todos os telefones, do trabalho, de casa e do celular, e depois *Theodore Finch Jr.*, seguido do celular dele. As letras e os números são nítidos e cuidadosos, como se tivessem sido desenhados por uma criança na aula de caligrafia. Quando entrego o papel ao meu pai, quero dizer: *Mais uma mentira. Essa nem é a letra dele. Nada nesse garoto é nítido e cuidadoso.*

Minha mãe sorri pro meu pai, e é um sorriso que significa "hora de aliviar o clima da conversa". Ela pergunta pro Finch:

— Então, quais são seus planos pra faculdade?

E então a conversa fica animada. Quando ela pergunta o que ele quer fazer além da faculdade, o que quer fazer da vida, presto atenção porque não sei a resposta.

— Isso muda todos os dias. Tenho certeza de que vocês já leram *Por quem os sinos dobram*.

Minha mãe responde que sim pelos dois.

— Bom, Robert Jordan sabe que vai morrer. "Só há *agora*", ele diz, "e se o agora é de só dois dias, então minha vida é de só dois dias e tudo mais guardará a mesma proporção." Ninguém sabe quanto tempo tem, talvez mais um mês, talvez mais quinze anos... Gosto de viver como se só tivesse dois dias.

Fico olhando pros meus pais enquanto Finch fala. Está falando categoricamente, mas com serenidade, por respeito aos mortos e a Eleanor, que não teve muito tempo.

Meu pai toma um gole de café e recosta na cadeira, numa posição mais confortável.

— Os primeiros hindus acreditavam que deviam aproveitar a vida ao máximo. Em vez de aspirar à imortalidade, aspiravam alcançar uma vida saudável e completa...

Ele termina de falar uns quinze minutos depois, contando sobre o primeiro conceito de vida após a morte, que afirmava que os mortos se reuniam com a Mãe Natureza e continuavam na terra sob outra forma. Cita um hino védico antigo:

— Que seu olho vá para o Sol, para o vento sua alma...

— Ou vá para a água se é ela que lhe agrada — Finch completa.

As sobrancelhas de meu pai se erguem até a linha do cabelo, e vejo que está tentando entender o garoto.

Finch diz:

— Eu meio que tenho uma coisa com a água.

Meu pai levanta, pega os waffles e coloca dois no prato de Finch. Por dentro, deixo escapar um suspiro de alívio. Minha mãe pergunta sobre nosso projeto de andar por Indiana, e durante o resto do café da manhã Finch e eu falamos sobre os lugares onde estivemos até agora e alguns que ainda planejamos visitar. Quando terminamos de comer, meus pais se tornaram "Pode me chamar de James" e "Pode me chamar de Sheryl", em vez de sr. e sra. Markey. Eu queria que a gente ficasse aqui com eles o dia todo, mas de repente Finch vira pra mim, com os olhos azuis inquietos.

— Ultravioleta, o tempo está passando. A gente precisa botar o pé na estrada.

Do lado de fora, digo:

— Por que você fez aquilo? Por que mentiu pros meus pais?

Ele tira o cabelo do olho e ajeita o gorro vermelho.

— Porque não é mentira se for como você se sente.

— O que você quer dizer com isso? Até sua letra estava mentindo.

Por algum motivo, isso me deixa mais brava. Se ele não foi verdadeiro com eles, talvez não seja verdadeiro comigo. Quero perguntar: *O que mais é mentira?*

Ele se encosta na porta aberta do passageiro, o sol impedindo que eu veja seu rosto.

— Às vezes, Ultravioleta, as coisas são como verdade pra gente mesmo que não sejam.

FINCH

DIA 28

John Ivers é um avô educado, de fala mansa, com um boné branco de beisebol e bigode. Ele e a esposa vivem numa fazenda enorme no interior de Indiana. Graças a um site chamado Indiana Incomum, consegui o telefone dele. Liguei com antecedência, como recomendava no site, e John está no jardim esperando por nós. Ele acena e se aproxima, aperta nossas mãos e pede desculpas por Sharon não estar, pois foi ao mercado.

Nos leva até a montanha-russa que construiu no quintal — na verdade, são duas: a Flash Azul e a Outra Azul. Cada uma tem lugar pra uma pessoa, o que é a única coisa ruim; fora isso tudo é incrível. John diz:

— Não estudei engenharia, mas sou viciado em adrenalina. Corridas de demolição, dragsters, velocidade... quando desisti disso tudo, quis arranjar algo pra substituir, algo que desse a mesma emoção. Adoro a sensação da morte iminente, mas leve. Então construí algo que me proporcionasse esses sentimentos sempre que quisesse.

Enquanto ele fala, com as mãos no quadril, olhando para a Flash Azul, penso sobre *morte iminente, mas leve*. É uma fala que gosto e entendo. Guardo na memória pra usar depois, quem sabe em uma música.

— Você deve ser o cara mais brilhante que já conheci — digo. Gosto da ideia de algo que proporciona todos esses sentimentos sempre que queremos. Quero uma coisa assim também, então olho pra Violet e penso: *Aí está*.

John Ivers construiu a montanha-russa ao lado de um galpão. Ele diz que ela tem cinquenta e cinco metros de comprimento e chega a seis metros de altura. A velocidade não passa de quarenta quilômetros por hora e a volta dura só dez segundos, mas tem um looping no meio. Olhando, a Flash é só sucata de metal retorcido pintado de azul-claro, com um assento de carro dos anos 70 e um cinto de tecido gasto, mas algo nela faz com que minhas mãos cocem e mal posso esperar pra dar uma volta.

Digo a Violet que ela pode ir primeiro.

— Não, tudo bem. Vai você. — Ela dá um passo pra trás como se a montanha-russa fosse avançar e engoli-la, e começo a me perguntar se isso tudo foi uma má ideia.

Antes que eu diga qualquer coisa, John me prende no assento e me empurra pela lateral do galpão até eu ouvir um clique, então o carrinho começa a subir, subir, subir. Quando chego ao topo, ouço:

— Talvez seja melhor você se segurar, filho.

Obedeço ao passar, por um segundo, por cima do telhado do galpão, as terras da fazenda espalhadas à volta, e então disparo, desço e entro no looping, gritando até ficar rouco. Rápido demais, a volta acaba, e quero ir de novo, porque essa é a sensação que a vida deveria causar o tempo todo, não só por dez segundos.

Vou cinco vezes porque Violet ainda não está pronta, e sempre que chego ao fim ela dá um tchauzinho e diz:

— Pode ir mais uma vez.

Na quinta vez em que o carrinho para, desço, as pernas tremendo, e de repente Violet está no assento e John Ivers está apertando seu cinto, então ela sobe, até o topo, onde para. Ela vira pra olhar na minha direção, mas de repente dispara e mergulha e gira e grita até parecer que sua cabeça vai explodir.

Quando termina, não sei dizer se ela vai vomitar ou sair e me dar um tapa. Em vez disso, grita:

— De novo!

E dispara mais uma vez num borrão de metal azul e cabelos e pernas e braços compridos.

Então trocamos de lugar e dou três voltas seguidas, até o mundo parecer de ponta-cabeça, e sinto o sangue pulsando com força nas veias. Enquanto solta o cinto, John Ivers ri.

— Foram muitas voltas.

— É verdade.

Estendo a mão pra Violet porque estou com as pernas meio bambas e a queda seria longa se eu caísse. Ela põe o braço ao meu redor como que por instinto, e me apoio nela e ela se apoia em mim até virarmos uma única pessoa.

— Querem tentar a Outra Azul? — John pergunta, mas de repente não tenho mais vontade porque quero ficar sozinho com essa garota. Mas Violet se solta e corre pra montanha-russa e John afivela o cinto.

A Outra Azul não é nem de longe tão divertida, então damos mais duas voltas na Flash. Quando desço do carrinho pela segunda vez, pego a mão de Violet e ela balança pra frente e pra trás e pra frente e pra trás. Amanhã estarei na casa do meu pai pro jantar de domingo, mas hoje estou aqui.

Deixamos pra trás um carrinho em miniatura que compramos na loja de um dólar — representando o Tranqueira — e dois bonequinhos, um garoto e uma garota, que enfiamos dentro de uma caixa de cigarros vazia. Guardamos tudo em uma latinha do tamanho de um livro de bolso.

— Então é isso — Violet diz, prendendo a latinha embaixo da Flash Azul. — Nossa última andança.

— Não sei. Por mais divertido que tenha sido, não sei se é o que o sr. Black tinha em mente. Vou refletir sobre isso, analisar... pensar bastante... mas talvez a gente precise escolher um lugar de reserva, só pra garantir. A última coisa que quero é que esse projeto fique meia-boca, ainda mais agora que temos o apoio dos seus pais.

Na volta pra casa, ela abre a janela, o cabelo voando. As páginas do nosso caderno de andanças se agitam com o vento enquanto ela escreve, com a cabeça inclinada, uma perna cruzada sobre a outra, servindo como apoio. Como fica assim por alguns quilômetros, pergunto:

— O que você está fazendo?

— Só algumas anotações. Primeiro estava escrevendo sobre a Flash Azul, depois sobre um homem que constrói uma montanha-russa no quintal de casa. Aí tive umas ideias e quis colocar no papel.

Antes que eu pergunte sobre essas ideias, ela inclina a cabeça sobre o caderno de novo, e a caneta corre pela página.

Quando levanta o olhar, três quilômetros depois, diz:

— Sabe o que gosto em você, Finch? Você é interessante. Você é diferente. E consigo conversar com você. Não deixe isso subir à cabeça.

O ar parece carregado e elétrico, como se tudo — o ar, o carro, Violet e eu — fosse explodir caso alguém acendesse um fósforo. Mantenho os olhos na estrada.

— Sabe o que gosto em você, Ultravioleta Markante? Tudo.

— Mas eu achava que você não gostasse de mim.

Então olho pra ela. Ela levanta uma sobrancelha.

Pego a primeira saída que vejo. Passamos por um posto de gasolina e redes de fast-food e atropelo alguns cones pra entrar num estacionamento. BIBLIOTECA PÚBLICA MUNICIPAL, diz a placa. Paro o Tranqueira com certa violência, desço e dou a volta.

Quando abro a porta, ela diz:

— O que está acontecendo?

— Não posso esperar. Eu achei que podia, mas não dá. Desculpa.

Solto o cinto de segurança dela, então a puxo pra fora e ficamos cara a cara nesse estacionamento feio de uma biblioteca obscura, ao lado de um fast-food. Ouço o caixa do drive-through no alto-falante perguntando se querem adicionar fritas ou refrigerante ao pedido.

— Finch?

Tiro uma mecha solta de cabelo do rosto dela. Então seguro seu rosto com as duas mãos e a beijo. Beijo com mais intensidade do que pretendia, então alivio um pouco, mas ela me beija de volta. Seus braços estão em volta do meu pescoço, e estou encostado nela, e ela está encostada no carro, aí eu a levanto, e suas pernas estão em volta da minha cintura, e de algum jeito abro a porta de trás e a deito no cobertor que está ali, e fecho as portas e arranco o suéter, e ela tira a camiseta, e digo:

— Você está me deixando louco. Você está me deixando louco há semanas.

Minha boca está em seu pescoço, e ela solta uns sons ofegantes, e aí ela diz:

— Meu Deus, onde a gente está?

Ela ri, e eu também, e ela beija meu pescoço, e parece que meu corpo inteiro vai explodir, e a pele dela é macia e quente, e passo a mão em seu quadril enquanto ela morde minha orelha, e depois essa mão escorrega para o espaço entre a barriga e a calça dela. Ela me abraça mais forte, e quando começo a abrir o cinto ela meio que se afasta, e quero bater a cabeça no teto do Tranqueira porque, merda, *ela é virgem*. Sei pelo jeito como se afasta.

Ela sussurra:

— Desculpa.

— Todo aquele tempo com Ryan?

— Chegamos perto, mas não.

Corro os dedos pela barriga dela.

— Sério?

— Por que é tão difícil de acreditar?

— Porque é Ryan Cross. Achava que as garotas ficavam loucas só de olhar pra ele.

Ela bate em meu braço e depois coloca a mão sobre a minha e diz:

— É a última coisa que achei que ia acontecer hoje.

— Valeu.

— Você entendeu.

Pego sua camiseta, entrego pra ela, pego meu suéter. Enquanto vejo ela se vestir, digo:

— Um dia, Ultravioleta.

E ela até parece decepcionada.

Em casa, no quarto, sou dominado por palavras. Palavras pra canções. Palavras sobre lugares aonde Violet e eu iremos antes que o tempo acabe e eu adormeça de novo. Não consigo parar de escrever. Não quero parar.

31 de janeiro. Método: nenhum. Numa escala de um a dez, quanto cheguei perto? Zero. Curiosidade: a Euthanasia Coaster, uma montanha-russa capaz de matar os passageiros, não existe de verdade. Mas se existisse, seria uma volta de três minutos com uma subida de quase meio quilômetro, seguida de uma queda superíngreme e sete loopings. Essa queda e a série de loopings duram sessenta segundos, mas o que mata é a força centrífuga de 10 G resultante dos loopings a trezentos e sessenta quilômetros por hora.

Então acontece uma ruptura estranha no tempo, e percebo que não estou mais escrevendo. Estou correndo. Ainda estou com o suéter preto e a calça velha e tênis e luvas, e de repente meus pés começam a doer, e de alguma forma cheguei a Centerville, que é a cidade vizinha mais próxima.

Tiro o tênis e o gorro e volto pra casa andando, porque pela primeira vez me cansei. Mas me sinto bem — importante e cansado e vivo.

Julijonas Urbonas, o homem que pensou no conceito da Euthanasia Coaster, diz que ela é projetada para "humanamente — com elegância e euforia — tirar a vida de um ser humano". Aqueles 10 G criam força centrífuga suficiente no corpo para que o sangue corra pra baixo em vez de pro cérebro, o que resulta em uma coisa chamada hipóxia cerebral, e é isso que mata.

Caminho pela noite escura de Indiana, sob as estrelas, e penso na expressão "elegância e euforia" e em como ela descreve exatamente o que sinto por Violet.

Pela primeira vez, não quero ser outra pessoa além de Theodore Finch, o garoto que ela vê. Ele sabe como é ser elegante e eufórico e cem pessoas diferentes, a maioria imperfeita e burra, parte babaca, parte problemático, parte aberração, um garoto que quer ser fácil de lidar pras pessoas à volta pra que não se preocupem com ele e, principalmente, fácil pra si mesmo. Um garoto que pertence a este lugar — aqui neste mundo, aqui na própria pele. Ele é exatamente quem quero ser e o que quero que meu epitáfio diga: *O garoto que Violet Markey ama.*

FINCH

DIA 30 (E ESTOU DESPERTO)

Na aula de educação física, Charlie Donahue e eu estamos no campo de beisebol, bem pra lá da terceira base. Descobrimos que é o melhor lugar quando queremos conversar. Sem nem olhar, ele pega a bola que vem com tudo na nossa direção e arremessa de volta. Todos os treinadores do Bartlett tentam recrutá-lo desde a primeira vez em que ele cruzou o portão do colégio, mas ele se nega a ser um negro dentro do estereótipo. Suas atividades extracurriculares são xadrez, organização do anuário e clube de cartas porque, como ele diz, essas são as coisas que farão com que se destaque nas inscrições pra faculdade.

Neste momento, ele cruza os braços e franze as sobrancelhas.

— É verdade que você quase afogou Roamer?

— Mais ou menos.

— Sempre termine o que começou, cara.

— Pensei que seria uma boa ideia não ir pra cadeia antes de ter uma chance de transar de novo.

— Ser preso, na verdade, pode aumentar suas chances de transar.

— Não o tipo de chance que estou procurando.

— Mas o que aconteceu, afinal? Olha só o seu estado.

— Eu queria poder dizer que sou lindo assim mesmo, mas, temos que admitir, o uniforme de educação física cai bem em todo mundo.

— Inglesinho pedante — ele diz, apesar de eu não agir mais como se fosse inglês. Tchau, Fiona. Tchau, apartamento. Tchau, Abbey Road.

— O que quero dizer é que já faz um tempo que você é Finch Canalha. Antes disso, foi Finch Fodão por duas semanas. Você está se perdendo.

— Talvez eu goste do Finch Canalha. — Arrumo o gorro e de repente penso: *De qual Finch Violet gosta?* O pensamento incomoda um pouco, e consigo sentir minha mente insistindo nele. *De qual Finch ela gosta? E se for só uma versão do Finch real?*

Charlie me oferece um cigarro e faço que não com a cabeça.

— Qual é o seu problema? Ela é sua namorada?

— Violet?

— Já pegou ela ou o quê?

— Meu caro, você é um porco completo. E só estou me divertindo.

— Obviamente não está se divertindo tanto assim.

Roamer vem bater, o que significa que temos que prestar atenção, porque ele não só é uma das estrelas do time de beisebol da escola (atrás apenas de Ryan Cross), mas também gosta de mirar na gente. Se não fosse lhe causar problemas, provavelmente viria até aqui agora e esmagaria minha cabeça com o taco como vingança por eu quase tê-lo afogado.

É claro que a bola vem voando na nossa direção e, com o cigarro entre os dentes, Charlie dá um passo pra trás, depois dois, três, como quem não está com pressa, como quem sabe o que está fazendo. Ergue a mão enluvada e a bola cai exatamente nela. Roamer grita mais ou menos quinze mil palavrões enquanto Charlie manda a bola de volta.

Aceno para o sr. Kappel, nosso professor, que também é o treinador do time de beisebol.

— Você sabe que toda vez que faz isso ele morre um pouquinho, não sabe?

— Kappy ou Roamer?

— Os dois.

Ele dá um sorriso orgulhoso.

— Sei.

No vestiário, Roamer me encurrala. Charlie já foi. Kappel está no escritório. Os caras que ainda não foram embora somem pro fundo do vestiário, como se tentassem ficar invisíveis. Roamer chega tão perto de mim que sinto o cheiro dos ovos que comeu no café da manhã.

—Você está morto, aberração.

Eu adoraria bater no Gabe Romero pra valer, mas não vou. 1) Porque não vale a pena me meter em problemas por causa dele. 2) Porque lembro da cara da Violet lá no rio quando me disse pra soltá-lo.

Então conto. *Um, dois, três, quarto, cinco...*
Vou me segurar. Não vou socar a cara dele.
Vou ser bonzinho.

Então ele me empurra contra o armário e, antes que eu possa piscar, me dá um soco no olho, e então outro no nariz. Contar é tudo o que posso fazer pra não me descontrolar, e agora estou contando alucinadamente porque quero matar esse filho da puta.

Se eu contar o suficiente, me pergunto se poderia voltar no tempo, até o início do oitavo ano, antes de eu ficar estranho e antes de os outros saberem que existo e antes de eu abrir a boca e conversar com Roamer e antes de me chamarem de "aberração", quando eu estava desperto o tempo todo e tudo estava bem e de alguma forma normal, o que quer que normal signifique, e as pessoas olhavam pra mim — não encarando, não se perguntando qual a próxima maluquice que vou fazer, mas olhando pra mim tipo *E aí, cara? E aí, amigo?* Se eu contar de trás pra frente, me pergunto se poderia voltar e trazer Violet Markey comigo, avançando de novo junto com ela pra que a gente tenha mais tempo. Porque é do tempo que tenho medo.

E de mim.

Tenho medo de mim.

— Algum problema aqui? — Kappel está de pé a alguns metros de distância, olhando pra gente. Segura um taco de beisebol e o imagino em casa, contando pra esposa: "O problema não são os novinhos. São os mais velhos, quando começam a fazer exercícios e dar aquela espichada. É aí que a gente tem que se proteger, de qualquer jeito".

— Nenhum problema — digo a ele.

Se conheço o sr. Kappel, ele não vai levar isso até o diretor Wertz, não com um de seus melhores jogadores de beisebol envolvido. Sei que vou levar a culpa por tudo. Estou preparado pra ouvir os detalhes da advertência ou da expulsão, mesmo sendo o único sangrando. Mas ele diz:

— Já deu, Finch. Pode ir.

Limpo o sangue e sorrio pro Roamer enquanto me afasto.

— Você fica, Romero — ouço Kappy vociferar, e a submissão de Roamer quase faz a dor valer a pena.

Paro no armário pra pegar uns livros e, em cima deles, vejo o que parece ser a pedra do monte Hoosier. Pego a pedra, viro e leio: *Sua vez.*

— O que é isso? — Brenda quer saber. Ela tira a pedra da minha mão e examina. — Não entendi. "Sua vez"? Sua vez do quê?

— É uma piada interna. Só as pessoas muito descoladas e atraentes sabem o que significa.

Ela me dá um soco no braço.

— Então você não deve ter ideia. O que aconteceu com seu olho?

— Seu namorado. Roamer.

Ela faz cara feia.

— Nunca gostei dele.

— Ah é?

— Cala a boca. Espero que tenha quebrado o nariz dele.

— Estou tentando ser superior.

— Fracote.

Ela conversa comigo, falando sem parar. *Você está mesmo muito a fim da Violet Markey, do tipo pra sempre ou do tipo ela é interessante agora? E Suze Haines? Você não gostava dela? E as três Brianas e aquelas garotas do crochê? O que você faria se Emma Watson caísse do céu agora? Você ia ajudar ela a levantar ou pediria pra ela te deixar em paz? Você acha que meu cabelo ficaria melhor azul ou roxo? Você acha que preciso emagrecer? Seja sincero. Você acha que algum dia um cara vai transar comigo ou me amar pelo que eu sou?*

Respondo "É", "Acho que não", "Claro", "Vai saber" e o tempo todo estou pensando em Violet Markey, arrombadora de fechaduras.

VIOLET

2 DE FEVEREIRO

A sra. Kresney cruza as mãos e abre seu sorriso largo.
— Como vai, Violet?
— Bem, e você?
— Bem. Vamos falar de você. Quero saber como está se sentindo.
— Na verdade, estou me sentindo bem. Melhor do que há muito tempo.
— É mesmo? — Ela está surpresa.
— Sim. Até comecei a escrever de novo. E a andar de carro.
— Como tem dormido?
— Bem, acho.
— Pesadelos?
— Não.
— Nem unzinho?
— Faz um tempo que não.
Pela primeira vez, é verdade.

Na aula de literatura russa, a sra. Mahone passa um trabalho de cinco páginas sobre *Pais e filhos*, de Turguêniev. Ela olha pra mim e não digo nada sobre "circunstâncias atenuantes" ou não estar pronta. Copio as anotações como todo mundo. Depois da aula, Ryan diz:
— Posso falar com você?
A sra. Mahone fica me olhando quando passo por ela. Aceno.

— O que foi? — pergunto a Ryan.

Saímos no corredor e somos arrastados pelo mar de gente. Ryan segura minha mão pra não me perder e eu fico tipo *Ai, meu Deus*. Mas aí a multidão alivia e ele me solta.

— Pra onde você vai agora?

— Almoçar.

Andamos juntos, e Ryan diz:

— Então, queria contar que chamei Suze pra sair. Achei que você devia ouvir isso de mim antes que vaze pra escola inteira.

— Que bom! — Quase digo alguma coisa sobre Finch, mas não sei o que dizer porque não sei o que a gente é, se é que a gente virou alguma coisa. — Obrigada por me contar. Espero que ela veja como você é um cara legal.

Ele acena com a cabeça, abre seu sorriso típico — aquele com a covinha — e diz:

— Não sei se você soube, mas Roamer partiu pra cima do Finch hoje na aula de educação física.

— Como assim "partiu pra cima"?

— Sei lá... Bateu um pouco nele. Roamer é um babaca.

— O que aconteceu? Digo, com eles. Foram expulsos?

— Acho que não. Era aula do Kappel, e ele não vai entregar Roamer e arriscar perdê-lo no treino. Tenho que ir.

Alguns passos depois, ele vira.

— Finch nem tentou se defender. Só ficou lá apanhando.

Na cantina, passo direto pela mesa onde sempre sento, com Amanda, Roamer e a plateia reunida ali. Ouço a voz de Roamer, mas não consigo entender o que está dizendo.

Vou até o outro lado, em direção a uma mesa meio vazia, mas ouço alguém me chamar. Brenda Shank-Kravitz está sentada com as três Brianas e uma garota de cabelo escuro chamada Lara em uma mesa redonda perto da janela.

— Oi — digo —, vocês se importam se eu sentar aqui? — Me sinto como se fosse aluna nova, tentando fazer amigos e descobrir onde me encaixo.

Brenda pega a mochila e o casaco e as chaves e o celular e todas as outras coisas espalhadas pela mesa e joga no chão. Coloco a bandeja e sento ao lado dela.

Lara é tão pequena que parece do primeiro ano, apesar de eu saber que estamos na mesma sala. Está contando como, há cinco minutos, disse sem querer pro menino com quem está ficando que o ama. Em vez de se esconder embaixo da mesa, ela simplesmente ri e continua a comer.

Então as Brianas falam sobre os planos pro próximo ano — uma delas é musicista, a outra tem planos de ser editora, e a outra está praticamente noiva do namorado de longa data. Ela diz que talvez administre uma loja de biscoitos algum dia ou escreva críticas de livros, mas, não importa o que faça, vai aproveitar tudo o que pode enquanto é possível. O namorado se junta a nós, os dois sentam lado a lado e parecem confortáveis e felizes e que realmente vão ficar juntos pra sempre.

Como e escuto, e de repente Brenda se aproxima e diz no meu ouvido:

— Gabe Romero é um verme.

Levanto minha garrafa de água e ela levanta a latinha de refrigerante. Brindamos e bebemos.

VIOLET

FINAL DE SEMANA

Agora as andanças são uma desculpa pra ir a algum lugar e dar uns amassos. Digo a mim mesma que não estou pronta, que pra mim sexo é uma grande coisa, mesmo que alguns amigos meus estejam fazendo desde o nono ano. Mas a verdade é que meu corpo sente uma atração estranha e insaciável por Finch. Adiciono uma categoria ao mural da revista *Semente* — *Vida sexual* — e escrevo algumas páginas no nosso caderno de andanças, que aos poucos está virando meu diário/ rascunho/ espaço de ideias pra nova revista on-line.

Antes de Amanda e eu deixarmos de ser meio amigas, lembro de dormir na casa dela e conversar com seus irmãos mais velhos. Eles disseram que as garotas que fazem sexo são vagabundas e as que não fazem ficam provocando. As que estavam lá naquela noite tomaram isso como verdade absoluta, porque nenhuma de nós além de Amanda tinha irmãos mais velhos. Quando ficamos sozinhas de novo, ela disse:

— O único jeito de contornar isso é ficar com o mesmo cara pra sempre.

Mas o pra sempre tem um fim inevitável…?

Finch vem me buscar no sábado de manhã e parece um pouco abatido. Nem vamos tão longe assim, só até o Arboreto, onde estacionamos o carro, e antes que ele se aproxime pergunto:

— O que aconteceu entre você e Roamer?

— Como você sabe?

— Ryan me contou. E é meio óbvio que você brigou com alguém.

— Isso me deixa mais irresistível?

— É sério! O que aconteceu?

— Nada com que você precise se preocupar. Ele foi um babaca, que surpresa! Agora, se já terminamos de falar sobre ele, tenho outras coisas em mente.

Ele vai pro banco de trás do Tranqueira e me puxa.

Sinto como se estivesse vivendo só pra esses momentos — os momentos em que estou prestes a deitar com ele, quando sei que está quase acontecendo, a pele dele na minha, a boca dele na minha, e ele começa a me tocar e a corrente elétrica começa a correr pelo meu corpo inteiro. É como se todas as outras horas do dia só servissem para esperar este momento.

Nos beijamos até meus lábios ficarem adormecidos, parando exatamente à beira de Um dia, dizendo ainda não, não aqui, mesmo que isso exija uma força de vontade que eu não sabia que tinha. Minha cabeça está zonza com ele e com o Quase inesperado de hoje.

Quando chega em casa, me manda uma mensagem: **Estou pensando o tempo todo em Um dia.**

Escrevo: **Um dia em breve.**

Finch: **Um dia quando?**

Eu: **????**

Finch: ***#@*!!!**

Eu: ☺

Nove da manhã. Minha casa. Quando acordo, meus pais estão na cozinha fatiando o pão. Minha mãe me olha por cima da caneca que Eleanor e eu demos pra ela num Dia das Mães. *Mãe Rock Star.* Ela diz:

— Chegou um pacote pra você.

— Mas hoje é domingo.

— Alguém deixou na porta.

Sigo minha mãe até a sala de jantar, pensando que ela anda igual a Eleanor — cabelo balançando, ombros pra trás. Minha irmã era mais parecida com meu pai, e eu, com minha mãe, mas as duas têm os mesmos gestos, o mesmo jeito, então todo mundo dizia:

— Meu Deus! Ela é muito parecida com você.

Me dou conta de que talvez minha mãe nunca mais escute isso.

Tem uma coisa embrulhada em papel marrom, do tipo que se usa pra embrulhar peixe, em cima da mesa. Está amarrada com uma fita vermelha. O pacote é irregular. *Ultravioleta*, diz em um dos lados.

—Você sabe de quem é? — Meu pai observa da porta, com migalhas na barba.

— James! — minha mãe repreende e faz mímica pra ele limpar a barba. Ele esfrega o queixo.

Não tenho escolha, vou ter que abrir o pacote na frente deles, só rezo pra que não seja nada vergonhoso porque, vindo de Theodore Finch, nunca se sabe.

Enquanto puxo a fita e rasgo o papel, de repente tenho seis anos e é Natal. Todo ano, Eleanor sabia o que ia ganhar. Depois que arrombávamos a porta do armário do escritório da mamãe, ela abria os presentes dela e os meus, mas não antes que eu saísse de perto. Quando queria me contar o que eram, eu não deixava. Eu ainda não era contra surpresas.

Dentro do papel marrom encontro óculos daqueles de natação.

—Você sabe quem deixou aqui? — minha mãe pergunta.

— Finch.

— Óculos de natação — ela diz. — Parece sério. — E dá um sorrisinho esperançoso.

— Desculpa, mãe. Ele é só um amigo.

Não sei por que digo isso, mas não quero que eles fiquem perguntando o que ele significa ou o que está acontecendo entre a gente, principalmente porque nem eu sei direito.

— Talvez com o tempo. Tudo tem seu tempo — ela responde, e é uma coisa que Eleanor dizia.

Olho pra minha mãe pra ver se ela percebe que citou Eleanor, mas, se percebe, não deixa transparecer. Está muito ocupada examinando os óculos, perguntando ao meu pai se ele lembra da época que costumava mandar presentes pra convencê-la a sair com ele.

No andar de cima, escrevo: **Obrigada pelos óculos. Pra que são? Por favor, não me diga que quer que a gente use Um dia.**

Finch responde: **Espere e verá. Vamos usar logo. Estamos esperando o primeiro dia quente. Sempre tem um que se enfia no meio do inverno. Quando pegarmos o infeliz, nós vamos. Deixe os óculos a postos.**

FINCH

O PRIMEIRO DIA QUENTE

Na segunda semana de fevereiro, uma nevasca deixa a cidade inteira sem energia durante dois dias. O lado positivo é que as aulas são canceladas, mas o negativo é que a neve está tão alta e o ar tão gelado que a gente mal consegue ficar fora de casa mais de cinco minutos. Digo a mim mesmo que é só água em outro estado físico e vou andando até a casa de Violet, onde construímos o maior boneco de neve do mundo. Batizamos ele de sr. Black e decidimos que vai ser uma atração para as pessoas em suas andanças. Depois sentamos com os pais dela em volta da lareira e finjo que sou parte da família.

Quando as estradas são liberadas, Violet e eu saímos com muito cuidado pra ver a Ponte Arco-Íris, o Mostruário da Tabela Periódica, os Sete Pilares e o local de linchamento e sepultamento dos irmãos Reno, os primeiros ladrões de trem dos Estados Unidos.

Escalamos as paredes íngremes e altas da Empire Quarry, a pedreira onde pegaram as 18 630 toneladas de pedra necessárias para construir o Empire State Building. Visitamos a Indiana Moon Tree, um sicômoro gigante de mais de trinta anos que cresceu a partir de uma semente levada à Lua e trazida de volta. Essa árvore é uma *rock star* da natureza porque é uma das cinquenta que ainda estão vivas entre as quinhentas originais.

Vamos a Kokomo pra ver se conseguimos ouvir o misterioso zumbido que dizem que a cidade tem, e depois paramos o Tranqueira em ponto morto na base da ladeira que causa ilusão de óptica, então ele sobe sozinho até o topo. É como se fosse a montanha-russa mais lenta do mundo, mas, de alguma forma, funciona, e em alguns minutos estamos no ponto mais alto. Depois a levo pra um jantar de Dia dos Namorados no meu restaurante favorito, Happy Family, que fica no final de um minishopping a mais ou menos vinte e cinco quilômetros de casa. Eles têm a melhor comida chinesa a leste do Mississippi.

O primeiro dia quente cai em um sábado, e acabamos em Prairieton, no Buraco Azul, um lago de mais de um hectare que fica numa propriedade privada. Pego os objetos que vamos deixar pra trás — os tocos dos lápis que ela usou pra fazer o exame de admissão da faculdade e quatro cordas arrebentadas de guitarra. O ar está tão quente que nem precisamos de casacos, só suéteres, e depois do inverno que passamos parece quase tropical.

Estendo a mão e a ajudo a subir a ribanceira e descer até uma piscina redonda e ampla de água azul, rodeada por árvores. É tão particular e silencioso que finjo que somos as duas únicas pessoas no mundo, o que queria que fosse verdade.

— Tudo bem — ela diz, deixando escapar um suspiro longo, como se o estivesse segurando todo esse tempo. Os óculos estão pendurados em volta do pescoço. — Que lugar é este?

— É o Buraco Azul. Dizem que não tem fundo, ou que o fundo é de areia movediça. Dizem que existe uma força no meio do lago que nos puxa pra baixo, pra dentro de um rio subterrâneo que corre direto pra Wabash. Dizem que leva pra outro mundo. Que é um esconderijo onde os piratas enterram tesouros e onde os contrabandistas de Chicago despejam corpos e carros roubados. Que nos anos 50 um grupo de adolescentes veio nadar aqui e desapareceu. Em 1969, dois assistentes do delegado iniciaram uma expedição para explorar a área, mas não encontraram carros nem tesouros nem corpos. Também não encontraram o fundo. O que encontraram foi um redemoinho que quase os engoliu.

Já abandonei o gorro vermelho, as luvas e o suéter preto, e estou usando uma blusa azul-marinho e calça jeans. Cortei o cabelo e quando Violet viu pela primeira vez, disse: "Finch tipicamente americano. Muito bem".

Agora tiro os sapatos e a blusa. Está quase quente ao sol e quero nadar.

— Buracos azuis sem fundo existem no mundo inteiro, e todos têm lendas relacionadas. Foram formados como cavernas, há milhares de anos, durante a última era do gelo. São como buracos negros na terra, lugares de onde nada escapa e onde o tempo e o espaço terminam. Não é absolutamente incrível termos o nosso?

Ela olha pra trás em direção à casa e ao carro e à estrada, então sorri pra mim.

— É incrível.

Tira os sapatos e a blusa e a calça e, em segundos, está parada ali só de sutiã e calcinha, que são de um rosa meio pálido mas as coisas mais atraentes que já vi.

Fico absolutamente sem palavras e ela começa a rir.

— Bom, vamos lá. Sei que você não é tímido, então tira a calça e vamos nessa. Imagino que você queira ver se o que dizem é verdade. — Me dá um branco total e ela joga o quadril pro lado, estilo Amanda Monk, e coloca uma das mãos na cintura. — Sobre não ter fundo?

— Ah, sim. Certo. Claro. — Tiro a calça e fico de cueca e pego a mão dela. Andamos até a pedra que circunda parte do Buraco Azul e subimos. — Do que você mais tem medo? — pergunto antes de pularmos. Já sinto minha pele queimar com o sol.

— De morrer. De perder meus pais. De ficar aqui pro resto da vida. De nunca saber o que deveria fazer. De ser comum. De perder todos que amo. — Me pergunto se faço parte deste grupo. Ela pula nas pontas dos pés, como se estivesse com frio. Tento não ficar olhando pro seu peito enquanto isso porque, acima de tudo, Finch americano não é tarado. — E você? — ela pergunta. Coloca os óculos no lugar. — Do que você mais tem medo?

Penso: *Tenho mais medo do* Só tenha cuidado. *Tenho mais medo da queda longa. Tenho mais medo do Apagão e da morte iminente, mas leve. Tenho mais medo de mim.*

— De nada.

Pego a mão dela e juntos saltamos no ar. E neste instante não tenho medo de nada a não ser de soltar sua mão. A água está surpreendentemente quente e, sob a superfície, estranhamente clara e, bem, azul. Olho pra ela, esperando que seus olhos estejam abertos, e eles estão. Com a mão livre, aponto pra baixo, e ela concorda com a cabeça, os cabelos se espalhando como algas. Juntos, nadamos, ainda de mãos dadas, como uma pessoa com três braços.

Vamos para baixo, onde ficaria o fundo se existisse um. Quanto mais fundo vamos, mais escuro fica o azul. A água também parece mais escura, como se o peso se acumulasse. Só quando sinto um puxão no braço me deixo voltar à superfície, onde emergimos da água e enchemos nossos pulmões de ar.

— Caramba! — ela diz. — Você consegue mesmo prender a respiração.

— Eu treino — digo, e em seguida desejo não ter dito isso, porque é o tipo de coisa — tipo *eu sou de faz de conta* — que soa melhor dentro da minha cabeça.

Ela sorri e joga água em mim, e eu jogo água nela. Ficamos nessa por um tempo, e eu a persigo pela água, mergulhando, pegando suas pernas. Ela escapa de mim e começa a nadar, forte e precisa. Lembro que ela é uma garota da Califórnia e provavelmente cresceu nadando no mar. De repente sinto ciúme de todos os anos que ela teve antes de me conhecer, e então nado atrás dela. Paramos, olhando um pro outro, e sinto que não existe água suficiente no mundo pra lavar meu desejo.

— Estou feliz por termos vindo — ela diz.

Boiamos, de mãos dadas de novo, com o rosto pro sol. De olhos fechados, sussurro:

— Marco?

— Polo — ela responde, com uma voz preguiçosa e distante.

Depois de um tempo, digo:

— Quer procurar o fundo de novo?
— Não. Gosto daqui, como a gente está. — E então pergunta: — Quando eles se divorciaram?
— Mais ou menos nesta época do ano passado.
— Você imaginava que ia acontecer?
— Imaginava e não imaginava.
— Você gosta da sua madrasta?
— Ela é o.k. Tem um filho de sete anos que pode ou não ser meu irmão, porque tenho quase certeza de que meu pai traía minha mãe com essa mulher nos últimos anos. Ele saiu de casa uma vez, quando eu tinha dez ou onze anos, disse que não aguentava mais a gente. Acho que ficou com ela esse tempo. Ele voltou, mas, quando foi embora de vez, deixou bem claro que a culpa era nossa. Nossa culpa ele ter voltado, nossa culpa ele ter que ir embora. Ele simplesmente não conseguia ter uma família.
— E aí casou com uma mulher que tem um filho. Como ele é?
O filho que eu jamais vou ser.
— Só um garoto normal. — Não quero falar sobre Josh Raymond. — Vou procurar o fundo. Você vai ficar bem? Você se importa?
— Estou bem. Pode ir. Vou ficar aqui. — Ela boia pra longe.
Respiro fundo e mergulho, grato pela escuridão da água e pelo calor que encontra minha pele. Nado pra fugir de Josh Raymond, e do meu pai traidor, e dos pais participativos de Violet que também são amigos dela, e da minha mãe triste e abandonada, e dos meus ossos. Fecho os olhos e finjo que Violet está à minha volta, então os abro e me impulsiono pra baixo, com um braço pra frente como o Super-Homem.
Sinto a pressão dos pulmões querendo ar, mas continuo descendo. Parece muito com a pressão de ficar acordado quando consigo sentir a escuridão correr sob a pele, tentando pegar meu corpo emprestado sem pedir que minhas mãos se tornem suas mãos, minhas pernas, suas pernas.
Mergulho mais fundo, pulmões apertados e ardendo. Sinto uma pontada distante de pânico, mas me obrigo a me acalmar antes que meu

corpo afunde mais. Quero ver até onde consigo ir. *Ela está esperando por mim.* O pensamento me invade, mas ainda sinto a escuridão tentando entrar, pelos dedos, tentando se agarrar a mim.

Menos de dois por cento das pessoas nos Estados Unidos se matam por afogamento. Talvez o número seja baixo porque o corpo humano foi feito para flutuar. O país número um do mundo em afogamentos, acidentais ou não, é a Rússia, que tem o dobro de mortes do segundo colocado, o Japão. As Ilhas Cayman, cercadas pelo mar do Caribe, têm o menor número de afogamentos do mundo.

Gosto do fundo, onde a água parece mais pesada. Nadar é melhor que correr porque bloqueia tudo. A água é meu superpoder, minha maneira de enganar o Apagão e impedir que ele chegue.

Quero ir mais fundo que isso, porque quanto mais fundo, melhor. Quero continuar descendo. Mas algo me faz parar. Violet. Meus pulmões queimando. Fico olhando pra escuridão que deveria ser o fundo mas não é, e então olho pra cima, pra luz, bem fraca, mas ainda lá, esperando com Violet.

É preciso força pra me empurrar pra cima, porque agora preciso de ar, preciso muito. O pânico volta mais forte e vou em direção à superfície. *Vamos,* penso. *Por favor, vamos.* Meu corpo quer subir, mas está cansado. *Sinto muito. Sinto muito, Violet. Nunca mais vou deixá-la sozinha. Não sei o que estava pensando. Estou voltando.*

Quando finalmente chego à superfície, ela está sentada na margem, chorando.

— Idiota.

Sinto meu sorriso ir embora e nado em direção a ela, a cabeça levantada, com medo de afundar de novo, mesmo que só por um segundo, com medo de que ela surte.

— Seu idiota! — ela diz, mais alto desta vez, em pé, ainda de calcinha e sutiã. Envolve o corpo com os braços, tentando se esquentar, tentando se cobrir, tentando se afastar de mim. — Que porra foi essa? Você sabe o medo que senti? Procurei por toda a parte. Fui o mais fundo que consegui antes de ficar sem ar e ter que voltar, tipo, três vezes.

Quero que ela diga meu nome pra eu saber que está tudo bem e que não fui longe demais e que não a perdi pra sempre. Mas ela não diz, e uma sensação fria e escura cresce no meu estômago — tão fria e escura quanto a água. Chego à margem do Buraco Azul, onde enfim encontro o chão, e saio de lá até ficar perto dela, pingando.

Ela me empurra com força e empurra de novo, e meu corpo é jogado pra trás, mas continuo de pé. Fico ali enquanto ela me bate, e então começa a chorar e a tremer.

Quero beijá-la, mas nunca a vi assim e não tenho certeza do que ela vai fazer se eu tentar tocá-la. Digo a mim mesmo: *Desta vez você não é o centro das atenções, Finch*. Então fico a um braço de distância e digo:

— Deixa sair todo o peso que está carregando. Você está com raiva de mim, dos seus pais, da vida, da Eleanor. Vamos. Eu aguento. Não desapareça aí dentro. — Quero dizer dentro de si mesma, onde nunca vou alcançá-la.

— Vai se ferrar, Finch.

— Melhor. Continue. Não pare agora. Não seja uma pessoa que espera. Você está viva. Sobreviveu a um acidente horrível. Mas está só... aqui. Está só *existindo*, como todas as outras pessoas. Levante. Faça isso. Faça aquilo. Ensaboe. Enxágue. Repita. Sem parar pra que não tenha que pensar nisso.

Ela me empurra várias vezes.

— Para de agir como se soubesse como me sinto. — Está me socando, mas só fico ali, pés plantados no chão, e aguento.

— Sei que tem mais aí dentro, provavelmente anos de merdas que você tem deixado de lado fingindo um sorriso.

Ela soca e soca e de repente cobre o rosto.

— Você não sabe como é. É como se tivesse uma pessoinha raivosa dentro de mim, tentando sair. Está ficando sem espaço porque cresce cada vez mais, e então começa a levantar, entra nos meus pulmões, no meu peito, na minha garganta, e continuo a empurrá-la pra baixo. Não quero que saia. Não posso deixar que saia.

— Por que não?

— Porque eu a odeio, porque ela não sou eu, mas está aqui dentro e não me deixa em paz, e tudo o que penso é que quero chegar pra alguém, qualquer pessoa, e mandar essa pessoa pro inferno, porque estou com raiva de todo mundo.

— Então não fala pra mim. Quebre alguma coisa. Soque alguma coisa. Atire alguma coisa. Ou grite. Mas tire isso de você. — Grito de novo. Grito e grito. Então pego uma pedra e arremesso no muro que envolve o buraco.

Dou uma pedra pra ela e ela fica ali, com a palma pra cima, como se não soubesse ao certo o que fazer. Pego a pedra dela e a jogo contra a parede, e então dou outra pra ela. Então ela joga pedras na parede e grita e bate os pés no chão, como uma louca. Andamos pra lá e pra cá pela margem destruindo coisas, então ela vira pra mim e de repente diz:

— O que a gente é, afinal? O que exatamente está acontecendo aqui?

É neste momento que não consigo me segurar, apesar de ela estar furiosa, apesar de ela talvez me odiar agora. Eu a puxo e a beijo como sempre quis beijar, um beijo que, se passasse na TV, seria proibido pra menores. Sinto que está tensa no início, sem querer me beijar de volta, e isso parte meu coração. Antes que eu me afaste, sinto que ela se entrega e se derrete em mim, como me derreto nela sob o sol quente de Indiana. Ela ainda está aqui, não vai a lugar nenhum, e tudo vai ficar bem. [...] *sou arrebatada. Entregamo-nos a essa lenta correnteza.* [...] *Somos agora carregados para dentro e para fora* [...] *não podemos dar um passo para fora de suas paredes sinuosas, hesitantes, abruptas, num círculo perfeito.*

Eu a afasto.

— Quer merda é essa, Finch? — Está molhada e brava e me encara com aqueles olhos verde-cinza enormes.

— Você merece coisa melhor. Não posso prometer que vou estar por perto, não porque eu não queira. É difícil explicar. Sou problemático. Estou despedaçado, e ninguém pode me consertar. Eu tentei. Ainda estou tentando. Não posso amar ninguém porque não é justo com quem me amar de volta. Nunca vou machucá-la, não como quero machucar Roamer, mas não posso prometer que não vou desmanchá-la, pedacinho por pedacinho, até você ficar em mil caquinhos, como eu. Você tem que saber no que está se metendo antes de se envolver.

— Se você não percebeu, já me envolvi, Finch. E, caso não tenha notado, também estou despedaçada. — Então, ela pergunta: — Por que você tem essa cicatriz? Me conta a verdade desta vez.

— A história verdadeira é um tédio. Meu pai tem essas fases obscuras. Tipo, bem obscuras mesmo. Como se fosse um céu sem lua nem estrelas, só a tempestade chegando. Eu era bem menor. Não sabia me defender. — Essas são só algumas das coisas que nunca quis dizer pra ela. — Eu queria poder prometer dias perfeitos e ensolarados, mas nunca vou ser como Ryan Cross.

— Se tem uma coisa que eu sei é que ninguém pode prometer nada. E eu não quero Ryan Cross. Deixa que eu me preocupo com o que eu quero. — E ela me beija. É o tipo de beijo que me faz perder a noção de tudo, então passam-se horas ou minutos até nos soltarmos.

— Aliás, caso você ache que Ryan é perfeito, saiba que ele é cleptomaníaco. É viciado em roubar coisas. E nem são coisas que ele quer, pode ser qualquer objeto. O quarto dele parece aqueles que aparecem no *Acumuladores*.

— Ultravioleta Markante, acho que amo você.

Pra ela não se sentir obrigada a dizer que também me ama, a beijo de novo, e me pergunto se ousaria fazer algo mais, ir além, porque não quero estragar o momento. Então, como agora sou eu quem está pensando demais e ela é diferente de todas as outras garotas e não quero *mesmo* estragar tudo, me concentro em beijá-la à margem do Buraco Azul, sob o sol, e isso basta.

VIOLET

O DIA D

Por volta das três horas esfria de novo, e vamos pra casa dele tomar banho e nos esquentar. Não tem ninguém, porque todos saem e voltam à hora que querem. Ele pega água na geladeira e um pacote de pretzels, e o sigo até o andar de cima, ainda molhada e tremendo.

O quarto dele está azul agora — paredes, teto, chão —, todos os móveis foram reunidos em um canto e o ambiente está dividido em dois. É menos confuso, não tem mais parede de anotações e palavras. Todo esse azul me faz sentir dentro de uma piscina, como se tivesse voltado pro Buraco Azul.

Tomo banho primeiro e fico embaixo da água quente, tentando me esquentar. Quando saio, enrolada em uma toalha, Finch está ouvindo música na vitrola antiga.

Ao contrário do mergulho no Buraco Azul, seu banho não demora mais de um minuto. Antes que eu me vista, ele reaparece, com a toalha em volta da cintura, e diz:

—Você nunca me perguntou o que eu estava fazendo naquele parapeito. — E fica ali, aberto e pronto pra me contar qualquer coisa, mas por algum motivo não tenho certeza se quero saber.

— O que você estava fazendo naquele parapeito? — A pergunta sai como um sussurro.

— O mesmo que você. Eu queria ver como era. Queria imaginar como seria pular de lá. Queria deixar toda essa merda pra trás. Mas quando comecei a imaginar de verdade, não gostei de como era. Então vi você.

Ele pega minha mão e me gira pra longe e depois pra perto e meu corpo se encosta no dele, e nos embalamos e balançamos um pouco, quase sem sair do lugar, pressionados um contra o outro, meu coração batendo forte porque se eu inclinar a cabeça pra trás, assim, ele vai me beijar como está acontecendo agora. Sinto seus lábios se curvando em um sorriso. Abro os olhos no momento em que Finch abre os dele, e seus olhos superazuis têm um brilho tão forte e vivo que estão quase pretos. O cabelo molhado cai na testa e ele encosta a cabeça na minha.
— Tudo bem?
Então percebo que sua toalha está no chão.
— Tudo bem. — Levo os dedos ao seu pescoço, tempo suficiente pra sentir seu pulso, que parece o meu, acelerado e quente.
— A gente não precisa fazer nada.
— Eu sei.
Então fecho os olhos enquanto minha toalha cai e a música acaba. Ainda escuto depois que estamos na cama embaixo dos lençóis e outras músicas tocam.

O DIA D

Ela é oxigênio, carbono, hidrogênio, nitrogênio, cálcio e fósforo. Os mesmo elementos que estão dentro de todos nós, mas não consigo parar de pensar que ela é mais que isso e que tem outros elementos dos quais ninguém nunca ouviu falar, que a tornam diferente de todas as outras pessoas. Sinto um breve pânico enquanto penso: *O que aconteceria se um desses elementos desse pane ou simplesmente parasse de funcionar?* Me obrigo a tirar essa ideia da cabeça e me concentro na sensação da pele dela até não ver mais moléculas, mas Violet.

Enquanto a música toca na vitrola, ouço minha próxima composição tomar forma.

Você me faz te amar...

O verso fica tocando na minha cabeça enquanto mudamos de em pé para deitados.

Você me faz te amar...
Você me faz te amar...
Você me faz te amar...

Quero levantar e escrever e prender na parede. Mas não levanto.

Depois, quando estamos deitados emaranhados, sem fôlego e Nossa e Uau, ela diz:

— Preciso ir pra casa.

Ficamos deitados mais um tempo e ela repete que precisa ir.

No carro, damos as mãos e não falamos sobre o que aconteceu. Em vez de ir pra casa dela, desvio o caminho. Quando chego à torre Purina, ela quer saber o que vamos fazer.

Pego o cobertor e o travesseiro no banco de trás e digo:

—Vou te contar uma história.

— Lá em cima?

— Sim.

Subimos a escada de metal até o topo. O ar deve estar frio, porque sai fumaça da minha boca, mas me sinto todo quente. Passamos pela árvore de Natal e estendo o cobertor. Nos deitamos e nos enrolamos no cobertor e a beijo.

Ela está sorrindo quando me afasta.

— Então, me conta a história.

Nos encostamos, ela com a cabeça em meu ombro, e, como se eu tivesse pedido, as estrelas ficam claras e brilhantes. Há milhões delas.

— Era uma vez um astrônomo britânico famoso chamado Sir Patrick Moore. Ele apresentava um programa na BBC chamado *The Sky at Night*, que ficou no ar por uns cinquenta e cinco anos. No dia primeiro de abril de 1976, Sir Patrick Moore anunciou que algo extraordinário estava pra acontecer no céu. Exatamente às 9h47 da manhã, Plutão passaria atrás de Júpiter, em relação à Terra. Era um alinhamento raro, que significava que a força gravitacional combinada desses dois planetas exerceria uma atração maior sobre as marés, que neutralizaria temporariamente a gravidade da Terra e faria com que as pessoas pesassem menos. Ele chamou de efeito gravitacional de Júpiter-Plutão.

Sinto Violet pesar contra meu braço e por um momento me pergunto se está dormindo.

— Patrick Moore disse aos telespectadores que eles poderiam sentir o fenômeno se, no momento exato em que o alinhamento acontecesse, eles pulassem. Se conseguissem, iriam se sentir sem peso, flutuando.

Ela se ajeita na posição.

— Às 9h47, ele disse a todos: "Pulem agora!". E esperou. Um minuto se passou, e a central da BBC se acendeu com centenas de pessoas ligando pra dizer que tinham sentido. Uma mulher telefonou da Holanda pra dizer que ela e o marido tinham flutuado pela sala juntos. Um homem ligou da Itália pra dizer que ele e os amigos estavam sentados à mesa, e todos eles, incluindo a mesa, subiram no ar. Outro homem ligou dos Estados Unidos pra dizer que ele e os filhos tinham voado como pipas no quintal de casa.

Violet levanta um pouco a cabeça e olha pra mim:

— Essas coisas aconteceram mesmo?

— Claro que não. Era uma pegadinha de primeiro de abril.

Ela dá um tapa no meu braço e deita de novo.

— Eu estava acreditando.

— Mas eu contei tudo isso pra dizer que é assim que me sinto agora. Como se Plutão e Júpiter estivessem alinhados com a Terra e eu estivesse flutuando.

Depois de um minuto, ela diz:

— Você é tão estranho, Finch. Mas essa foi a coisa mais bonita que alguém já me disse.

VIOLET

A MANHÃ SEGUINTE

Acordo antes dele, e o cobertor está em cima da gente como se fosse uma barraca. Fico deitada um tempo, sentindo seu braço em volta de mim e o som de sua respiração. Ele está tão calmo e quieto que mal o reconheço. Fico vendo como as pálpebras tremem enquanto ele sonha, e me pergunto se está sonhando comigo.

Como se sentisse que estou olhando, ele abre os olhos.

— Você é de verdade — ele diz.

— Sou.

— Não é o efeito gravitacional de Júpiter-Plutão.

— Não.

— Nesse caso — ele ri com malícia —, ouvi dizer que Plutão e Júpiter e a Terra estão prestes a se alinhar. Será que você gostaria de se juntar a mim num experimento de flutuação? — Ele me puxa pra perto e o cobertor desce um pouco. Pisco na claridade e no frio.

E percebo.

É de manhã.

E o sol está nascendo.

Ou seja, depois que o sol se pôs, não fui pra casa nem liguei pros meus pais pra avisar onde estava. Ou seja, ainda estamos na torre Purina, onde passamos a noite.

— É de manhã — digo, e sinto que vou passar mal.

Finch senta, o rosto pálido.

— Merda!

— Ai-meu-Deus-ai-meu-Deus-ai-meu-Deus.

— Merda-merda-merda.

Parece que demoram anos até descermos os vinte e cinco mil degraus e chegarmos de volta no chão. Ligo pros meus pais enquanto Finch dirige rápido pra sair do estacionamento.

— Mãe? Sou eu.

Do outro lado da linha, ela cai no choro, então meu pai pega o telefone.

— Você está bem? Está segura?

— Sim, sim. Desculpa. Eu estou voltando. Estou quase chegando.

Finch quebra recordes de velocidade pra me levar pra casa, mas não me diz uma palavra, talvez por estar tão concentrado em dirigir. Também não digo nada até virarmos na rua de casa. E me vem à cabeça tudo de novo, o que eu fiz.

— Ai, meu Deus! — digo, com as mãos no rosto. Finch para o carro com tudo e saímos correndo pela calçada. A porta de casa está aberta, e ouço vozes lá dentro, aumentando e abaixando.

— É melhor você ir embora — digo. — Deixa que eu falo com eles.

Mas meu pai aparece; envelheceu vinte anos da noite pro dia. Seus olhos examinam meu rosto inteiro, se certificando de que estou bem. Me puxa pra perto e me abraça forte, quase me sufocando. Então diz, por cima da minha cabeça:

— Entre, Violet. Se despeça de Finch. — Parece definitivo, como se dissesse *Se despeça de Finch porque nunca mais vai vê-lo.*

Atrás de mim, ouço Finch dizer:

— Perdemos a noção da hora. Não é culpa dela, é minha. Por favor, não culpe Violet.

Minha mãe também está ali agora, e digo ao meu pai:

— Não é culpa dele.

Mas meu pai nem escuta. Está olhando pro Finch.

— Se eu fosse você, iria embora daqui, garoto.

Como Finch nem se mexe, meu pai dá um passo à frente, e tenho que impedi-lo.

— James! — Minha mãe puxa o braço do meu pai pra que ele não passe por mim e vá atrás de Finch, e depois puxamos meu pai pra dentro de casa, e agora é a minha mãe que quase me estrangula me abraçando forte demais e chorando. Não vejo nada, porque mais uma vez estou sendo sufocada, mas de repente ouço o carro de Finch partindo.

Dentro de casa, depois que meus pais e eu (meio que) nos acalmamos, sento com eles. Quase só meu pai fala e minha mãe fica olhando pro chão, as mãos moles sobre o colo.

— Esse garoto é encrenca, Violet. Ele é imprevisível. Ele tem problemas para lidar com a raiva desde pequeno. Não é o tipo de pessoa com quem você deveria conviver.

— Como você... — Mas então me lembro dos telefones que Finch deu pra eles, escritos com tanto cuidado. — Vocês ligaram pra mãe dele?

Minha mãe diz:

— O que a gente devia ter feito?

Meu pai balança a cabeça.

— Ele mentiu pra nós sobre o pai. Os pais dele se divorciaram no ano passado. Finch o encontra uma vez por semana.

Estou tentando lembrar o que Finch disse sobre mentiras não serem mentiras se sentimos que são reais. Minha mãe diz:

— Ela ligou pro pai dele.

— Quem ligou...?

— A sra. Finch. Ela disse que ele saberia o que fazer, que talvez soubesse onde Finch estava.

Meu cérebro está tentando acompanhar tudo, apagar incêndios, pensar em maneiras de dizer pros meus pais que Finch não é o enganador que eles estão pensando. Que isso *sim* é mentira. Mas então meu pai diz:

— Por que não nos contou que era ele na torre do sino?

— Como vocês...? Também foi o pai dele que contou isso a vocês? — Talvez eu não tenha esse direito, mas meu rosto está ficando quente e minhas mãos estão queimando, como acontece quando fico com raiva.

— Como você não estava em casa à uma da manhã e não atendia o telefone, ligamos pra Amanda pra ver se você estava na casa dela ou se ela tinha visto você. Ela disse que provavelmente você estava com Finch, o garoto de quem você salvou a vida.

O rosto da minha mãe está molhado, seus olhos, vermelhos.

—Violet, não estamos tentando bancar os malvados aqui. Só queremos fazer o que é melhor.

Melhor pra quem?, tenho vontade de questionar.

—Vocês não confiam em mim.

— Você sabe que isso não é verdade. — Ela parece magoada e brava.

— Achamos que temos sido muito legais, considerando tudo o que aconteceu. Mas você precisa pensar um pouco e tentar entender nosso lado. Não estamos sendo superprotetores nem sufocando você. Queremos nos certificar de que esteja bem.

— E que não aconteça comigo o que aconteceu com Eleanor. Por que não me trancam em casa pra sempre pra nunca mais terem que se preocupar?

Minha mãe balança a cabeça pra mim. Meu pai continua:

—Você não vai mais vê-lo. Nada de andar de carro com ele por aí. Vou falar com seu professor na segunda-feira, se for preciso. Você pode escrever um relatório ou fazer alguma outra coisa pra substituir esse tal projeto. Estamos entendidos?

— Circunstâncias atenuantes. — Aqui estou eu de novo.

— O quê?

— Sim. Estamos entendidos.

Da janela do quarto, vejo a rua lá fora, como se Finch fosse aparecer. Se ele vier, vou sair pela janela e dizer pra ele dirigir, só dirigir, o mais rápido e para o mais longe possível. Fico sentada aqui um tempo e ele não vem. A voz dos meus pais ressoa lá de baixo, e sei que nunca mais vão confiar em mim.

FINCH

O QUE VEM DEPOIS

Vejo o SUV antes de vê-lo. Quase passo direto pela minha casa e simplesmente continuo dirigindo, sei lá pra onde, mas alguma coisa me faz parar e entrar.

— Estou aqui — grito. — Pode vir.

Meu pai vem correndo da sala como um tanque de guerra, seguido por minha mãe e Rosemarie agitadas logo atrás. Minha mãe está se desculpando comigo ou com ele, não sei.

— O que eu podia fazer?... O telefone toca às duas da manhã, deve ser uma emergência... Kate não estava em casa... Eu não tive escolha...

Meu pai não diz uma palavra, só me faz voar pela cozinha e bater na porta. Levanto, me recomponho e, na próxima em vez que ele levanta o braço, dou risada. Isso mexe tanto com ele que o braço para no ar, e vejo que está pensando: *Ele é mais louco do que eu imaginava.*

— É o seguinte: você pode passar as próximas cinco horas me batendo até eu virar pó, mas não ligo. Não sinto mais.

Deixo que tente acertar um último golpe, mas quando sua mão vem na minha direção, a agarro pelo pulso.

— Só pra você saber: nunca mais vai fazer isso.

Não espero que funcione, mas deve ter alguma coisa diferente na minha voz, porque ele abaixa o braço. Digo pra minha mãe:

— Sinto muito por ter preocupado vocês. Violet está em casa e está bem, e eu vou pro quarto.

Espero que meu pai venha atrás de mim. Em vez de trancar a porta e empurrar a cômoda pra bloqueá-la, deixo aberta. Espero que minha mãe venha ver se estou bem. Mas ninguém vem porque, afinal, aqui em casa ninguém nunca quer se envolver.

Escrevo um pedido de desculpas pra Violet. **Espero que você esteja bem. Espero que eles não tenham sido muito duros. Gostaria que isso não tivesse acontecido, mas não me arrependo de nada.**

Ela responde: **Eu estou bem. E você? Encontrou seu pai? Também não me arrependo, apesar de desejar que pudéssemos voltar no tempo e chegar em casa na hora certa. Meus pais não querem mais que a gente se veja.**

Escrevo: **Vamos ter que convencê-los a mudar de ideia. Aliás, pelo menos você me provou uma coisa, Ultravioleta — existe aquilo de dia perfeito.**

Na manhã seguinte, vou até a casa dela e toco a campainha. A sra. Markey atende, mas, em vez de me deixar entrar, fica na entrada, a porta fechada atrás de si. Sorri como se pedisse desculpas.

— Sinto muito, Theodore. — Ela faz que não com a cabeça, e esse gesto diz tudo. *Sinto muito, mas você nunca mais vai chegar perto da minha filha porque você é diferente e estranho e não confiável.*

Ouço o sr. Markey lá dentro.

— É ele?

Ela não responde. Seus olhos correm pelo meu rosto, como se procurasse hematomas ou talvez algo mais profundo e ainda pior. É um gesto gentil, mas faz com que eu me sinta como se não estivesse ali.

— Você está bem?

— Claro. Estou bem. Nada pra ver aqui. Estaria melhor, vamos dizer, se pudesse conversar com vocês e explicar e pedir desculpas e ver Violet. Só alguns minutos, não mais que isso. Talvez se eu pudesse entrar... — Tudo o que preciso é de uma chance de sentar com eles e conversar e dizer que não é tão ruim como estão pensando, que nunca mais vai acontecer e que não estavam errados em confiar em mim.

Sobre os ombros da esposa, o sr. Markey franze a sobrancelha pra mim.

—Você tem que ir embora.

Simples assim, eles fecham a porta, e fico na entrada, trancado pra fora e sozinho.

Em casa, digito **eleanoreviolet.com** e o resultado é um aviso: **Servidor não encontrado**. Digito de novo e de novo, mas toda vez é a mesma coisa. *Ela se foi, se foi, se foi.*

No Facebook, escrevo: **Você está aí?**

Violet: **Estou.**

Eu: **Fui te ver.**

Violet: **Eu sei. Eles estão tão bravos comigo.**

Eu: **Não falei que sempre estrago tudo?**

Violet: **Você não fez isso sozinho — fizemos juntos. É culpa minha. Eu não estava pensando direito.**

Eu: **Estou deitado, desejando que pudesse voltar no tempo até a manhã de ontem. Quero que os planetas se alinhem de novo.**

Violet: **Vamos dar um tempo pra eles.**

Escrevo: **Tempo é a única coisa que não tenho**, mas então apago.

FINCH

COMO SOBREVIVER À AREIA MOVEDIÇA

Na mesma noite, me mudo pro closet do meu quarto, que é quentinho e aconchegante, como uma caverna. Empurro os cabides pra um canto e estico no chão o edredom da cama. Coloco a jarra de água medicinal de Mudlavia no chão e uma foto de Violet na parede — ela na Flash Azul —, junto com a placa que peguei no local do acidente. Então apago a luz. Apoio o laptop nos joelhos e ponho um cigarro apagado na boca, porque o ar já está escasso aqui.

É o Acampamento Finch de Sobrevivência. Já estive aqui e conheço os passos como a palma da minha enorme mão. Ficarei aqui o tempo que for preciso, o quanto for necessário.

Os Caçadores de Mitos afirmam que não é possível se afogar em areia movediça, mas diga isso à jovem que viajou até Antígua pro casamento do pai (segunda esposa) e foi sugada pela praia enquanto assistia ao pôr do sol. Ou aos adolescentes que foram engolidos por um poço de areia movediça construído na propriedade de um empresário de Illinois.

Aparentemente, pra sobreviver à areia movediça, é preciso ficar completamente imóvel. Ao entrar em pânico, você é puxado pra baixo e afunda. Então, talvez se eu ficar parado e seguir os Oito Passos para Sobreviver à Areia Movediça, vou superar tudo.

1. *Evite a areia movediça.* Tá. Tarde demais. Próximo.
2. *Leve uma vara grande quando estiver se aproximando de um território de areia movediça.* A teoria aqui é a de que você pode usar a vara pra testar o chão à frente e até se erguer caso afunde. O pro-

blema é que nem sempre sabemos quando estamos entrando em território de areia movediça até que seja tarde demais. Mas gosto da ideia de estar preparado. Imagino que já saí deste passo e passei para:

3. *Largue tudo caso se encontre em areia movediça.* Se tiver algo pesado com você, é possível que seja puxado mais rápido pro fundo. Arranque os sapatos e se livre de qualquer outra coisa que esteja carregando. É sempre melhor fazer isso quando sabe de antemão que vai encontrar areia movediça (veja o número 2), então, em suma, caso esteja indo para algum lugar onde exista essa possibilidade, vá despido. Minha mudança pro closet faz parte de "largar tudo".

4. *Relaxe.* Isso remete à máxima fique-completamente-imóvel--pra-não-afundar. Curiosidade adicional: se você relaxar, seu corpo vai boiar naturalmente. Em outras palavras, é hora de ficar calmo e deixar o efeito gravitacional de Júpiter-Plutão assumir.

5. *Respire fundo.* Isso anda lado a lado com o número 4. O truque, aparentemente, é manter o máximo de ar possível nos pulmões — quanto mais você respirar, mais vai boiar.

6. *Fique de costas.* Se começar a afundar, simplesmente caia pra trás e se espalhe o máximo que puder enquanto deixa as pernas livres. Assim que se desprender, poderá seguir devagar até a terra firme e a segurança.

7. *Não se apresse.* Movimentos rápidos só vão prejudicar, então se mexa devagar e com cuidado até ficar livre de novo.

8. *Faça pausas.* Sair da areia movediça pode ser um processo demorado, então certifique-se de fazer pausas quando sentir o fôlego chegando ao fim ou o corpo cansando. Fique com a cabeça erguida pra ganhar tempo.

VIOLET

A SEMANA SEGUINTE

Volto pras aulas imaginando que todos já sabem. Ando pelos corredores e paro em frente ao meu armário e sento na sala e espero que professores e colegas me olhem como quem sabe ou digam "Acho que alguém não é mais virgem". Na verdade, chega a ser decepcionante quando isso não acontece.

A única que percebe é Brenda. Sentamos na cantina beliscando os burritos que algum cozinheiro de Indiana tentou preparar, e ela pergunta o que fiz no final de semana. Minha boca está cheia de burrito, e tento decidir se engulo ou cuspo, então não respondo na hora. Ela diz:

— Ai, meu Deus, você transou com ele.

Lara e as três Brianas param de comer. Quinze ou vinte cabeças se viram na nossa direção porque Brenda sempre fala muito alto.

— Você sabe que ele nunca vai contar nada pra ninguém, né?! Quer dizer, ele é um cavalheiro. Caso esteja se perguntando. — Ela abre o refrigerante e manda metade da latinha pra dentro.

Tudo bem, eu estava me perguntando um pouco. Afinal, foi a minha primeira vez, mas não a dele. Confio em Finch, mas a gente nunca sabe — os caras costumam falar — e apesar de o Dia D não ter sido depravado, me sinto um pouco depravada, mas também meio adulta.

Quando estamos saindo da cantina, pra mudar de assunto, conto sobre a *Semente* e pergunto se ela gostaria de participar.

Ela estreita os olhos, como se tentasse descobrir se estou brincando.

— Estou falando sério. Ainda tem muita coisa pra ser decidida, mas quero que a *Semente* seja original.

Bren joga a cabeça pra trás e ri, quase diabólica.

— Tá bom — ela diz, recuperando o fôlego. — Eu topo.

Quando vejo Finch na aula de geografia, ele parece cansado, como se não tivesse dormido nada. Sento ao lado dele, no lado oposto de Amanda, Roamer e Ryan, e depois da aula ele me arrasta pra debaixo da escada e me beija como se estivesse com medo que eu desaparecesse. Tem algo de proibido nisso tudo que faz as correntes elétricas serem ainda mais fortes, e quero que a escola acabe pra sempre pra gente nunca mais ter que vir pra cá. Digo a mim mesma que a gente pode simplesmente sair com o Tranqueira para o oeste, o leste, o norte ou o sul, até deixar Indiana lá pra trás. Vamos andar pelo país e pelo mundo, Theodore Finch e eu.

Mas por enquanto, pelo resto da semana, nos vemos só na escola, nos beijamos embaixo das escadas ou em cantos escondidos. À tarde vamos cada um pra um lado. À noite conversamos pela internet.

Finch: **Alguma novidade?**

Eu: **Se está falando dos meus pais, não.**

Finch: **Quais são as chances de eles perdoarem e deixarem pra lá?**

A verdade é que as chances não são muito grandes. Mas não quero dizer isso porque ele já está preocupado o suficiente, e desde aquela noite tem alguma coisa velada nele, como se estivesse atrás de uma cortina.

Eu: **Eles só precisam de tempo.**

Finch: **Odeio me sentir em *Romeu e Julieta*, mas quero ficar sozinho com você. Tipo, não cercado por todos os alunos do Bartlett.**

Eu: **Se você viesse aqui e eu saísse escondida ou botasse você pra dentro, aí é que eles iam me trancar em casa pra sempre mesmo.**

Ficamos uma hora pensando em situações loucas pra nos encontrarmos, incluindo fingir uma abdução alienígena, acionar o alarme de furacão da cidade e cavar um túnel subterrâneo que iria da casa dele até a minha.

É uma hora da manhã quando digo que preciso dormir, mas acabo deitada na cama de olhos abertos. Meu cérebro está desperto e agitado, como costumava ser antes da última primavera. Acendo a luz e rabisco ideias pra *Semente* — uma seção de dúvidas respondidas por pais, playlists de livros, trilhas sonoras mensais, listas de lugares onde garotas como eu podem se reunir. Uma das coisas que quero criar é uma seção de andanças, pra que os leitores mandem fotos ou vídeos de seus lugares preferidos — grandiosos, pequenos, bizarros, poéticos, nada comuns.

Mando um e-mail pra Brenda e uma mensagem pro Finch, pro caso de ele ainda estar acordado. Então, mesmo que esteja me precipitando um pouco, escrevo pra Jordan Gripenwaldt, Shelby Padgett, Ashley Dunston, as três Brianas e a repórter Leticia Lopez, convidando-as a contribuir. Mando também pra Lara, amiga de Brenda, e outras garotas que sei que são escritoras ou artistas ou têm algo original a dizer: *Prezada Chameli, Olivia, Rebekah, Emily, Sa'iyda, Priscilla, Annalise...* Eleanor e eu éramos eleanoreviolet.com, mas, na minha opinião, quanto mais vozes melhor.

Penso em chamar Amanda. Escrevo uma carta pra ela e deixo na pasta de rascunhos. De manhã, ao acordar, deleto.

No sábado, tomo café da manhã com meus pais e depois digo que vou de bicicleta até a casa da Amanda. Eles não me perguntam por que quero conversar com essa garota de quem mal gosto nem o que estamos pensando em fazer nem a que horas vou voltar. Por algum motivo, eles confiam em Amanda Monk.

Passo reto pela casa dela e continuo a atravessar a cidade em direção à casa de Finch, e é tudo muito fácil, apesar de eu sentir uma pontada estranha no peito por ter mentido pros meus pais. Quando chego lá, Finch me faz subir pela escada de incêndio e entrar pela janela pra não encontrar a mãe nem as irmãs.

—Você acha que elas viram? — Bato a poeira da calça.

— Duvido. Elas nem estão em casa. — Ele ri quando belisco seu braço, e de repente suas mãos estão no meu rosto e ele está me beijando, o que faz a pontada desaparecer.

Como a cama está cheia de roupas e livros, ele tira um edredom do closet e deitamos no chão, enrolados na coberta. Cobertos, tiramos a roupa e nos esquentamos, e depois conversamos como crianças, cobrindo a cabeça. Ficamos ali, sussurrando, como se alguém pudesse ouvir, e pela primeira vez conto a ele sobre a *Semente*.

— Acho que pode realmente virar uma coisa bacana, e é por sua causa — digo. — Quando conheci você, tinha parado com tudo isso e nem me importava.

— Primeiro: você acha que tudo é só pra preencher o tempo, mas as palavras que escreve vão continuar aqui quando você morrer. Segundo: você tinha parado com muitas coisas, mas ia voltar ao normal, me conhecendo ou não.

Por algum motivo, não gosto do que ele diz, como se pudesse existir um universo em que eu não o conhecesse. Mas aí estamos embaixo da coberta de novo falando de todos os lugares do mundo onde gostaríamos de fazer andanças, o que de alguma forma vira todos os lugares do mundo onde gostaríamos de transar.

— A gente vai botar o pé na estrada — Finch diz, acariciando em círculos meu ombro, meu braço, até meu quadril. — Vamos andar por todos os estados, e depois atravessar o oceano e fazer andanças por lá também. Vai ser uma andançaratona.

— Andançamania.

— Andançarama.

Sem pesquisar no computador, listamos os lugares aonde poderíamos ir. E então tenho aquela sensação de novo, como se ele tivesse se escondido atrás de uma cortina. E aí a pontada volta e não consigo evitar pensar em tudo o que fiz pra estar aqui — sair escondida de meus pais, mentir pra eles.

De repente, digo:

— É melhor eu voltar pra casa.

Ele me beija.
—Você podia ficar um pouco mais.
Então eu fico.

VIOLET

RECESSO DE PRIMAVERA

Meio-dia. Campus da NYU. Nova York, NY.

Minha mãe diz:

— Seu pai e eu estamos felizes em passar esse tempo com você, querida. É bom pra todos nós dar uma escapada. — Ela parece se referir à nossa casa, mas acho que, mais que isso, ela quer dizer escapar de Finch.

Trouxe nosso caderno de andanças pra fazer anotações sobre as construções e a história e tudo de interessante que possa querer compartilhar com ele. Meus pais estão discutindo sobre eu me inscrever pra entrar na primavera do ano que vem e me transferir da faculdade que eu escolher pro outono.

Estou mais preocupada com o fato de Finch não ter respondido às minhas três últimas mensagens. Me pergunto se é assim que vai ser ano que vem se eu vier pra Nova York ou for pra qualquer outro lugar — eu tentando me concentrar na faculdade, na vida, sendo que tudo o que faço é pensar nele. Me pergunto se ele virá comigo ou se nosso fim inevitável é o ensino médio.

Minha mãe diz:

— Logo o momento vai chegar e não estou pronta. Acho que nunca estarei pronta.

— Não vai chorar, mãe. Você prometeu. Ainda tem muito tempo até isso acontecer, e não sabemos pra onde eu vou.

Meu pai diz:

—Vai ser só uma desculpa pra gente visitar você e passar um tempo na cidade. — Mas seus olhos também se enchem de lágrimas.

Apesar de não falarem nada, sinto toda a expectativa e o peso nas nossas costas. Porque eles não tiveram a chance de fazer isso com a filha mais velha. Nunca puderam levá-la pra universidade nem desejar um bom primeiro ano, se cuida, venha nos visitar, qualquer coisa é só ligar. É só mais um momento que foi roubado, mais um que tenho que compensar porque sou tudo o que restou.

Antes que a gente perca a linha bem ali, no meio do campus, digo:
— Pai, conta um pouco da história da NYU?

Tenho um quarto só pra mim no hotel. É estreito, tem duas janelas, uma cômoda e uma estante gigante que parece que vai cair e me esmagar enquanto durmo.

As janelas estão bem fechadas, mas mesmo assim ouço os barulhos da cidade, bem diferentes dos que ouço em Bartlett — sirenes, gritos, música, caminhões de lixo pra cima e pra baixo.

— Então, você tem alguém especial na sua cidade? — a agente da minha mãe pergunta durante o jantar.

— Não — respondo, e meus pais trocam um olhar de alívio e convicção de que, sim, eles fizeram a coisa certa ao me afastar de Finch.

A única luz no quarto vem do laptop. Folheio nosso caderno, cheio de anotações, e depois vasculho nossas mensagens no Facebook — são tantas agora — e escrevo mais uma, citando Virginia Woolf: "[...] **vamos rodopiar até as cadeiras douradas. [...] Lua, não somos agradáveis? Não somos adoráveis sentados aqui juntos...?**".

DIA 64 DESPERTO

No último domingo do recesso de primavera neva de novo e por mais ou menos uma hora tudo fica branco. Passamos a manhã com a minha mãe. Ajudo Decca a construir no jardim um homem metade de neve, metade de lama, depois caminhamos seis quadras pra andar de trenó na colina que fica atrás da escola onde fiz o jardim de infância. Apostamos corrida e deixo Decca ganhar todas as vezes porque isso a deixa feliz. No caminho pra casa, ela diz:

— Espero que não tenha me deixado ganhar.

— Jamais. — Coloco o braço em volta dos ombros dela e Decca não se afasta.

— Não quero ir pra casa do papai — diz.

— Nem eu. Mas você sabe que no fundo isso é muito importante pra ele, mesmo que não demonstre. — Minha mãe me disse isso uma vez. Não sei se acredito, mas talvez Decca acredite. Por mais durona que seja, ela precisa se apegar a alguma coisa.

À tarde, vamos pra casa dele, ficamos lá sentados, espalhados pela sala, assistindo hóquei em mais uma tela plana gigante que foi pendurada na parede.

Meu pai alterna entre gritar com a televisão e ouvir Kate contar sobre Colorado. Josh Raymond está sentado ao lado dele, assistindo o jogo e mastigando cada garfada quarenta e cinco vezes. Sei disso porque estou tão entediado que comecei a contar.

Em determinado momento, levanto e vou ao banheiro, menos por vontade e mais pra esvaziar a cabeça e mandar uma mensagem pra Violet, que volta hoje. Fico ali sentado esperando que ela responda, abrindo e fechando as torneiras. Lavo as mãos, lavo o rosto, vasculho os armários, estou indo pra prateleira do boxe quando meu celular vibra.

Cheguei! Vou até aí?

Escrevo: **Ainda não. Por enquanto estou no inferno, mas vou embora o quanto antes.**

Trocamos mensagens por um tempo e depois saio pelo corredor, em direção ao barulho e às pessoas. Passo pelo quarto de Josh Raymond e a porta está entreaberta e ele está lá. Bato e ele diz, desafinado:

— Pode entrar.

Entro no que parece ser o maior quarto que um garoto de sete anos poderia ter. É tão gigante que me pergunto se ele precisa de um mapa, e está cheio de todo tipo de brinquedo, a maioria a bateria.

—Você tem um quarto e tanto, Josh Raymond. — Tento não deixar que isso me incomode porque a inveja é um sentimento ruim e desagradável que nos destrói por dentro e não preciso ficar aqui, com quase dezoito anos e uma namorada muito gostosa, ainda que ela não tenha mais permissão pra me ver, me preocupando com o fato de que meu meio-irmão parece ter milhares de Legos.

— É legal. — Ele está vasculhando um baú que contém, acredite ou não, mais brinquedos, quando vejo dois cavalinhos de pau antigos, um preto e um cinza, esquecidos em um canto. Eram meus cavalinhos de pau, aqueles com os quais brincava por horas quando era mais novo que ele, fingindo ser Clint Eastwood em um dos filmes antigos que meu pai costumava assistir na nossa TV de tubo pequena. Aquela que, coincidentemente, ainda temos e usamos lá em casa.

— Esses cavalinhos são incríveis — digo. Lembro que os nomes eram Meia-Noite e Sentinela.

Ele olha em volta, pisca duas vezes e diz:

— São legais.

— Como eles chamam?

— Eles não têm nome.

De repente tenho vontade de pegar os cavalinhos de pau, marchar até a sala e bater na cabeça do meu pai com eles. E depois levá-los pra casa. Eu daria atenção a eles todos os dias. Andaria com eles por toda a cidade.

— De onde eles vieram?

— Meu pai comprou pra mim.

Não seu pai, quero dizer. *Meu* pai. Vamos esclarecer isso aqui e agora. Você já tem um pai, e ainda que o meu não seja muito legal, é o único que eu tenho.

Mas aí olho pra esse garoto, pro rosto fino e pro pescoço fino e pros ombros magros, e ele tem sete anos e é pequeno pra idade, e lembro como isso me fazia sentir. E também lembro como foi crescer com a companhia do meu pai.

— Sabe, eu tive dois cavalos há um tempo, não tão legais quanto estes, mas eram bem durões. Meia-Noite e Sentinela.

— Meia-Noite e Sentinela? — Ele olha pros cavalos. — São nomes bacanas.

— Se quiser, pode colocar nos seus.

— Sério? — Ele olha pra mim de olhos arregalados.

— Claro.

Josh Raymond encontra o brinquedo pelo qual estava procurando — um tipo de carro-robô — e quando saímos pela porta ele pega minha mão.

De volta à sala, meu pai abre seu sorriso de programa de TV e acena pra mim.

—Você devia trazer sua namorada aqui — diz, como se nada tivesse acontecido e nós fôssemos melhores amigos.

— Não vai dar. Ela é muito ocupada aos domingos.

Imagino a conversa entre meu pai e o sr. Markey.

O delinquente do seu filho está com a minha filha. Provavelmente, graças a ele, ela está jogada numa vala qualquer neste exato momento.

O que você esperava? Ele é mesmo delinquente, e criminoso, e um desastre emocional, e uma aberração decepcionante e problemática. Dê graças a Deus pela filha que tem, senhor, porque, acredite, você não ia querer meu filho. Ninguém quer.

Vejo que meu pai está pensando em alguma coisa pra dizer.

— Bom, pode ser qualquer dia, não é, Rosemarie? Mas convide quando der. — Está em uma de suas melhores fases, e Rosemarie concorda com a cabeça e sorri. Ele bate a mão no braço da poltrona. — Traga ela aqui, vamos colocar uns filés na grelha e preparar alguma coisa com grãos e vegetais pra você.

Me esforço para não explodir pela sala. Tento me manter pequeno e contido. Conto o mais rápido que posso.

Felizmente, o jogo recomeça e ele se distrai. Fico ali por mais alguns minutos e então agradeço Rosemarie pela refeição, pergunto a Kate se ela pode levar Decca de volta pra casa e digo que as encontro lá.

Em vez de voltar direto, dirijo sem rumo. Sem mapa, sem propósito. Parece que fico rodando por horas, passando por campos brancos. Vou em direção ao norte e depois ao oeste e depois ao sul e depois ao leste, com o Tranqueira chegando a cento e quarenta. Quando o sol se põe, volto pra Bartlett, cortando o coração de Indianápolis, fumando o quarto cigarro seguido. Dirijo rápido demais, mas não parece o suficiente. De repente odeio o Tranqueira por me segurar quando preciso ir, ir, ir.

A nicotina arranha minha garganta, que já está rouca, e sinto que vou vomitar, então encosto e caminho um pouco. Me curvo, apoiando as mãos nos joelhos. Espero. Não vomito, então olho pra estrada à frente e começo a correr. Corro o mais rápido que posso, deixando o Tranqueira pra trás. Corro tão rápido que parece que meus pulmões vão explodir. Aumento ainda mais a velocidade. Desafio meus pulmões e minhas pernas a desistirem de mim. Não consigo lembrar se tranquei o carro e, Deus, odeio meu cérebro quando ele faz isso porque agora só consigo pensar na porta do carro e na fechadura, então corro ainda mais rápido. Não lembro onde está minha jaqueta, ou ao menos se trouxe uma.

Vai dar tudo certo.
Vai dar tudo certo.
Nada vai desmoronar.
Vai dar tudo certo.
Vai ficar tudo bem.
Estou bem. Bem. Bem.

De repente, estou cercado de fazendas de novo. Em determinado momento passo por uma série de estufas e viveiros comerciais. Não estão abertos porque é domingo, mas corro até a entrada de um que parece um negócio familiar. Há uma casa branca de dois andares nos fundos da propriedade.

A entrada está cheia de carros e caminhões, e ouço risadas lá dentro. Me pergunto o que aconteceria se eu simplesmente entrasse e sentasse e fingisse que estou em casa. Vou até a porta e bato. Respiro com dificuldade e devia ter esperado pra bater depois de recuperar o fôlego, mas penso: *Não, estou com muita pressa.* Bato de novo, mais forte.

Uma mulher de cabelo branco e rosto redondo e macio como um bolinho atende, ainda rindo da conversa. Me olha através da tela apertando os olhos e então abre porque estamos no interior e aqui é Indiana e não há nada a temer no que se refere a vizinhos. É uma das coisas que gosto de viver aqui e quero abraçá-la pelo sorriso aconchegante, ainda que confuso, que ela dá enquanto tenta lembrar se já me viu antes.

— Olá — digo.

— Olá — ela diz. Imagino como devo estar, o rosto vermelho, sem casaco, suando e ofegante.

Me recomponho o mais rápido que posso.

— Desculpe incomodar, mas estou indo pra casa e acabei de passar pelo viveiro. Sei que está fechado e que você provavelmente está ocupada, mas será que eu poderia escolher algumas flores pra minha namorada? É meio que uma emergência.

Seu rosto se enruga de preocupação.

— Uma emergência? Oh, meu Deus.

— Emergência talvez seja uma palavra muito forte, não queria assustar a senhora. Mas o inverno está aí e não sei onde estarei até a primavera. Ela tem nome de flor, e o pai dela me odeia, e quero que ela saiba que estou pensando nela e que esta não é uma estação em que a natureza morre, mas renasce.

Um homem vem andando atrás dela, com o guardanapo ainda preso na camisa.

— Aí está você — diz. — Estava me perguntando aonde tinha ido. — Acena pra mim.

— Este jovem está com uma emergência — ela diz.

Explico de novo a situação. Ela olha pra ele e ele olha pra mim e chama alguém lá dentro, mandando que mexa a sidra, e sai pela porta, o guardanapo voando um pouco no vento frio, e ando ao lado dele, as mãos no bolso, em direção ao viveiro, e ele puxa um molho de chaves.

Falo sem parar, agradecendo e dizendo que pagarei em dobro e até ofereço mandar uma foto de Violet com as flores — quem sabe violetas — quando entregá-las.

Ele põe a mão em meu ombro e diz:

— Não se preocupe com isso, garoto. Quero que leve o que precisar.

Do lado de dentro, inspiro o cheiro vivo e doce das flores. Quero ficar aqui, onde está quente e claro, cercado de coisas vivas. Quero morar com esse casal de bom coração e quero que me chamem de "filho", e Violet também pode morar aqui porque tem lugar pra nós dois.

Ele me ajuda a escolher as flores mais brilhantes — não só violetas, mas margaridas e rosas e lírios e outras das quais não lembro o nome. Então ele e a esposa, que se chama Margaret Ann, as colocam em uma embalagem refrigerada, para mantê-las hidratadas. Insisto em pagar, mas eles não aceitam meu dinheiro, e prometo devolver a embalagem assim que possível.

Quando terminamos, seus convidados estão reunidos do lado de fora pra ver o garoto que precisa levar flores pra garota que ama.

O homem, que se chama Henry, me dá uma carona até meu carro. Por algum motivo acho que vai levar horas, mas chegamos em minutos. Enquanto fazemos o retorno pra chegar até onde o Tranqueira está, parado e abandonado, ele diz:

— Nove quilômetros e meio. Garoto, você correu até lá?

— Sim, senhor. Acho que sim. Desculpe interromper seu jantar.

— Não se preocupe, jovem. Não se preocupe mesmo. Tem algo errado com seu carro?

— Não, senhor. Ele só não estava indo rápido o bastante.

Ele faz que sim com a cabeça, como se fizesse todo o sentido do mundo, e diz:

— Mande um oi pra sua garota por nós. E volte pra casa dirigindo, ouviu?

Passa das onze quando chego à casa dela, e fico no Tranqueira por um tempo, as janelas abertas, o motor desligado, fumando meu último cigarro, porque agora que estou aqui não quero incomodá-la com o cheiro. As janelas da casa estão acesas, e sei que ela está lá dentro com seus pais que a amam e me odeiam, e não quero atrapalhar.

Mas aí ela me manda uma mensagem, como se soubesse onde estou, dizendo: **Estou feliz por estar de volta. Quando vou ver você?**

Respondo: **Venha aqui fora.**

Ela sai em um minuto, vestindo um pijama de macacos e pantufas do Freud e um roupão roxo comprido, o cabelo preso em um rabo de cavalo. Vou até a entrada com a embalagem refrigerada, e ela diz:

— Finch, o que você está fazendo? Por que está cheirando a cigarro? — Ela olha pra trás, com medo de que eles vejam.

O ar da noite está congelante, e alguns flocos começam a cair. Mas me sinto aquecido. Ela diz:

—Você está tremendo.

— Estou? — Não percebo porque não sinto nada.

— Há quanto tempo está aqui?

— Não sei. — E de repente não consigo mesmo lembrar.

— Nevou hoje. Está nevando de novo. — Seus olhos estão vermelhos, parece que estava chorando. Pode ser porque ela odeia o inverno ou, mais provável, porque vai fazer um ano desde que o acidente aconteceu.

Estendo a embalagem e digo:

— É por isso que queria trazer isto.

— O que é?

— Abra.

Ela coloca a embalagem no chão e abre. Por alguns segundos, tudo o que faz é inspirar o cheiro das flores, então vira pra mim e, sem uma palavra, me beija. Quando se afasta, ela diz:

— Acabou o inverno. Finch, você me trouxe a primavera.

Durante muito tempo fico sentado no carro, na frente de casa, com medo de quebrar o encanto. Aqui, o ar é denso e Violet está perto. Estou envolto no dia de hoje. Amo: o jeito que os olhos dela brilham quando conversamos ou quando ela me conta alguma coisa, o jeito que ela fala as palavras pra si mesma quando lê concentrada, o jeito que olha pra mim como se só eu existisse, como se visse através da carne e dos ossos e de tudo que não importa e enxergasse só o eu que está ali, aquele que nem eu mesmo vejo.

FINCH

DIAS 65 E 66

Na escola, me pego olhando pela janela e penso: *Há quanto tempo eu estava fazendo isso?* Olho em volta pra ver se alguém percebeu, meio que já esperando que estejam todos me encarando, mas ninguém está. Isso acontece em todas as aulas, até na de educação física.

Na aula de inglês, abro o livro enquanto o professor lê e toda a turma acompanha. Apesar de ouvir as palavras, esqueço-as assim que são ditas. Ouço fragmentos, nada por completo.

Relaxe.
Respire fundo.
Conte.

Depois da aula, vou em direção à torre do sino, sem me importar que alguém veja. A porta abre rápido e me pergunto se Violet esteve aqui. Uma vez no topo, no ar puro, abro o livro de novo. Leio a mesma passagem repetidas vezes, pensando que talvez, se eu ler sozinho, vou me concentrar melhor, mas no instante em que termino uma linha e passo pra próxima, já esqueci o que veio antes.

No almoço sento com Charlie, cercado de pessoas mas sozinho. Elas falam comigo e ao redor de mim, mas não ouço. Finjo estar interessado em um livro, mas as palavras dançam na página, então me obrigo a sorrir pra que ninguém perceba e aceno e sou bastante convincente, até que Charlie diz:

— Cara, o que está acontecendo com você? Você está me deprimindo.

Na aula de geografia, o sr. Black fica na frente da lousa e relembra mais uma vez que, só porque estamos no último ano e este é o último semestre, não significa que podemos relaxar. Enquanto ele fala, eu escrevo, mas acontece o mesmo que aconteceu quando estava tentando ler — as palavras estão ali num instante, e no seguinte se foram. Violet está sentada ao meu lado, e a flagro olhando pro papel, então cubro com a mão.

É difícil descrever, mas imagino que minha sensação neste momento é muito parecida com ser sugado pra dentro de um vórtice. Tudo está escuro e girando, mas girando devagar, e tem esse peso enorme e invisível me puxando pra baixo, como se estivesse preso ao meu pé. Penso: *Essa deve ser a sensação de afundar na areia movediça.*

Parte da escrita é um balanço da minha vida, como se eu estivesse checando os itens de uma lista: Namorada incrível — o.k. Amigos decentes — o.k. Um teto sob o qual dormir — o.k. Comida — o.k.

Nunca serei baixinho e nem careca, a julgar pelo meu pai e meus avôs. Nos meus dias bons, sou mais esperto que a maioria das pessoas. Toco guitarra decentemente e tenho uma voz legal. Componho canções, canções que vão mudar o mundo.

Tudo parece bem, mas repasso a lista várias vezes pra garantir que não estou esquecendo nada, me forço a pensar além das grandes questões pra garantir que nenhum detalhe passe batido. Entre as grandes questões, minha família podia ser melhor, mas não sou o único com essa crise. Pelo menos eles não me enxotaram de casa. A escola vai bem. Eu poderia estudar mais, mas não preciso. O futuro é incerto, mas isso pode ser bom.

Quanto aos detalhes, gosto dos meus olhos e odeio meu nariz, mas não acho que é isso que está me deixando assim. Meus dentes são bonitos. Em geral, gosto da minha boca, principalmente quando está junto à de Violet. Meus pés são grandes demais, mas antes assim do que o contrário. Se fossem muito pequenos eu cairia o tempo todo. Gosto da minha guitarra e da minha cama e dos meus livros, principalmente os recortados.

Penso em tudo, mas no fim o peso está ainda maior, como se subisse pelo resto do corpo e me sugasse pra baixo.

O sinal toca e eu levo um susto, o que faz todo mundo rir, exceto Violet, que me olha atentamente. Tenho uma reunião com o Embrião agora e tenho medo de que ele note que alguma coisa está errada. Acompanho Violet até a sala dela e seguro sua mão e a beijo e abro o melhor sorriso possível pra ela não olhar mais pra mim desse jeito. Então, como a sala dela é longe da sala do Embrião e não me apresso, chego cinco minutos atrasado.

Ele quer saber o que está acontecendo e por que estou assim e se tem alguma coisa a ver com o fato de que logo vou completar dezoito anos.

Digo a ele que não é isso. Afinal, quem não quer ter dezoito anos? Pergunte pra minha mãe, que daria tudo pra não fazer quarenta e um.

— Então o que é? O que está acontecendo com você, Finch?

Preciso dar alguma explicação, então digo que o problema é com meu pai, o que não é exatamente mentira, está mais pra uma meia-verdade, porque é parte de um problema muito maior.

— Ele não quer ser meu pai — digo, e o Embrião escuta com tanta seriedade e atenção, os braços roliços cruzados na frente do peito troncudo, que me sinto mal. Então conto mais um pouco da verdade: — Ele não estava feliz com a família que tinha, então decidiu trocar por outra da qual gostasse mais. E de fato gosta mais dessa. Sua esposa nova é agradável e está sempre sorrindo, e seu filho novo, que pode ou não ser filho dele, é pequeno e fácil de lidar e não ocupa muito espaço. Até *eu* gosto mais dessa família.

Acho que falei demais, mas em vez de me dizer pra crescer e superar isso, o Embrião diz:

— Eu achava que seu pai tinha morrido numa caçada.

Por um segundo não entendo o que ele está falando. Então, tarde demais, começo a fazer que sim com a cabeça.

— Isso mesmo. Ele morreu. Estou falando de antes de ele morrer.

Ele franze a testa mas, em vez de me chamar de mentiroso, diz:

— Sinto muito por você ter passado por isso.

Quero gritar, mas digo a mim mesmo: *Disfarce a dor. Não chame a atenção. Não seja notado.* Então com as últimas gotas de energia — energia que vai me custar uma semana, talvez mais — digo:

— Ele faz o melhor que pode. Quer dizer, fazia. Quando estava vivo. O melhor dele é uma merda, mas diz mais sobre ele do que sobre mim. E além do mais, fala a verdade, quem não me amaria?

Enquanto sento na frente dele, mandando meu rosto sorrir, meu cérebro recita o bilhete suicida de Vladimir Maiakóvski, poeta da Revolução Russa, que se matou com um tiro aos trinta e seis anos:

Meu amado barco
espatifou-se nas pedras da rotina.
Acertei as contas com a vida
e é inútil continuar contando
dores sofridas em mãos alheias.
As desgraças
e os insultos.
Sorte aos que ficam.

De repente, o Embrião está debruçado sobre a mesa, me encarando, preocupado. O que significa que devo ter recitado em voz alta sem querer.

Sua voz assume o tom calmo e ponderado de um homem que tenta convencer alguém a não pular.

— Você esteve na torre do sino hoje de novo?

— Céus, vocês têm câmeras de segurança lá em cima?

— Responda.

— Sim, senhor. Mas eu estava lendo. Ou tentando. Precisava clarear a cabeça e não conseguia fazer isso aqui embaixo, com todo o barulho.

— Finch, espero que saiba que sou seu amigo e portanto quero ajudá-lo. Mas isso também é uma questão legal e tenho uma obrigação aqui.

— Estou bem. Acredite, se eu decidir me matar, você vai ser o primeiro a saber. Vou reservar um lugar na primeira fila pra você, ou pelo menos esperar até que tenha mais dinheiro pro processo.

Nota mental: o suicídio não é algo com que se deve fazer piada, principalmente para figuras de autoridade que são responsáveis por você de alguma forma.

Me contenho.

— Desculpe. Isso foi de mau gosto. Mas estou bem. De verdade.

— O que você sabe sobre transtorno bipolar?

Quase digo: *O que* você *sabe?*, mas me obrigo a respirar e sorrir.

— É aquela coisa Jekyll-Hyde, do médico e o monstro? — Minha voz soa monótona e uniforme. Talvez um pouco entediada, apesar de meu corpo e minha mente estarem em alerta.

— Algumas pessoas chamam de transtorno maníaco-depressivo. É uma doença do cérebro, que causa mudanças de humor e energia. Há um fator genético envolvido, mas tem tratamento.

Continuo a respirar, mesmo não sorrindo mais. O que está acontecendo é o seguinte: meu cérebro e meu coração estão pulsando em ritmos diferentes; minhas mãos estão ficando frias e minha nuca está ficando quente; minha garganta está completamente seca. O que eu sei sobre transtorno bipolar é que é um rótulo. Um rótulo para pessoas loucas. Sei disso porque fiz um semestre de psicologia e vi filmes e convivi com meu pai durante quase dezoito anos, embora ninguém jamais o rotulasse, porque senão ele mataria a pessoa. Rótulos como "bipolar" significam: *É por isso que você é assim. Esse é você.* Reduzem as pessoas a doenças.

O Embrião está falando de sintomas e hipomania e episódios psicóticos quando o sinal toca. Fico de pé mais abruptamente do que gostaria, o que faz com que minha cadeira bata na parede e caia no chão. Vendo de fora, isso poderia ser tido com um ato violento, principalmente considerando meu tamanho. Antes que eu dissesse que foi um acidente, ele está em pé.

Ergo as mãos em um gesto de rendição, e então estendo a mão pra ele — um ramo de oliveira. Demora um ou dois minutos, mas ele pega minha mão. Em vez de soltar, puxa meu braço e quase encostamos nariz com nariz — ou, por causa da diferença de altura, nariz com queixo — e diz:

— Você não está sozinho. — Antes que eu diga *Na verdade, estou, sim, o que é parte do problema; estamos todos sozinhos, presos num corpo e na nossa própria cabeça, e qualquer companhia que temos na vida é passageira e superficial*, ele aperta mais forte e tenho medo de que meu braço se desprenda. — Ainda não terminamos este assunto.

Na manhã seguinte, depois da aula de educação física, Roamer passa por mim e diz, em voz baixa:

— Aberração.

Ainda tem vários caras no vestiário, mas não ligo. Pra ser mais preciso, nem penso. A coisa só acontece.

Em um instante, o pressiono contra o armário, minhas mãos na garganta dele, e o sufoco até ele ficar roxo. Charlie está atrás de mim, tentando me tirar dali, e então Kappel aparece com um taco. Continuo, porque agora estou fascinado com as veias de Roamer pulsando e sua cabeça parecendo uma lâmpada, toda acesa e brilhando.

São necessários quatro caras pra me tirar de cima dele porque tenho punhos de aço. Penso: *Você me colocou aqui. Você fez isso. É culpa sua, culpa sua, culpa sua.*

Roamer cai no chão e enquanto me levam pra longe olho nos olhos dele e digo:

— Você nunca mais vai me chamar assim.

VIOLET

10 DE MARÇO

Meu celular toca depois da terceira aula; é o Finch. Ele diz que está esperando lá fora, perto do rio. Quer dirigir para o sul, até Evansville, pra ver as Casas-Ninho, que são cabanas construídas com mudas de plantas por um artista de Indiana. São como ninhos de pássaros para humanos, com janelas e portas. Finch quer ver se restou algo deles. Enquanto estivermos lá, poderemos cruzar a fronteira de Kentucky e tirar fotos, um pé em Kentucky, o outro em Indiana.

— O rio Ohio não corre por toda a fronteira? Então teríamos que ficar numa ponte...

Mas ele continua falando como se não me ouvisse.

— Aliás, a gente devia fazer a mesma coisa em Illinois, Michigan e Ohio.

— Você não vai pra próxima aula? — Estou com uma das flores que ele me deu no cabelo.

— Fui expulso. Vem pra cá.

— Expulso?

— Vamos! Estou desperdiçando gasolina e luz do dia.

— São quatro horas até Evansville, Finch. Quando chegarmos lá já vai estar escuro.

— Não se sairmos agora. Vamos, vamos, vamos sair daqui. Podemos dormir lá.

Ele fala muito rápido, como se tudo dependesse da nossa visita a esses ninhos. Quando pergunto o que aconteceu, ele diz apenas que me conta mais tarde, mas que precisa ir agora, o mais rápido possível.

— Hoje é uma terça-feira de inverno. Não vamos dormir numa casa-ninho. Podemos ir no sábado. Se você me esperar depois da aula, vamos hoje a algum lugar um pouco mais perto que a fronteira entre Indiana e Kentucky.

— Quer saber? Por que não deixamos pra lá? Por que não vou sozinho? Acho que prefiro ir sozinho mesmo. — Pelo telefone, sua voz parece vazia, então ele desliga.

Ainda estou olhando pro celular quando Ryan passa de mãos dadas com Suze Haines.

— Está tudo bem? — pergunta.

— Está — respondo, me perguntando o que acabou de acontecer.

DIAS 66 E 67

As Casas-Ninho não estão lá. Está escuro quando paro no centro de New Harmony, com seus prédios de cores vivas, e pergunto pra todo mundo que encontro onde estão as tais casas. A maioria das pessoas nunca ouviu falar delas, mas um velho me diz:

— Sinto muito que tenha vindo até aqui. Infelizmente elas foram consumidas pelo tempo e pelas intempéries.

Como qualquer um de nós. Os ninhos atingiram sua expectativa de vida. Penso no ninho de lama que fizemos pro passarinho lá em casa há tantos anos, e me pergunto se ainda está lá. Imagino os ossinhos no pequeno túmulo e acho que é o pensamento mais triste do mundo.

Em casa, todos estão dormindo. Subo a escada e me olho no espelho do banheiro por muito tempo e chego a desaparecer diante dos meus olhos.

Estou desaparecendo. Talvez já tenha desaparecido.

Em vez de entrar em pânico, me sinto meio fascinado, como se fosse um macaco num experimento. O que faz com que o macaco fique invisível? E, se você não pode vê-lo, pode tocá-lo se estender a mão para o lugar onde ele estava? Ponho a mão no peito, na cabeça, e sinto a carne e os ossos e o pulsar forte e irregular do órgão que me mantém vivo.

Entro no closet e fecho a porta. Dentro, tento não ocupar muito espaço nem fazer barulho, porque se fizer posso acordar a escuridão e quero que a escuridão durma. Me esforço para que minha respiração não seja muito alta. Se for, não há como prever o que a escuridão pode fazer comigo ou com Violet ou com qualquer pessoa que eu amo.

Na manhã seguinte, ouço os recados gravados na secretária eletrônica de casa. Tem uma mensagem do Embrião pra minha mãe, de ontem à tarde.

— Sra. Finch, quem fala é Robert Embry do colégio Bartlett. Como a senhora sabe, tenho aconselhado seu filho. Precisamos conversar sobre Theodore. É muito importante. Por favor, me ligue.

Ele deixa o número.

Ouço a mensagem mais duas vezes e apago.

Em vez de ir à aula, subo a escada de novo e entro no closet, porque, se sair, vou morrer. Aí lembro que fui expulso, então nem posso ir pra lá mesmo.

A melhor coisa sobre o closet: nada de espaço aberto. Fico sentado bem quietinho e parado e controlo a respiração.

Uma corrente de pensamentos passa pela minha cabeça como uma canção grudenta, de novo e de novo sempre na mesma ordem: *Sou defeituoso. Sou uma fraude. Sou impossível de amar.* É só uma questão de tempo até Violet perceber. *Você avisou. O que mais ela quer? Você disse como era.*

Transtorno bipolar, minha mente diz, se rotulando. *Bipolar, bipolar, bipolar.*

Então começa tudo de novo: *Sou defeituoso. Sou uma fraude. Sou impossível de amar.*

Fico quieto durante o jantar, e depois do *Conta pra gente o que você aprendeu hoje, Decca* e *Conta pra gente o que aprendeu hoje, Theodore,* minha mãe e Decca também ficam quietas. Ninguém percebe que estou ocupado, imerso em pensamentos. Comemos em silêncio e depois acho o remédio pra dormir no armário da minha mãe. Levo o frasco inteiro pro quarto e mando metade dos comprimidos garganta abaixo e, no banheiro, me debruço sobre a pia e engulo com água. *Vamos ver como Cesare Pavese se sentiu. Vamos ver se tem algum clamor valente pra isso.* Deito no chão do closet com o frasco na mão. Tento imaginar meu corpo sendo desligado aos poucos, paralisando completamente. Quase sinto o peso caindo sobre mim, apesar de saber que ainda é muito cedo.

Mal consigo levantar a cabeça, e meus pés parecem estar a quilômetros de distância. *Fique aqui*, os comprimidos dizem. *Não se mexa. Deixe-nos fazer nosso trabalho.*

Uma névoa de escuridão cai sobre mim, como uma neblina, mas escura. Meu corpo é pressionado contra o chão pela escuridão e pela névoa. Não há clamor nenhum. É essa a sensação de apagar.

Me obrigo a levantar e me arrasto até o banheiro, onde enfio o dedo na garganta e vomito. Não sai quase nada, apesar de eu ter acabado de comer. Tento de novo e de novo, então calço o tênis e corro. Meus membros pesam e estou correndo na areia movediça, mas respiro, determinado.

Faço minha rota noturna de sempre, desço a estrada Nacional até o hospital, mas em vez de passar reto, cruzo o estacionamento. Forço meus membros a atravessar as portas do pronto-socorro e digo pra primeira pessoa que vejo:

— Engoli comprimidos e não consigo tirar eles de mim. Tirem eles de mim.

Ela segura meu braço e diz alguma coisa para um homem que está logo atrás. Sua voz é fria e calma, como se estivesse acostumada com pessoas entrando e pedindo uma lavagem estomacal, depois um homem e outra mulher me levam pra um quarto.

Então apago, mas acordo um tempo depois e me sinto vazio mas acordado, *desperto*, uma mulher entra e, como se pudesse ler meu pensamento, diz:

— Você está acordado, que bom. Precisamos que preencha alguns documentos. Procuramos sua identidade, mas não encontramos. — Ela me entrega uma prancheta e sinto minha mão tremendo.

O formulário está em branco, exceto pelo nome e pela idade. *Josh Raymond, dezessete anos.* Começo a tremer mais ainda e percebo que estou rindo. Boa, Finch. Você ainda não está morto.

Curiosidade: A maioria dos suicídios acontece entre meio-dia e seis da tarde. Caras tatuados são mais propensos a se matar com um tiro. Pessoas de olhos castanhos são mais propensas a se enforcar ou se envenenar. Pessoas que tomam café têm menos tendência a cometer suicídio.

Espero a enfermeira sair, me visto e, devagar, saio do quarto e desço as escadas e vou embora. Não preciso mais ficar aqui. Logo eles vão mandar alguém pra me ver e fazer perguntas. De alguma forma, vão encontrar meus pais, mas se não encontrarem, vão trazer uma pilha de formulários e fazer ligações e, de repente, não poderei mais sair. Quase me pegam, mas sou rápido demais pra eles.

Estou muito fraco pra correr, então ando de volta pra casa.

FINCH

DIA 71

Os encontros do Vida É Vida acontecem no arboreto de uma cidade próxima, em Ohio, da qual não citarei o nome. Não é uma aula sobre a natureza, mas um grupo de apoio a adolescentes que estão pensando em ou tentaram ou sobreviveram ao suicídio. Achei na internet.

Entro no Tranqueira e dirijo até Ohio. Estou cansado. Tento evitar Violet. É muito difícil me controlar e ter tanto cuidado perto dela, tanto cuidado que parece que estou andando por um campo minado, com soldados inimigos por todos os lados. *Não quero que me veja assim.* Disse que estou com algum tipo de virose e que não quero que ela pegue.

A reunião do Vida É Vida acontece em uma sala grande, com painéis de madeira nas paredes e aquecedores. Sentamos em volta de duas mesas grandes encostadas uma na outra, como se estivéssemos fazendo lição de casa ou alguma prova. Duas jarras de água ficam em cada ponta, com copos descartáveis coloridos empilhados ao lado. Há quatro pratos de biscoitos.

O conselheiro se chama Demetrius, um moreno de olhos verdes. Para os que estão aqui pela primeira vez, ele conta que faz doutorado na universidade local e que o Vida É Vida está em seu décimo primeiro ano, apesar de ele administrar o grupo há apenas onze meses. Quero perguntar o que aconteceu com o último conselheiro, mas não pergunto; vai que não é uma história bonita.

Os jovens entram em fila, e são exatamente como os de Bartlett.

Não reconheço nenhum, e na verdade esse é o motivo de eu ter andado quarenta quilômetros pra chegar aqui. Antes que eu me sente, uma das meninas vem até mim e diz:

— Você é muito alto.

— Sou mais velho do que pareço.

Ela sorri de um jeito que provavelmente considera sedutor, e completo:

— O gigantismo é de família. Depois da escola, vou entrar pro circo, porque os médicos preveem que quando eu completar vinte anos terei mais de dois metros e quinze.

Quero que ela saia de perto porque não estou aqui pra fazer amigos, e ela sai. Sento e espero e desejo não ter vindo. Todos pegam biscoitos, nos quais nem encosto porque sei que os produtos dessas marcas podem ou não conter uma coisa nojenta chamada carvão de osso, que é feito de ossos de animais, e não consigo nem olhar pros biscoitos ou pras pessoas comendo. Olho pela janela, mas as árvores estão finas e marrons e mortas, então mantenho os olhos em Demetrius, que senta no meio, onde todos conseguimos vê-lo.

Ele cita fatos que já conheço sobre suicídio e adolescentes e então todos se apresentam dizendo nome e idade e diagnóstico e sua experiência com tentativas de suicídio. Então dizemos a frase "_____ é vida", completando com o que achamos que seja digno de celebração no momento, como "Basquete é vida", "Escola é vida", "Amizade é vida", "Beijar minha namorada é vida". Qualquer coisa que nos lembre como é bom estar vivo.

Alguns desses adolescentes têm o olhar levemente vago de quem usa drogas, e me pergunto o que tomam pra se manter aqui e respirando. Uma garota diz:

— Diários do Vampiro é vida.

Outras garotas riem.

— Minha cachorra é vida, mesmo quando ela mastiga meus sapatos — diz outra.

Quando chega minha vez, me apresento como Josh Raymond, dezessete anos, nenhuma experiência anterior além do experimento recente com remédio pra dormir.

— O efeito gravitacional de Júpiter-Plutão é vida — completo, apesar de ninguém saber o que significa.

Então a porta se abre e alguém entra correndo, deixando o frio entrar também. Ela está de chapéu e lenço e luvas e se desembrulha como uma múmia. Todos nós viramos pra ela, e Demetrius abre um sorriso reconfortante.

— Entre, não tem problema, estamos começando.

A múmia senta, ainda se desembrulhando. Ela vira de costas pra mim, o rabo de cavalo loiro balançando, enquanto prende a alça da bolsa na cadeira. Vira de novo, tirando as mechas de cabelo do rosto, que está rosado por causa do frio, e fica de casaco.

— Desculpa — Amanda Monk sussurra pro Demetrius. Quando seus olhos se viram pra mim, ela fica branca.

Demetrius acena pra ela.

— Rachel, por que não se apresenta?

Amanda, como Rachel, evita olhar pra mim. Com a voz monótona, começa:

— Sou Rachel, tenho dezessete anos, sou bulímica e tentei me matar duas vezes, ambas com remédios. Me escondo com sorrisos e fofocas. Não sou nem um pouco feliz. Minha mãe me obriga a vir aqui. Sigilo é vida. — Ela diz esta última frase pra mim e desvia o olhar.

Os outros vão falando e, depois que todos se apresentam, fica claro que sou o único aqui que não tentou se matar pra valer. Isso faz com que me sinta superior, mesmo que não devesse. Penso: *Quando eu tentar pra valer, não vou falhar.* Até Demetrius tem uma história. Essas pessoas estão tentando conseguir ajuda e estão vivas, no fim das contas.

Mas tudo é de partir o coração. Entre pensamentos sobre carvão de osso e histórias sobre pulsos cortados e enforcamentos, e a metida da Amanda Monk com seu queixo pontudo agora tão vulnerável e assustada, quero deitar a cabeça na mesa e simplesmente deixar a queda longa chegar. Quero me afastar desses adolescentes que nunca fizeram nada de mal a ninguém, só nasceram com o cérebro diferente e conexões diferentes, e das pessoas que não estão aqui pra comer os biscoitos de carvão de osso e compartilhar histórias, e das que nunca tiveram uma chance. Quero me afastar do estigma que todos eles sentem só porque têm uma doença no cérebro e não, digamos, no pulmão ou no sangue. Quero me afastar de todos os rótulos. "*Tenho TOC*", "*Tenho depressão*", "*Eu me corto*", eles dizem, como se essas coisas os definissem. Tem um coitado que tem déficit de atenção, é obsessivo-compulsivo, tem transtorno de personalidade limítrofe, é bipolar e, ainda por cima, tem um tipo de transtorno de ansiedade. Eu nem sei o que é transtorno de personalidade limítrofe. Sou o único que é só Theodore Finch.

Uma garota com uma trança preta grossa e óculos diz:

— Minha irmã morreu de leucemia e vocês tinham que ver as flores e a empatia. — Ela levanta as mãos e, mesmo do outro lado da mesa, consigo ver as cicatrizes. — Mas quando eu quase morri, ninguém mandou flores. Fui considerada egoísta e louca por desperdiçar minha vida sendo que a da minha irmã tinha sido tirada.

Isso me faz pensar em Eleanor Markey, e então Demetrius fala sobre remédios disponíveis e todos citam os medicamentos que estão ajudando na superação. Um menino na outra ponta da mesa diz que a única coisa que odeia é se sentir igual a todo mundo.

— Não me entendam mal, prefiro estar aqui a estar morto, mas às vezes sinto que tudo o que fazia de mim quem eu era foi embora.

Paro de ouvir depois disso.

Quando acaba, Demetrius me pergunta o que achei, e digo que foi esclarecedor e coisas do tipo pra que ele se sinta bem quanto ao trabalho que está fazendo, e depois vou atrás de Amanda, ou Rachel, no estacionamento antes que ela vá correndo pra casa.

— Não vou contar nada a ninguém.

— É melhor mesmo. Estou falando sério. — Seu olhar é feroz e seu rosto está vermelho.

— Se eu contar, você pode simplesmente dizer que sou uma aberração. Eles vão acreditar. Vão pensar que estou inventando. Além do mais, eu fui expulso, lembra? — Ela desvia o olhar. — Então, você ainda pensa em fazer isso?

— Se não pensasse, não estaria aqui. — Ela olha pra cima. — E você? Você ia pular mesmo da torre do sino se Violet não o convencesse a descer?

— Sim e não.

— Por que você faz essas coisas? Não está de saco cheio de ouvir as pessoas falando de você?

— As pessoas tipo você?

Ela fica quieta.

— Eu falo porque isso me lembra que ainda estou aqui e que minha opinião importa.

Ela põe uma perna dentro do carro e diz:

— Acho que agora você sabe que não é a única aberração.

É a coisa mais gentil que ela já me disse.

VIOLET

18 DE MARÇO

Não tenho notícias de Finch por um, dois, três dias. Quando chego da escola na quarta, está nevando. As estradas estão brancas, e escorreguei com Leroy várias vezes. Encontro minha mãe no escritório e pergunto se posso pegar o carro emprestado.

Ela leva um tempo pra encontrar a voz.

— Aonde você vai?

— Pra casa da Shelby.

Shelby Padgett mora do outro lado da cidade. Fico impressionada com a facilidade com que as palavras saem. Ajo como se o fato de pedir o carro emprestado sendo que não dirijo há um ano não fosse nada de mais, mas minha mãe me encara. Ela continua me observando enquanto entrega as chaves e me segue até a porta e pela calçada. Então percebo que ela não está só me olhando, está chorando.

— Desculpe — ela diz. — É que a gente não tinha certeza... não sabia se ia ver você dirigir de novo. O acidente mudou muitas coisas e nos tirou muitas outras. Não que dirigir seja tão importante, mas na sua idade você deveria dirigir sem pensar duas vezes, a não ser que fosse uma questão de segurança...

Ela está falando sem parar, mas parece feliz, o que só faz com que me sinta ainda pior por mentir. Dou um abraço nela antes de sentar ao volante. Aceno e sorrio e dou a partida e digo em voz alta:

— Tá tudo bem.

Arranco devagar, ainda acenando e sorrindo, mas me pergunto o que diabos acho que estou fazendo.

No início, tremo um pouco, porque faz tanto tempo e nem eu tinha certeza se dirigiria de novo. O carro dá solavancos quando piso no freio forte demais. Imagino Eleanor ao lado, me deixando dirigir na volta pra casa depois que tirei a carteira. *Você pode me levar a todos os lugares agora, irmãzinha. Vai ser minha motorista. Vou sentar no banco de trás, botar os pés pra cima e só curtir a vista.*

Olho pro banco do passageiro e posso vê-la ali, sorrindo pra mim, sem nem olhar pra rua, confiante de que eu sabia o que estava fazendo e não precisava de ajuda. Eu a vejo encostada na porta, o queixo apoiado nos joelhos, rindo de alguma coisa ou cantando junto com a música. Quase consigo escutá-la.

Quando chego ao bairro de Finch, estou dirigindo suavemente, como alguém que dirige há anos. Uma mulher atende a porta, e deve ser a mãe dele porque seus olhos têm o mesmo tom azul-celeste. É estranho pensar que, depois de todo esse tempo, só agora estamos nos conhecendo.

Estendo a mão e digo:

— Meu nome é Violet. É um prazer conhecer você. Vim ver Finch. — Penso que talvez ela nunca tenha ouvido falar de mim, então completo: — Violet Markey.

Ela aperta minha mão.

— Claro. Violet. Sim. Ele já deve ter chegado da aula. — *Ela não sabe que ele foi expulso.* Veste um terninho, mas está só de meias. Tem um tipo de beleza cansada, desbotada. — Entre. Também acabei de chegar.

Sigo-a até a cozinha. Sua bolsa está em cima da mesa junto com a chave do carro, e seus sapatos estão no chão. Ouço barulho de TV vindo da sala, e a sra. Finch chama:

— Decca?

Em um instante, ouço à distância:

— Quê?

— Só queria saber se era você. — A sra. Finch sorri pra mim e me oferece algo pra beber, água, suco, refrigerante, enquanto serve pra si mesma uma taça do vinho que estava na geladeira. Digo que pode ser água, e ela pergunta se quero gelo, digo que não, apesar de preferir gelada.

Kate entra e me cumprimenta com um aceno.

— E aí?

— Oi. Vim ver Finch.

Elas conversam comigo como se tudo estivesse bem, como se ele não tivesse sido expulso, e Kate tira alguma coisa do freezer e acerta a temperatura do forno. Ela diz à mãe para prestar atenção no *timer* e veste o casaco.

— Ele deve estar lá em cima. Pode subir.

Bato na porta do quarto, mas ninguém responde. Bato de novo.

— Finch? Sou eu.

Ouço um barulho e a porta se abre. Ele está com calça de pijama, mas sem camiseta, e de óculos. O cabelo aponta para todas as direções, e penso: *Finch nerd*. Ele abre um sorriso provocante e diz:

— A única pessoa que quero ver. Meu efeito gravitacional de Júpiter-Plutão.

Ele sai do caminho pra eu entrar.

O quarto foi esvaziado, até a cama está sem lençol. Parece um quarto vazio de hospital, azul, esperando pra ser arrumado pro próximo paciente. Duas caixas marrons estão perto da porta.

Meu coração dá um pulo estranho.

— Parece que... Você está de mudança?

— Não, só me livrando de algumas coisas. Vou doar pra Goodwill.

— Você está bem? — Tento não parecer a namorada controladora. *Por que você não fica mais comigo? Por que você não retorna minhas ligações? Você não gosta mais de mim?*

— Desculpa, Ultravioleta. Parece que ainda tem uma nuvenzinha negra sobre mim. Que, se você parar pra pensar, é uma expressão meio estranha. Da época que acreditavam que o mau tempo influenciava o humor e a saúde das pessoas.

— Mas você está melhor?

— Fiquei meio estranho por um tempo, mas estou melhor. — Sorri e pega uma camiseta. — Quer ver o forte que construí?

— Isso é uma pegadinha?

— Todo homem precisa de um forte, Ultravioleta. Um lugar pra deixar a imaginação livre. Um espaço do tipo "Não entre/ Proibido garotas".

— Se é proibido garotas, por que está me convidando?

— Porque você não é qualquer garota.

Ele abre a porta do closet, e realmente parece muito legal. Ele fez um tipo de caverna, completa com guitarra e computador e cadernos e papéis, além de canetas e post-its. Minha foto está na parede ao lado de uma placa de carro.

— Algumas pessoas chamariam de escritório, mas eu prefiro forte.

Ele pergunta se quero sentar no edredom azul, e nos acomodamos lado a lado, ombro com ombro, as costas encostadas na parede. Ele acena pra parede oposta, e é quando vejo pedaços de papel, tipo a Parede de Ideias, só que mais vazia e organizada.

— Descobri que penso melhor aqui dentro. Lá fora às vezes fica muito barulhento com a música da Decca e minha mãe gritando com meu pai no telefone. Você tem sorte de morar numa casa sem gritos. — Ele anota **Casa sem gritos** e cola na parede. Então me dá uma caneta e um bloco de post-its. — Quer tentar?

— Qualquer coisa?

— Qualquer coisa. As positivas vão pra parede, as negativas vão ali pro chão. — Aponta pra um monte de papel rasgado. — É importante sempre anotar as ruins também, mas elas não precisam ficar perto. As palavras podem fazer *bullying* com a gente. Lembra da Paula Cleary? — Faço que não com a cabeça. — Ela tinha quinze anos quando se mudou da Irlanda pros Estados Unidos e começou a namorar um idiota que todas as garotas amavam. Chamavam ela de vagabunda e piranha e daí pra pior e não a deixavam em paz, até que ela se enforcou embaixo de uma escada.

Escrevo **Bullying** e entrego pro Finch, que rasga em cem pedaços e joga no monte. Escrevo **Garotas malvadas** e rasgo em pedacinhos. Escrevo **Acidente**, **Inverno**, **Gelo** e **Ponte** e rasgo até virar pó.

Finch escreve alguma coisa e cola na parede. **Bem-vinda.** Escreve mais alguma coisa. **Aberração.** Mostra pra mim antes de destruir o papel. Escreve **Pertencer**, que vai pra parede, e **Rótulo**, que não vai. **Calor**, **Sábado**, **Andanças**, **Você**, **Melhor amiga** vão pra parede, e **Frio**, **Domingo**, **Ficar paralisado**, **Todas as outras pessoas** vão pro monte.

Necessário, **Amado**, **Compreendido** e **Perdoado** estão na parede agora, e eu escrevo **Você**, **Finch**, **Theodore**, **Theo**, **Theodore Finch** e coloco lá também.

Fazemos isso por um bom tempo, e depois ele me mostra como compõe músicas com essas palavras. Primeiro as organiza em um tipo de ordem que quase faz sentido. Pega a guitarra e dedilha algumas notas e, simples assim, começa a cantar. Consegue encaixar todas na música, e depois eu aplaudo e ele se curva só com o tronco, pois ainda estamos sentados. Digo:

— Você tem que anotar isso. Pra não perder.

— Eu nunca anoto as músicas.

— E por que tem tanto papel aqui?

— Ideias pra músicas. Anotações aleatórias. Coisas que vão se tornar músicas. Coisas sobre as quais talvez eu escreva algum dia, ou que comecei mas não terminei porque não eram suficientes. Se uma música for feita pra durar, a carregamos conosco.

Ele escreve **Eu**, **quero**, **transar**, **com**, **Ultravioleta**, **Markante**.

Escrevo **Talvez** e ele rasga imediatamente.

Então escrevo **Tá bom**.

Ele também rasga.

Sim!

Ele cola na parede e me beija, os braços envolvendo minha cintura. Antes que me dê conta, estou deitada e ele olha pra mim e tiro sua camiseta. Então sua pele está na minha, e estou em cima dele, e por um tempo esqueço que estamos no chão do closet porque só consigo pensar nele, em nós, ele e eu, Finch e Violet, Violet e Finch, e tudo está bem de novo.

Depois fico olhando pro teto, e quando viro pra ele percebo que está estranho.

— Finch? — Seus olhos estão fixos em alguma coisa acima da gente. Cutuco sua costela. — Finch!

Finalmente seus olhos encontram os meus.

— Oi — ele diz, como se tivesse acabado de se dar conta de que estou aqui. Senta e esfrega o rosto com as mãos e pega um post-it. Escreve **Relaxe**. Depois, **Respire fundo.** Depois, **Violet é vida**.

Cola na parede e pega a guitarra de novo. Encosto a cabeça na dele enquanto toca, mudando um pouco os acordes, mas não consigo me livrar da sensação de que alguma coisa aconteceu, como se ele tivesse se afastado por um minuto e só parte dele tivesse voltado.

— Não conta pra ninguém sobre o meu forte, tá, Ultravioleta?

— Igual a você, que não contou pra sua família que foi expulso?

Ele escreve **Culpado** e me mostra antes de rasgar em pedaços.

— Certo. — E escrevo **Confiança**, **Promessa**, **Segredo**, **Seguro** e colo na parede.

— Aaaaaah, agora tenho que começar de novo. — Ele fecha os olhos e toca a música de novo, acrescentando essas palavras. A música parece triste agora, como se ele tocasse em um tom mais baixo.

— Gosto do seu forte secreto, Theodore Finch. — Desta vez apoio a cabeça em seu ombro e fico olhando as palavras que escrevemos e a música que criamos e reparo de novo na placa de carro. Sinto uma necessidade estranha de me aproximar mais dele, como se Finch fosse se afastar de mim. Ponho uma mão em sua perna.

Depois de um minuto, ele diz:

— Eu tenho essas fases às vezes, e não consigo me livrar delas. — Ainda está dedilhando a guitarra, sorrindo, mas sua voz está séria. — É uma crise pesada e angustiante. Acho que é a mesma sensação de estar no olho de um tornado, calmo e cegante ao mesmo tempo. Odeio isso.

Entrelaço meus dedos nos dele pra que não consiga mais tocar.

—Também fico mal-humorada. É normal. Quer dizer, somos adolescentes. — Pra provar, escrevo **Mau humor** e rasgo.

— Quando eu era criança, mais novo que a Decca, tinha um passarinho que sempre batia no vidro de casa, batia e batia até desmaiar. Todas as vezes eu achava que ele tinha morrido, mas então levantava e saía voando. Uma passarinha ficava olhando pra ele de uma das árvores, e sempre achei que fosse a companheira dele. Bom, eu implorei pros meus pais fazerem ele parar de bater no vidro. Eu achava que ele devia entrar e morar com a gente. Kate ligou pra Sociedade Protetora dos Animais e o homem que atendeu disse que achava que o passarinho provavelmente estava tentando voltar pra árvore que estava lá antes de alguém construir uma casa em cima.

Finch me conta sobre o dia em que o passarinho morreu e ele o encontrou no quintal e o enterrou no ninho de lama. "Nada poderia fazer com que ele resistisse muito tempo", ele disse pros pais depois.

Disse que sempre os culpou porque sabia que o passarinho teria sobrevivido se os pais o tivessem deixado entrar.

— Foi minha primeira crise pesada. Não lembro de muita coisa que aconteceu depois, não alguns dias depois, pelo menos.

O sentimento de preocupação volta.

—Você já conversou sobre isso com alguém? Seus pais, Kate... ou talvez um dos orientadores pedagógicos...?

— Com meus pais, não... Com Kate, também não. Tenho conversado com um orientador na escola.

Olho ao redor do closet, pro edredom em que estamos sentados, pros travesseiros, pra jarra de água, pras barrinhas de cereal, e é aí que percebo.

— Finch, você está morando aqui dentro?

—Já fiquei aqui antes. Funciona. Vou acordar um dia e ter vontade de sair. — Sorri pra mim, e o sorriso parece vazio. — Guardei seu segredo; você guarda o meu.

Quando chego em casa, abro a porta do closet e ando lá dentro. É maior que o de Finch mas cheio de roupas, sapatos, bolsas, jaquetas. Tento imaginar como seria viver aqui e sentir como se não pudesse sair. Deito no chão e olho pro teto. O chão é duro e gelado. Mentalmente, escrevo: *Era uma vez um garoto que vivia num closet...* Mas paro por aí.

Não sou claustrofóbica, mas quando abro a porta e saio pro quarto, sinto o alívio de respirar de novo.

Na hora do jantar, minha mãe pergunta:

—Você se divertiu? — Levanta a sobrancelha pro meu pai. —Violet foi até a casa da Shelby depois da aula. *Dirigindo.*

Meu pai brinda comigo.

— Estou orgulhoso de você, V. Talvez esteja na hora de conversarmos sobre ter seu próprio carro.

Eles estão tão animados que me sinto ainda mais culpada por ter mentido. Me pergunto o que fariam se eu contasse onde realmente estava — transando com o garoto que eles não querem que eu veja, no closet onde ele está morando.

DIA 75

"A cadência do sofrimento começou." — Cesare Pavese
  Eu
    estou
    em
    pedaços.

VIOLET

20 DE MARÇO

Depois da aula de geografia, Amanda diz pro Roamer ir na frente que ela já o alcança. Não troquei uma palavra com ele desde que Finch foi expulso.

— Preciso contar uma coisa — ela diz pra mim.
— O quê? — A gente não tem conversado muito também.
— Você não pode contar pra ninguém.
— Amanda, vou me atrasar pra aula.
— Jura que não vai contar.
— Tá bom. Eu juro.

Ela fala tão baixo que quase não consigo ouvir.

— Vi Finch num grupo que frequento. Estou frequentando há um tempo, apesar de não precisar de verdade, mas minha mãe está, tipo, me obrigando. — Ela suspira.

— Que grupo?

— Chama Vida É Vida. É um... um grupo de apoio a adolescentes que já pensaram em suicídio ou já tentaram...

— E você viu Finch lá? Quando?

— No domingo. Ele disse que estava lá porque tomou um monte de remédio e teve que ir pro hospital. Achei que você devia saber.

Fico até a última aula, só porque tenho prova. Depois pego Leroy e vou direto pra casa dele. Finch não sabe que estou indo e quando chego lá ninguém atende a porta. Acho uns cascalhos na entrada da garagem e jogo na janela dele, e a cada *toc toc* meu coração dispara.

Então sento na entrada, esperando que a mãe ou as irmãs apareçam e me deixem entrar. Continuo sentada lá depois de vinte minutos, a casa fechada e silenciosa como quando cheguei, e finalmente vou pra casa.

No quarto, nem tiro o casaco e o lenço. Abro o laptop e mando uma mensagem no Facebook. Ele responde na hora, como se estivesse esperando. **Então, amanhã é meu aniversário...**

Quero perguntar onde ele estava e se estava lá esse tempo todo e se sabia que eu estava na frente da casa. Quero perguntar sobre o hospital, mas minha preocupação é que ele não fale mais nada e desapareça se eu perguntar alguma coisa. Então, em vez disso, escrevo: **Como vamos comemorar?**

Finch: **É surpresa.**

Eu: **Mas é seu aniversário, não meu.**

Finch: **Não importa. Venha pra cá às seis. Traga sua fome.**

VIOLET

21 DE MARÇO E ALÉM

Bato na porta do quarto dele, mas ninguém abre. Bato de novo.
— Finch?
Bato de novo e de novo e finalmente ouço uma movimentação, um barulho de alguma coisa caindo, um *droga!*, e a porta se abre. Finch está de terno. Cortou o cabelo bem curtinho, e somando à barba ele parece diferente, mais velho e, sim, bem gostoso.

Dá um sorrisinho e diz:
— Ultravioleta. A única pessoa que quero ver.

Ele abre espaço pra eu entrar.

O quarto ainda parece de hospital, e sinto uma angústia porque ele esteve no hospital e não me contou, e tem alguma coisa em todo aquele azul que faz com que eu me sinta sufocada.

— Preciso falar com você.

Finch me dá um beijo de oi e seus olhos estão mais brilhantes do que na noite passada, talvez porque não está de óculos. Toda vez que ele muda tenho que me acostumar. Me beija de novo e se apoia de um jeito sexy contra a porta, como se soubesse como está bonito.

— Primeiro as coisas mais importantes. Preciso saber o que você acha de viajar no tempo e de comida chinesa.

— Nessa ordem?

— Não necessariamente.

— Acho que um é interessante, e o outro, delicioso.

— Tá bom. Tira o sapato.

Tiro o sapato, o que faz com que eu fique quatro ou cinco centímetros mais baixa.

— Tira a roupa, tampinha.

Dou um tapa nele.

— Tá, deixa pra depois, mas não pense que vou esquecer. Certo. Agora feche os olhos.

Fecho. Imagino qual seria a melhor maneira de falar sobre o Vida É Vida. Mas ele parece ele mesmo de novo, mesmo com a aparência diferente, e penso que, quando abrir os olhos, as paredes do quarto estarão pintadas de vermelho e os móveis estarão de volta e a cama estará arrumada, porque é ali que ele dorme.

Ouço a porta do closet abrir e ele me conduz alguns passos à frente.

— Fique de olhos fechados.

Por instinto, estendo as mãos à frente, e Finch as abaixa. Está tocando Slow Club, uma banda que eu gosto, ousada e agridoce e meio excêntrica. *Como Finch*, penso. *Como nós.*

Ele me ajuda a sentar sobre alguma coisa que parece uma pilha de travesseiros. Ouço e sinto ele se mexendo à minha volta quando a porta se fecha, e então seus joelhos estão contra os meus. Tenho dez anos de novo, de volta aos meus dias de construir esconderijos secretos.

— Pode abrir.

Abro.

Estou no espaço, tudo brilhando como a Cidade das Esmeraldas. As paredes e o teto estão pintados com planetas e estrelas. Nossos post-its ainda estão colados. O edredom azul está perto dos nossos pés, e o chão inteiro brilha. Pratos e talheres e guardanapos estão empilhados perto de caixas de comida. Uma garrafa de vodca está no gelo.

— Como você...?

Finch aponta para a luz negra no teto.

— Se prestar atenção — ele diz e levanta uma mão pro céu —, Júpiter e Plutão estão perfeitamente alinhados em relação à Terra. Aqui é a câmara gravitacional de Júpiter-Plutão. Onde tudo flutua.

A única coisa que sai da minha boca é:

— Meu Deus.

Eu estava tão preocupada com ele, com esse garoto que tanto amo, mais preocupada do que jamais estive, até este exato momento, quando olho para o sistema solar. É a coisa mais linda que alguém já fez pra mim. Coisa de cinema. Parece, de certa forma, épico e frágil ao mesmo tempo, e quero que a noite dure pra sempre, e saber que não vai durar já me deixa triste.

A comida é do Happy Family. Não pergunto como ele conseguiu, se foi até lá dirigindo ou se pediu pra Kate buscar, mas prefiro acreditar que ele foi até lá porque não precisa ficar dentro do closet se não quiser.

Ele abre a vodca e revezamos dando goles. O gosto é seco e amargo, como folhas de outono. Gosto do jeito como queima meu nariz e minha garganta.

— Onde conseguiu isso? — Mostro a garrafa.

— Tenho meus contatos.

— É perfeito. Não só isso... tudo. Mas é seu aniversário, não meu. Eu é que devia ter preparado algo assim pra você.

Ele me beija.

Eu o beijo.

As coisas que não dizemos pairam no ar, e me pergunto se ele também sente isso. Ele está tão agradável e tão Finch que digo a mim mesma que devo deixar pra lá, não pensar mais nisso. Talvez Amanda esteja errada. Talvez só tenha me contado sobre o grupo pra me chatear. Talvez ela tenha inventado a história toda.

Ele serve nossos pratos e enquanto comemos conversamos sobre tudo, menos como ele se sente. Conto o que ele perdeu na aula de geografia e falo sobre os lugares que ainda temos que conhecer. Entrego o presente de aniversário, a primeira edição de *As ondas* que encontrei numa livrariazinha de Nova York. Na dedicatória, escrevi: **Você também faz eu me sentir dourada, fluindo. Amo você. Ultravioleta Markante.**

Ele diz:

— Era este o livro que eu estava procurando na Bookmarks, nas bibliotecas móveis. Sempre que ia a uma livraria.

Ele me beija.

Eu o beijo.

Sinto as preocupações irem embora. Estou relaxada e feliz — mais feliz do que me sentia há algum tempo. Estou no agora. Estou aqui.

Quando terminamos de comer, Finch tira o paletó e deitamos lado a lado no chão. Enquanto ele examina o livro e lê partes em voz alta pra mim, olho pro céu. De repente, ele coloca o livro sobre o peito e diz:

— Você lembra do Sir Patrick Moore?

— O astrônomo britânico do programa de tv? — Ergo os braços em direção ao teto. — O homem a quem devemos agradecer pelo efeito gravitacional de Júpiter-Plutão.

— Tecnicamente, devemos agradecer a nós mesmos, mas, sim, esse cara. Em um dos programas ele explica a existência de um buraco negro gigante no centro da nossa galáxia. É algo muito importante. Ele foi a primeira pessoa a explicar a existência de um buraco negro de um jeito que uma pessoa leiga no assunto entendesse. Quer dizer, ele explica de um jeito que até Roamer entenderia.

Ele sorri pra mim. Sorrio pra ele. Ele diz:

— Merda, onde eu estava?

— Sir Patrick Moore.

— Isso. Sir Patrick Moore ordena que um mapa da Via Láctea seja desenhado no chão do estúdio. Com as câmeras rodando, ele anda até o centro descrevendo a teoria geral da relatividade de Einstein e acrescenta algumas informações: buracos negros são restos de antigas estrelas; são tão densos que nem mesmo a luz consegue escapar; se escondem dentro de todas as galáxias; são a força mais destrutiva do cosmos; enquanto um buraco negro passa pelo espaço, engole tudo que chega muito perto: estrelas, cometas, planetas. Tudo mesmo. Quando planetas, luz, estrelas, o que for, passam do ponto sem volta, é o que chamamos de horizonte de eventos, o ponto após o qual a fuga é impossível.

— Parece mais ou menos com um buraco azul.

— É, acho que sim. Então, enquanto explica tudo isso, Sir Patrick

Moore faz a maior façanha de todos os tempos: caminha até o coração do buraco negro e desaparece.

— Efeitos especiais.

— Não. É tipo superestranho. O cinegrafista e outras pessoas da produção dizem que ele simplesmente desapareceu.

Ele pega minha mão.

— Como?

— Mágica.

Ele sorri pra mim.

Sorrio de volta.

Ele diz:

— Ser sugado pra dentro de um buraco negro seria o jeito mais legal de morrer. Não há ninguém que tenha experienciado isso, e os cientistas não conseguem decidir se, depois de atingir o horizonte de eventos, a pessoa passaria semanas flutuando antes de ser despedaçada ou se viraria uma espécie de turbilhão de partículas e acabaria queimada viva. Fico pensando como seria se fôssemos engolidos. De repente, nada mais importaria. Nunca mais nos preocuparíamos com coisas tipo aonde ir ou o que vai acontecer ou se vamos decepcionar alguém de novo. Tudo isso... simplesmente... desapareceria.

— E não haveria nada.

— Talvez. Ou talvez haveria um outro mundo, que não podemos nem imaginar.

Sinto a maneira como sua mão, quente e firme, envolve a minha. Ele pode mudar sempre, mas isso nunca muda.

Digo:

— Você é o melhor amigo que já tive, Theodore Finch.

E é mesmo, mais até que Eleanor.

De repente começo a chorar. Me sinto uma idiota porque odeio chorar, mas não consigo evitar. Toda a preocupação vem à tona e simplesmente deságua no chão do closet.

Finch se aproxima e meio que me põe no colo.

— Ei, o que foi?

— Amanda me contou.

— Contou o quê?

— Sobre o hospital e os remédios. Sobre o Vida É Vida.

Ele não me solta, mas seu corpo fica tenso.

— Ela contou?

— Estou preocupada, quero que você fique bem, mas não sei o que fazer pra ajudar.

— Você não precisa fazer nada. — E aí ele me solta. Se afasta e senta, olhando pra parede.

— Mas tenho que fazer alguma coisa, porque você pode precisar de ajuda. Não conheço ninguém que entra no closet e fica morando lá. Você precisa conversar com seu orientador ou talvez com Kate. Você pode conversar com meus pais, se quiser.

— É... isso não vai acontecer. — Na luz negra, seus dentes e seus olhos brilham.

— Estou tentando ajudar você.

— Não preciso de ajuda. E não sou Eleanor. Só porque você não pôde salvá-la, não tente me salvar.

Começo a ficar brava.

— Isso não é justo.

— Só estou dizendo que estou bem.

— Está mesmo? — Olho em volta.

Ele me encara com um sorriso duro e terrível.

— Sabia que eu daria tudo pra ser você por um dia? Eu só ia viver e viver e nunca me preocupar e ficaria grato pelo que tenho.

— Você acha que não tenho nada com que me preocupar? — Ele só olha pra mim. — Porque com o que Violet poderia se preocupar? Afinal de contas, foi Eleanor quem morreu. Violet ainda está aqui. Ela foi poupada. Tem sorte porque tem toda a vida pela frente. Muita muita sorte.

— Escuta, eu sou a aberração. Eu sou o aloprado. Eu sou o problemático. Eu me meto em brigas. Eu decepciono as pessoas. O que quer que faça, não deixe Finch bravo. Ah, lá vai ele de novo, em uma daquelas fases. Finch mal-humorado. Finch irritado. Finch imprevisível. Finch louco. Mas não sou um conjunto de sintomas. Não sou uma vítima de pais horríveis e de uma composição química mais horrível ainda. Não sou um problema. Não sou um diagnóstico. Não sou uma doença. Não sou uma coisa que precisa ser salva. Sou uma pessoa. — Ele dá o sorriso terrível de novo. — Aposto que agora você se arrepende de ter escolhido justo aquela torre justo aquele dia.

— Não faça isso. Não fale assim.

Então o sorriso desaparece.

— Não consigo evitar. É o que sou. Eu avisei que aconteceria. — Sua voz começa a ficar fria e não mais com raiva, o que é pior porque é como se ele tivesse parado de sentir. — Sabe, agora estou achando o closet meio apertado, como se talvez não fosse tão espaçoso quanto eu pensava...

Levanto.

— Não seja por isso.

Saio e bato a porta, sabendo muito bem que ele não pode me seguir, embora diga pra mim mesma: *Se ele me ama de verdade, vai dar um jeito.*

Em casa, meus pais estão na sala assistindo TV.

— Chegou cedo — minha mãe diz. Ela levanta do sofá pra dar espaço pra mim.

— Tem uma coisa que vocês precisam saber. — Ela senta de novo, exatamente no mesmo lugar, e meu pai desliga a TV. Me sinto mal imediatamente porque antes de eu entrar eles estavam tendo uma noite feliz e tranquila e agora estão preocupados porque percebem pelo meu tom de voz que o que tenho pra falar não é nada bom.

— No primeiro dia de aula depois do Natal, subi no parapeito da torre do sino. Foi lá que conheci Finch. Ele estava lá em cima também, mas foi ele quem me convenceu a descer, porque quando eu percebi onde estava, fiquei assustada e não conseguia me mexer. Eu poderia ter caído se ele não estivesse lá pra me ajudar. Não caí graças a ele. Bom, agora ele está naquele parapeito. Não literalmente — digo ao meu pai, antes que ele corra até o telefone. — E precisamos ajudá-lo.

Minha mãe diz:

— Então vocês têm se encontrado?

— Sim. E eu sinto muito, sei que vocês estão bravos e decepcionados, mas eu amo Finch, e ele me salvou. Podem me dizer mais tarde como estão chateados comigo e como decepcionei vocês, mas agora preciso fazer o que for possível pra garantir que ele fique bem.

Conto tudo, depois minha mãe pega o telefone e liga pra mãe do Finch. Ela deixa um recado e, quando desliga, diz:

— Seu pai e eu vamos pensar o que fazer. Tem um psiquiatra na universidade, amigo do seu pai. Eles estão conversando agora. Sim, estamos decepcionados com você, mas fico feliz por ter nos contado. Fez a coisa certa.

Fico acordada na cama por pelo menos uma hora, chateada demais pra pegar no sono. Quando adormeço, me reviro na cama e meus sonhos são uma confusão triste e distorcida. De repente acordo. Me viro e adormeço de novo, e nos sonhos escuto... o som distante e fraco de pedras batendo na janela.

Não saio da cama, porque está frio e estou sonolenta e, de qualquer forma, o som não é real. *Agora não, Finch*, digo no sonho. *Vá embora.*

Então acordo completamente e penso: *E se ele estava mesmo aqui? E se ele realmente saiu do closet e veio me ver?* Mas quando olho pela janela, a rua está vazia.

Passo o dia com meus pais, checando o Facebook obsessivamente pra ver se tem uma mensagem nova dele enquanto finjo estudar e trabalhar na *Semente*. Tive retorno de todas as garotas que convidei — *sim, sim, sim*. As mensagens estão na caixa de entrada, ainda sem resposta.

Minha mãe pega o telefone de vez em quando e tenta falar com a sra. Finch. Quando dá meio-dia e ela ainda não entrou em contato, meu pai e minha mãe vão à casa dele. Ninguém atende, e eles são obrigados a deixar um bilhete. O psiquiatra tem (um pouco) mais de sorte. Ele consegue falar com Decca. Ela deixa o médico na linha enquanto vê se Finch está no quarto ou no closet, mas diz que ele não está. Me pergunto se ele está escondido em algum lugar. Mando uma mensagem, dizendo que sinto muito. À meia-noite ele ainda não respondeu.

Segunda-feira, Ryan me encontra no corredor e me acompanha até a aula de literatura russa.

— Já teve resposta de todas as universidades? — pergunta.

— Só de algumas.

— E Finch? Vocês vão pro mesmo lugar? — Ele está tentando ser legal, mas tem algo mais... talvez a esperança de que eu diga "não, a gente terminou".

— Não sei o que ele vai fazer. Acho que nem ele sabe.

Ele concorda com a cabeça e troca os livros de mão e agora a mão livre é a que está do meu lado. De vez em quando, sinto sua pele encostar na minha. A cada passo que damos, mais ou menos cinco pessoas chamam o nome dele ou acenam com a cabeça. Os olhares desviam dele pra mim, e me pergunto o que veem.

Eli Cross vai dar uma festa. Você podia vir comigo.

Me pergunto se ele lembra que era da festa do irmão dele que eu e Eleanor estávamos indo embora quando sofremos o acidente. Então imagino por um instante como seria ficar com ele de novo, se seria possível voltar para alguém como Ryan, bom e estável, depois de ficar com Theodore Finch. Ninguém nunca vai chamar Ryan Cross de aberração nem dizer coisas ruins sobre ele pelas costas. Ele usa as roupas certas e diz as coisas certas e vai pra universidade certa depois que tudo isso acabar.

Quando chego pra aula de geografia, Finch não está lá, claro, porque foi expulso, e não consigo me concentrar em nada do que o sr. Black diz. Charlie e Brenda não falam com Finch há uns dois dias, mas não parecem ligar, porque é assim que ele é, é isso que ele faz, é assim que ele sempre foi.

O sr. Black começa a nos chamar, um a um, passando pelas fileiras, perguntando sobre o progresso dos nossos projetos. Quando chega em mim, digo:

— Finch não está aqui.

— Sei muito bem... que ele não está aqui... e não vai... voltar pra escola... Como você está... se saindo com... o trabalho, srta. Markey?

Penso em todas as coisas que poderia mencionar: Finch está morando no closet. Acho que tem alguma coisa muito errada com ele. Não temos conseguido andar por aí ultimamente e ainda tem quatro ou cinco lugares no mapa que não visitamos.

— Estamos aprendendo sobre nosso estado. Não tinha visto muita coisa de Indiana antes de começar. Mas agora conheço muito bem a região.

O sr. Black parece feliz com isso, então segue pra próxima pessoa. Embaixo da mesa, escrevo uma mensagem pro Finch: **Por favor, me diga se você está bem.**

É terça-feira e ainda não tive resposta, então vou à casa dele. Desta vez, uma garotinha atende a porta. Ela é baixinha, tem cabelo escuro, chanel, e os mesmo olhos azuis de Finch e Kate.

—Você deve ser a Decca — digo, parecendo o tipo de adulto que odeio.

— Quem é você?

— Violet. Sou amiga do seu irmão. Ele está? — Ela abre mais a porta e me dá passagem.

No andar de cima, passo pela parede cheia de fotografias de Finch e bato, mas não espero resposta. Abro a porta e entro com pressa e sinto na hora: não tem ninguém. O quarto não só está vazio — tem um silêncio estranho no ar, como se fosse uma casca vazia deixada pra trás por um animal.

— Finch? — Meu coração começa a acelerar. Bato na porta do closet, então entro, e ele não está. O edredom também não está, nem a guitarra ou o amplificador, os cadernos e as pilhas de papel, as pilhas de post-its em branco, a jarra de água, o laptop, o livro que dei pra ele, a placa de carro ou minha foto. As palavras que ele escreveu nas paredes e os planetas e as estrelas que criou estão lá, mas mortos e inertes e não brilham mais.

Não posso fazer mais nada a não ser olhar ao redor de novo e de novo, procurando alguma coisa, qualquer coisa que ele possa ter deixado como pista pra que eu descubra aonde foi. Pego meu celular e ligo pra ele, mas cai direto na caixa postal.

— Finch, sou eu. Estou no closet, mas você não está aqui. Por favor, me liga. Estou preocupada. Sinto muito. Eu amo você. E não sinto muito por te amar porque nunca me arrependeria disso.

No quarto, começo a abrir as gavetas. No banheiro, abro os armários. Ele deixou algumas coisas, mas não sei se significa que vai voltar ou se são só coisas que ele não queria mais.

No corredor, passo de novo pelas fotos dele na escola, os olhos me seguindo enquanto desço a escada tão rápido que quase caio. Meu coração bate tão forte que não consigo ouvir nada além das batidas que enchem meus ouvidos. Na sala, encontro Decca assistindo TV e pergunto:

— Sua mãe está em casa?

— Ainda não chegou.

— Você sabe se ela ouviu a mensagem da minha mãe?

— Ela não ouve muito as mensagens. Kate provavelmente ouviu.

— Kate está em casa?

— Ainda não. Você encontrou o Theo?

— Não. Ele não está lá.

— Ele faz isso às vezes.

— Some?

— Ele vai voltar. Ele sempre volta. — *Ele é assim mesmo. É o que ele faz.*

Quero dizer pra ela e pro Charlie e pra Brenda, pra Kate, pra mãe dele: Ninguém se importa com *o motivo* pra ele fazer isso? Vocês já pararam pra pensar que pode ter alguma coisa errada?

Entro na cozinha e dou uma olhada na geladeira e na mesa pra ver se ele deixou algum bilhete, porque parecem bons lugares pra deixar um bilhete, então abro a porta da garagem, que está vazia. O Tranqueira também não está.

Encontro Decca de novo e peço pra me avisar se tiver notícias do irmão e dou o número do meu celular. Na rua, procuro pelo carro dele, que tampouco está lá.

Pego o telefone. Cai na caixa postal de novo.

— Finch, cadê você?

FINCH

DIA 80
(UM P*TA RECORDE MUNDIAL)

No poema "Epílogo", Robert Lowell pergunta: "Mas por que não dizer o que aconteceu?".

Respondendo, sr. Lowell, não sei ao certo. Talvez ninguém saiba. Tudo o que sei é que fico pensando: Quais sentimentos são reais? Quais dos meus *eus* sou eu? Só há um *eu* de que realmente gostei, e esse eu ficou bem e desperto o máximo possível.

Não pude evitar a morte do passarinho, e isso fez com que me sentisse responsável. De certa forma, eu fui — nós fomos, minha família e eu —, porque nossa casa foi construída onde a árvore dele costumava ficar, a árvore pra onde ele tentava voltar. Mas talvez ninguém pudesse ter evitado.

Você foi, sob todos os aspectos, tudo o que alguém poderia ser. [...] Se existisse alguém capaz de me salvar, seria você.

Antes de morrer, Cesare Pavese, crente no Grande Manifesto, escreveu: *Não nos lembramos de dias, nos lembramos de momentos.*

Lembro de correr por uma estrada a caminho de um viveiro cheio de flores.

Lembro de seu sorriso e sua risada quando eu estava no meu melhor, e de ela me olhar como se eu não pudesse fazer nada de errado e fosse completo. Lembro de ela me olhar desse jeito mesmo quando não estava no meu melhor.

Lembro de sua mão na minha e dessa sensação, de que alguma coisa e alguém me pertenciam.

VIOLET

O RESTO DE MARÇO

A primeira mensagem vem na quinta-feira. **A verdade é que todos aqueles dias foram perfeitos.**

Assim que leio, ligo pro Finch, mas ele já desligou o celular e cai na caixa postal. Em vez de deixar uma mensagem de voz, escrevo de volta: **Todos estamos muito preocupados. Eu estou preocupada. Meu namorado desapareceu. Por favor, me ligue.**

Horas mais tarde, ele escreve: **Não desapareci. Me encontrei.**

Respondo imediatamente: **Onde você está?** Mas ele não responde.

Meu pai mal fala comigo, mas minha mãe consegue conversar com a sra. Finch, que diz que o filho tem mantido contato pra avisar que está bem, pra ela não se preocupar, e que promete mandar notícias toda semana, o que significa que vai ficar fora um tempo. Não há necessidade de chamar um psiquiatra (mas obrigada pela preocupação). Não há necessidade de ligar pra polícia. Afinal de contas, às vezes ele faz isso. Parece que meu namorado não está desaparecido.

Mas ele está.

— Ele disse pra onde foi? — Quando pergunto, vejo que minha mãe parece preocupada e cansada e tento imaginar como seria se fosse eu a desaparecida, não Finch. Meus pais fariam com que todos os policiais de uns cinco estados diferentes me procurassem.

— Se ele disse, ela não me contou. Não sei o que mais podemos fazer. Se nem os pais não estão preocupados... Bom, acho que precisamos confiar que Finch está falando a verdade e está bem. — Mas ouço tudo o que ela não está dizendo: *Se fosse meu filho, eu mesma estaria atrás dele pra trazê-lo de volta pra casa.*

Na escola, sou a única que parece sentir sua falta. Afinal de contas, ele é só mais um causador de problemas que foi expulso. Nossos professores e colegas já se esqueceram dele.

Então todos agem como se nada tivesse acontecido e tudo estivesse bem. Vou pra aula e toco em um concerto da orquestra. Faço a primeira reunião da *Semente*, somos vinte e duas, só garotas, com exceção de Adam, o namorado de Briana Boudreau, e Max, o irmão de Lizzy Meade. Tive resposta de duas outras faculdades — Stanford, um não, e UCLA, um sim. Pego o celular pra contar pro Finch, mas a caixa postal está lotada. Nem tento mandar mensagem de texto. Sempre que escrevo, ele leva um tempão pra responder, e quando responde nunca é uma resposta real a alguma coisa que eu mandei.

Começo a ficar brava.

Dois dias depois, Finch escreve: **Estou no galho mais alto.**

Na manhã seguinte: **Fomos escritos a tinta.**

No mesmo dia, à noite: **Acredito em sinais.**

Na tarde seguinte: **O brilho da Ultravioleta.**

No dia seguinte: **Um lago. Uma prece. É tão adorável ser adorado em Particular.**

Então tudo fica quieto de novo.

VIOLET

ABRIL

Dia 5 de abril, domingo de Páscoa. Meus pais e eu vamos até a ponte da rua A e descemos para o leito seco do rio pra deixar flores no lugar onde Eleanor morreu. Uma placa de carro está fincada no chão, uma placa que de repente me parece familiar, e em volta dela há um pequeno jardim onde alguém plantou flores. *Finch.*

Tenho calafrios, não só por causa do ar frio. Um ano se passou, e apesar de meus pais não falarem muito enquanto estamos aqui, sobrevivemos.

A caminho de casa, me pergunto quando Finch esteve lá — quando achou a placa pela primeira vez, quando voltou. Espero que meus pais falem sobre o jardim ou conversem sobre Eleanor, que digam o nome dela hoje. Como não acontece, falo:

— Foi ideia minha ver o Boy Parade no recesso de primavera. Eleanor não gostava tanto assim deles, mas disse: "Se você quer ver o Boy Parade, então vamos vê-los, mas pra valer. Vamos segui-los por todo o Meio-Oeste". Ela era boa nisso, levar as coisas um passo adiante e fazer com que tomassem forma e ficassem mais emocionantes. — *Como outra pessoa que eu conheço.*

Começo a cantar minha música preferida do Boy Parade, a que mais me lembra dela. Minha mãe olha pro meu pai, que está com os olhos fixos na estrada, e começa a cantar comigo.

Em casa, sento à escrivaninha pensando sobre a pergunta da minha mãe: *Por que quero começar outra revista?*

Analiso o quadro na parede. Minhas anotações ultrapassam o quadro e atravessam a parede até chegar ao closet. Abro o caderno de andanças e viro as páginas. Na primeira vazia, escrevo: **Semente — substantivo: a origem de algo; uma coisa que pode servir de base para crescimento ou desenvolvimento.**

Leio de novo e acrescento: **A revista Semente é para todos...**

Risco.

Tento mais uma vez: **O objetivo da revista Semente é entreter, informar e mantê-lo seguro...**

Risco também.

Penso em Finch e Amanda, então olho pra porta do closet, onde ainda dá pra ver os buracos das tachinhas que prendiam o calendário. Penso no "X" preto que riscava a cada dia porque tudo o que eu queria era que ficassem pra trás.

Viro a página e escrevo: **Revista Semente. Você começa aqui.**

Então arranco e colo na parede.

Não tenho notícias de Finch desde março. Não estou mais preocupada. Estou brava. Brava com ele por ir embora sem falar nada, brava comigo mesma por ser tão abandonável e por não ter sido o suficiente pra que ele quisesse ficar. Faço as coisas normais pós-término de namoro — tomo sorvete direto do pote, ouço músicas do tipo "estou melhor sem ele", escolho uma foto nova pro perfil do Facebook. Minha franja finalmente está crescendo e volto a parecer a Violet de antes, mesmo não me sentindo mais a mesma. No dia 8 de abril, junto as poucas coisas que tenho dele, coloco em uma caixa e guardo no fundo do closet. Chega de Ultravioleta Markante. Volto a ser Violet Markey.

Onde quer que Finch esteja, está com nosso mapa. No dia 10 de abril, compro outro pra terminar o projeto, o que preciso fazer com ele ou sozinha. Agora as únicas coisas que tenho são memórias dos lugares. Nada pra mostrar que estive lá, a não ser algumas fotos e nosso caderno. Não sei como juntar tudo o que vimos e fizemos em uma coletânea compreensível, que faça sentido pra outra pessoa. O que quer que tenhamos feito ou sido juntos não faz sentido nem pra mim.

No dia 11 de abril, pego emprestado o carro da minha mãe, e ela não pergunta aonde estou indo, mas ao entregar as chaves diz:

— Ligue ou mande mensagem quando chegar e quando estiver voltando.

Vou pra Crawfordsville, onde faço uma tentativa desanimada de visitar o Museu da Prisão Rotativa, mas me sinto uma turista. Ligo pra minha mãe pra dar notícias e depois entro no carro. É um sábado quente. O sol está brilhando. Parece primavera e lembro que, tecnicamente, já é. Enquanto dirijo, procuro uma minivan Saturn e, toda vez que vejo uma, meu coração dá um pulo enorme até a garganta, apesar de eu dizer pra mim mesma: *Acabou. Esqueci Finch. Vou seguir em frente.*

Lembro o que ele disse sobre amar dirigir, a propulsão, como se pudesse ir pra qualquer lugar. Imagino a cara que ele faria se me visse ao volante agora.

"Ultravioleta", ele diria, "sempre soube que você conseguiria."

Quando Ryan e Suze terminam, ele me chama pra sair. Aceito, mas só como amigos. No dia 17 de abril, jantamos no Gaslight, um dos restaurantes mais chiques de Bartlett.

Brinco com a comida e faço de tudo pra me concentrar em Ryan. Conversamos sobre nossos planos para a faculdade e sobre a sensação de fazer dezoito anos (o aniversário dele é este mês, o meu, em maio), e embora não seja a conversa mais emocionante que já tive, é um encontro bom e comum, com um garoto bom e comum e valorizo isso agora. Penso em como rotulei Ryan exatamente como todo mundo rotula Finch. De repente, gosto da solidez e da sensação de constância que ele traz, o fato de ele sempre ser e fazer exatamente o que a gente espera que ele seja e faça. Tirando a parte do roubo, claro.

Quando ele me acompanha até a porta de casa, deixo que me beije, e quando me liga na manhã seguinte, atendo.

Sábado à tarde, Amanda aparece em casa e pergunta se quero fazer alguma coisa. Jogamos tênis na rua, como fazíamos quando me mudei pra cá, depois tomamos sorvete. À noite, vamos ao Quarry, só eu e ela, e mando mensagem pra Brenda e pra Shelby e pra Lara e pras três Brianas, e elas nos encontram. Uma hora depois, Jordan Gripenwaldt e algumas outras garotas da *Semente* se juntam a nós. Dançamos até a hora de ir embora.

Sexta, 24 de abril, Brenda e eu vamos ao cinema, e quando ela me convida pra dormir na casa dela, aceito. Ela quer conversar sobre Finch, mas digo que estou tentando esquecê-lo. Ela também não tem notícias dele, então respeita, mas não sem antes dizer:

— Só pra você saber, não é por sua causa. Qualquer que seja o motivo que o levou a ir embora deve ter sido um bom motivo.

Ficamos acordadas até as quatro da manhã trabalhando na *Semente*, eu no meu laptop e Brenda deitada no chão, com as pernas pra cima apoiadas na parede. Ela diz:

— Podemos guiar nossos leitores até a vida adulta como os xerpas no Everest. Podemos falar a verdade sobre sexo, a verdade sobre a vida na faculdade, a verdade sobre o amor. — Ela suspira. — Ou pelo menos a verdade sobre o que fazer quando os garotos são completos idiotas.

— E a gente sabe o que fazer quando isso acontece?

— Acho que não.

Tenho quinze e-mails de garotas do colégio que querem contribuir, porque *Violet Markey, heroína da torre do sino e criadora do eleanoreviolet.com (o blog preferido de Gemma Sterling), começou outra revista*. Leio em voz alta, e Brenda diz:

— Então isso é que é ser popular.

A esta altura, ela é minha amiga mais próxima.

VIOLET

26 DE ABRIL

Domingo, mais ou menos dez e meia da manhã, Kate Finch bate na porta de casa. Parece que não dorme há dias. Quando a convido pra entrar, ela faz que não com a cabeça.

—Você tem alguma ideia de onde Theo está?

— Não tive mais notícias dele.

Começa a balançar a cabeça.

— Certo. — Não para de balançar a cabeça. — O.k. É que ele tem dado notícias todo sábado pra minha mãe ou pra mim, por e-mail ou mensagem de voz quando sabe que não vai conseguir falar com a gente na hora. Tipo, todo sábado. Não tivemos notícias dele ontem e hoje de manhã recebemos um e-mail estranho.

Tento não ficar com ciúme do fato de ele mandar notícias pra elas, mas não pra mim. Afinal, elas são família. Eu sou só eu, a pessoa mais importante da vida dele, por um tempo, pelo menos. Mas tudo bem. Entendo. Ele seguiu em frente. Eu também segui.

Ela me entrega um pedaço de papel. Imprimiu o e-mail, enviado às 9h43 da manhã. **Lembro da vez que fomos a Indianápolis comer naquela pizzaria, aquela que tinha o órgão que saía do chão. Kate devia ter onze anos, eu tinha dez, Decca era bebê. Mamãe estava lá. Papai também. Quando o órgão começou a soar — tão alto que as mesas chacoalhavam —, o show de luzes teve início. Vocês lembram? Era como a aurora boreal. Mas o que mais me marcou foi a expressão de vocês. Nós estávamos tão felizes. Estávamos bem. Todos nós. Os dias felizes foram embora por um tempo,** mas estão voltando. Mãe, quarenta e um anos não é tanto assim. Decca, às vezes há beleza nas palavras difíceis — depende da maneira como as lemos. Kate, cuide do seu coração e lembre que você é melhor que qualquer cara. Você é incrível. Todas vocês são.

— Achei que talvez você soubesse por que ele escreveu isso, que talvez tivesse alguma notícia dele.

— Não sei, não tive. Sinto muito. — Devolvo o e-mail e prometo avisar se por algum milagre ele entrar em contato comigo, e ela vai embora e fecho a porta. Me apoio ali porque sinto necessidade de recuperar o fôlego.

Minha mãe aparece, franzindo a testa.

—Você está bem?

Quase digo claro, sim, ótima, mas sinto que estou acabada, então simplesmente a abraço e descanso a cabeça em seu ombro e deixo sua maternidade me envolver por alguns minutos. Então subo, ligo o computador e entro no Facebook.

Tem uma nova mensagem, às 9h47, quatro minutos depois de ele ter mandado o e-mail pra família.

As palavras são de *As ondas*: "Se este céu azul pudesse permanecer para sempre; se esta abertura pudesse durar para sempre; se este momento pudesse ficar para sempre... [...] Sinto-me reluzir na treva. [...] Estou vestida, estou preparada. Esta é a pausa de um momento; o momento sombrio. Os violinistas ergueram seus arcos. [...] Este é o meu chamado. Este é o meu mundo. Tudo está pronto e decidido [...] Tenho raízes, mas sou fluida... 'Venha', digo, 'venha.'".

Escrevo a única coisa que me vem à cabeça: **"Fique", digo, "fique".**

Verifico de cinco em cinco minutos, mas ele não responde. Ligo de novo, mas a caixa postal ainda está cheia. Desligo e ligo pra Brenda. Ela atende no primeiro toque.

— Ei, eu já ia ligar pra você. Recebi um e-mail estranho do Finch hoje de manhã.

O da Brenda foi enviado às 9h41 e só dizia: **Algum cara definitivamente vai amar você exatamente como você é. Não aceite qualquer coisa.**

O do Charlie foi enviado às 9h45 e era só: **Paz, seu bundão.**

Tem alguma coisa errada.

Digo a mim mesma que é só o coração partido por ter sido abandonada, o fato de ele ter desaparecido sem se despedir.

Pego o telefone pra ligar pra Kate e percebo que não tenho o número dela, então digo pra minha mãe que já volto, e vou até a casa de Finch.

Kate, Decca, e a sra. Finch estão lá. Quando me vê, a sra. Finch começa a chorar e, antes que eu possa impedir, ela me abraça forte e diz:

— Violet, estamos tão felizes por você estar aqui. Quem sabe você consegue desvendar tudo isso. Eu disse pra Kate "talvez Violet saiba onde ele está".

Através do cabelo da sra. Finch, olho pra Kate: *Por favor, me ajude.*

Ela diz:

— Mãe... — E encosta no ombro dela.

A sra. Finch se afasta de mim, enxugando os olhos e se desculpando por ser tão emotiva.

Pergunto a Kate se podemos conversar sozinhas. Passamos pelas portas de vidro de correr e vamos até o quintal, onde ela acende um cigarro. Me pergunto se é o mesmo lugar onde Finch encontrou o passarinho.

Ela franze a testa pra mim.

— O que foi?

— Ele escreveu pra mim. Hoje. Minutos depois do e-mail que mandou pra vocês. Também escreveu pra Brenda Shank-Kravitz e Charlie Donahue. — Não quero ler a mensagem pra ela, mas sei que preciso. Pego o celular e ficamos à sombra de uma árvore enquanto mostro as coisas que ele escreveu.

— Eu nem sabia que ele tinha Facebook — ela diz, depois fica quieta enquanto lê. Quando termina, olha pra mim, perdida. — Tá bom. O que isso tudo significa?

— É um livro que a gente descobriu. Da Virginia Woolf. A gente sempre manda trechos um pro outro.

— Você tem esse livro? Talvez tenha alguma dica na parte que vem antes ou depois disso.

— Eu trouxe. — Tiro o livro da mochila. Já grifei e agora mostro pra ela de onde ele copiou. Ele as tirou de ordem, escolheu alguns trechos ao longo de várias páginas e os juntou como queria. Como as músicas que compõe com post-its.

Kate esquece o cigarro, e a cinza se acumula, já do tamanho de uma unha.

— Não consigo entender o que é que essas pessoas estão fazendo — ela mostra o livro —, muito menos entender como isso pode se relacionar ao lugar onde ele está. — De repente, ela vê o cigarro e dá uma tragada longa. Enquanto solta a fumaça, diz: — Ele deve ir pra NYU, sabia?

— Quem?

— Theo. — Ela joga o cigarro no chão e esmaga com o sapato. — Ele foi aceito previamente.

NYU. *Claro. Quais seriam as chances de nós dois termos escolhido a mesma faculdade, e agora nenhum de nós irmos?*

— Eu não... ele nunca me falou sobre a faculdade.

— Ele também não contou pra mim nem pra minha mãe. A gente só descobriu porque alguém da NYU tentou falar com ele no outono e eu acabei ouvindo a mensagem antes. — Ela força um sorriso. — Até onde sei, ele pode estar em Nova York agora.

— Você sabe se sua mãe recebeu as mensagens? Da minha mãe e do psiquiatra?

— Decca falou de um médico, mas minha mãe quase nunca ouve os recados da secretária eletrônica. Eu teria ouvido se tivesse alguma.

— Mas não tinha nenhuma.

— Não.

Porque ele apagou.

Voltamos pra dentro, e a sra. Finch está deitada no sofá, de olhos fechados, enquanto Decca fica perto dela espalhando pedaços de papel pelo chão. Não consigo não olhar pra ela, porque lembra muito Finch com seus post-its. Kate percebe e diz:

— Não me pergunte o que ela está fazendo. Mais um de seus projetos de arte.

— Você se importa se eu der uma olhada no quarto dele, já que estou aqui?

—Vai lá. Deixamos tudo como estava... sabe, pra quando ele voltar.

Se ele voltar.

No andar de cima, fecho a porta do quarto e fico ali parada por um instante. O quarto ainda tem o cheiro dele — uma mistura de sabonete e cigarro e um traço inebriante e amadeirado que é a cara de Theodore Finch. Abro as janelas pra deixar entrar um pouco de ar porque o quarto está muito morto e sem graça, e então fecho de novo, com medo que o cheiro de sabonete e cigarros e Finch escape. Me pergunto se as irmãs ou a mãe dele estiveram aqui desde que ele sumiu. Parece intocado, as gavetas ainda abertas como da última vez em que vim.

Vasculho a cômoda e a escrivaninha de novo, depois o banheiro, mas não há nada que dê alguma pista. Meu celular toca e dou um pulo. É Ryan, e ignoro. Vou até o closet, onde a luz negra foi substituída por uma lâmpada normal. Vasculho as prateleiras e as roupas que restaram, as que não levou. Tiro uma camiseta preta de um cabide e respiro seu cheiro, então guardo dentro da bolsa. Fecho a porta, sento e digo em voz alta:

— Certo, Finch. Me ajuda. Você deve ter deixado alguma pista.

Sinto a falta de espaço que o closet proporciona e penso sobre o truque do buraco negro de Sir Patrick Moore, quando ele simplesmente desapareceu. Me ocorre que o closet de Finch é exatamente isso — um buraco negro. Ele entrou aqui e desapareceu.

Então examino o teto. Estudo o céu que ele criou, mas parece um céu noturno e nada mais. Olho pra parede de post-its, leio cada um deles até ter certeza de que nada foi acrescentado. Na parede pequena de frente pra porta fica uma sapateira vazia onde ele pendurava a guitarra. Sento e me arrasto pra trás e olho pra parede onde estava encostada. Tem post-its nela também, e por algum motivo não notei que estavam ali da última vez.

São só duas linhas, cada palavra sozinha em um pedaço de papel diferente. Na primeira linha tem: **poderia**, **ficasse**, **nada**, **tempo**, **fazer**, **que**, **com**, **ele**, **muito**.

Na segunda: **água**, **vá**, **se**, **para**, **a**, **ela**, **lhe**, **agrada**, **que**, **é**.

Pego a palavra "nada". Sento com as pernas cruzadas e me curvo, pensando. Sei que já as ouvi antes, mas não nessa ordem.

Pego as palavras da primeira linha e começo a desembaralhá-las:

Muito tempo resistisse com que ele nada poderia fazer.
Nada fazer poderia com que ele tempo muito resistisse.
Nada poderia fazer com que ele resistisse muito tempo.

Na segunda linha, pego o "vá" da parede e coloco na minha frente. Então coloco o "para" e mexo até formar: **Vá para a água se é ela que lhe agrada.**

Quando desço de novo, só estão Decca e a sra. Finch. Ela me diz que Kate saiu pra procurar Theo e não falou quando volta. Não tenho escolha: preciso conversar com a mãe dele. Pergunto se ela se importaria de subir. Ela sobe a escada como uma idosa e eu espero lá em cima. Ela hesita no último degrau.

— O que é, Violet? Acho que não vou aguentar uma surpresa.

— É uma pista de onde ele pode estar.

Ela me segue até o quarto e fica paralisada por um instante, olhando em volta, como se fosse a primeira vez que entrasse aqui.

— Quando ele pintou tudo de azul?

Em vez de responder, aponto pro closet.

— Aqui dentro.

Entramos no closet e ela cobre a boca quando percebe como está vazio, quanta coisa não está mais aqui. Me abaixo diante da parede e mostro os post-its.

Ela diz:

— A primeira linha. Foi isso que ele disse quando o passarinho morreu.

— Acho que ele voltou pra um dos lugares onde fizemos nossas andanças, um dos lugares com água. — **As palavras são de *As ondas***, ele escreveu no Facebook. Às 9h47 da manhã. Mesma hora da pegadinha de Júpiter-Plutão. A água poderia ser na Empire Quarry ou nos Sete Pilares ou o rio que corre na frente do colégio ou mais ou menos cem outros lugares. A sra. Finch fica olhando pra parede sem reação, não sei dizer nem se está me escutando. — Posso dar direções e dizer exatamente onde procurar por ele. Tem vários lugares pra onde ele pode ter ido, mas tenho um bom palpite.

Então ela vira pra mim e segura meu braço e aperta tão forte que quase sinto um hematoma se formando.

— Desculpe por perguntar, mas você poderia ir? Estou tão... preocupada e... eu não acho que consigo... quer dizer... caso alguma coisa venha a... ou se ele estiver...

Ela começa a chorar de novo, com força e descontrolada, e estou a ponto de prometer qualquer coisa contanto que ela pare.

— Preciso muito que você traga ele pra casa.

VIOLET

26 DE ABRIL (PARTE 2)

Não vou por ela, pelo pai dele, por Kate nem por Decca. Vou por mim. Talvez porque de alguma forma saiba o que vou encontrar. E talvez porque saiba que a culpa é minha. Afinal, foi por minha causa que ele saiu do closet. Fui eu que o forcei a sair, ao falar com meus pais e trair sua confiança. Ele nunca teria fugido se não fosse por mim. Além do mais, digo a mim mesma, Finch ia querer que fosse eu.

Ligo pros meus pais e digo que vou pra casa daqui a pouco, que tem uma coisa que preciso fazer, e desligo na cara do meu pai, apesar de ele estar fazendo uma pergunta. Dirijo mais rápido que o normal e lembro o caminho sem consultar o mapa. Sinto uma calma estranha e assustadora, como se outra pessoa estivesse dirigindo. Mantenho o rádio desligado. Estou focada em chegar lá.

"Se este céu azul pudesse permanecer para sempre; se esta abertura pudesse durar para sempre..."

Nada poderia fazer com que ele resistisse muito tempo.

A primeira coisa que vejo é o Tranqueira estacionado no acostamento, com as rodas do lado direito, a dianteira e a traseira, na ribanceira. Paro atrás dele e desligo o motor. Fico ali sentada.

Posso dirigir pra longe agora mesmo. Se eu for embora, Theodore Finch de alguma forma ainda estará no mundo, vivendo e andando por aí, mesmo que sem mim. Meus dedos estão na chave que está na ignição.

Vá pra longe.

Saio do carro e o sol está muito quente para o mês de abril em Indiana. O céu está azul, depois de meses com nada além de cinza, tirando aquele dia quente. Deixo a jaqueta pra trás.

Passo pelas placas de ENTRADA PROIBIDA e pela casa que fica à beira da estrada e por uma garagem. Subo a ribanceira e então desço até a piscina ampla e redonda de água azul, rodeada de árvores. Não sei como não reparei na primeira vez: a água é tão azul quanto os olhos dele.

O lugar está deserto e calmo. Tão deserto e calmo que quase viro e volto pro carro.

Mas aí vejo.

Suas roupas, na margem, bem dobradas e empilhadas, camisa sobre calça jeans sobre jaqueta sobre botas pretas. São as principais atrações do guarda-roupa dele. Mas estão ali. Na margem.

Durante um bom tempo, não me mexo. Porque se eu continuar parada, Finch ainda vai estar por aí em algum lugar.

Então me ajoelho ao lado da pilha de roupas e ponho a mão sobre elas, como se assim pudesse descobrir onde ele está e há quanto tempo veio pra cá. As roupas estão quentes por causa do sol. Encontro o celular dentro de uma das botas, mas está sem bateria. Na outra bota, óculos e chave do carro. Dentro da jaqueta de couro, encontro nosso mapa, tão bem dobrado quanto as roupas. Sem pensar, guardo na bolsa.

— Marco — sussurro, esperando ouvir "Polo" em resposta.

Fico de pé.

— Marco — digo mais alto.

Tiro os sapatos e o casaco e coloco a chave e o celular ao lado da pilha perfeita de roupas de Finch. Subo na beirada da pedra e pulo na água, e perco o fôlego porque está gelada, não quente. Bato as pernas, com a cabeça fora da água, até conseguir respirar. Então respiro fundo e desço, onde a água está estranhamente clara.

Vou o mais fundo que consigo. A água parece escurecer conforme desço, e logo preciso voltar até a superfície e tomar mais fôlego. Mergulho de novo e de novo, indo o mais fundo que ouso antes de ficar sem ar. Nado de um lado do buraco ao outro, vou e volto. Subo e depois desço de novo. Cada vez consigo ficar um pouco mais, mas não tanto quanto Finch, que consegue segurar a respiração por minutos.

Conseguia.

Porque de repente, eu sei: ele se foi. Ele não está em algum lugar. Ele não está em lugar nenhum.

Mesmo depois de saber, mergulho e nado e mergulho e nado, subo e desço e vou e volto, até que finalmente, quando não aguento mais, me arrasto até a ribanceira, exausta, pulmões arfando, mãos tremendo.

Enquanto ligo para a emergência, penso: *Ele não está em lugar nenhum. Ele não está morto. Ele só encontrou aquele outro mundo.*

O delegado de Vigo County chega com o corpo de bombeiros e uma ambulância. Fico sentada na ribanceira, enrolada num cobertor que alguém me deu, e penso em Finch e em Sir Patrick e em buracos negros e em buracos azuis e em lagos sem fundo e estrelas explodindo e horizontes de eventos, e em um lugar tão escuro que a luz não sai de lá depois que entra.

Agora esses estranhos estão aqui remexendo tudo — devem ser os donos dessa propriedade e dessa casa. Eles têm filhos, e a mulher cobre os olhos das crianças e os enxota pra longe daqui, mandando voltarem lá pra dentro e não saírem, não importa o que aconteça, até ela autorizar. O marido diz:

— Malditas crianças. — Ele não está se referindo às dele, mas às crianças em geral, crianças como Finch e eu.

Homens mergulham e mergulham, três ou quatro deles — parecem todos iguais. Quero dizer que não é preciso, não vão achar nada, ele não está ali. Se tem alguém que pode chegar no outro mundo, esse alguém é Theodore Finch.

Mesmo quando trazem o corpo pra cima, inchado e azul, penso: *Não é ele. É outra pessoa. Essa coisa inchada azul com a pele morta não é* ninguém que eu conheço ou reconheço. Digo isso a eles. Eles perguntam se me sinto forte o suficiente pra identificá-lo.

— Não é ele. Isso aí é uma coisa inchada azul e morta, e não posso identificar porque nunca vi isso antes.

Viro a cabeça pro outro lado.

O delegado se agacha ao meu lado.

—Vamos ligar pros pais dele.

Ele pede o número, mas eu digo:

— Eu ligo. Foi ela quem me pediu pra vir. Ela queria que eu encontrasse ele. Eu ligo.

Mas não é ele, vocês não veem? Pessoas como Theodore Finch não morrem. Ele só está andando por aí.

Ligo pro telefone fixo que a família nunca usa. A mãe dele atende no primeiro toque, como se estivesse sentada ao lado, esperando. Por algum motivo, isso me deixa com raiva e quero desligar o telefone e jogá-lo na água.

— Alô? — ela diz. — Alô? — Sua voz está estridente e esperançosa e aterrorizada. — Meu Déus! *Alô?!*

— Sra. Finch? Sou eu, Violet. Encontrei. Ele estava onde eu achava que estaria. Sinto muito. — Minha voz soa como se eu estivesse embaixo d'água ou bem distante. Belisco o lado de dentro do braço, deixando marquinhas vermelhas, porque de repente não sinto nada.

A mãe dele solta um som que nunca ouvi antes, grave e gutural e terrível. Mais uma vez, quero jogar o telefone na água pra isso parar, mas em vez disso continuo dizendo:

— Sinto muito — repito de novo e de novo, como uma gravação, até o delegado arrancar o telefone da minha mão.

Enquanto ele fala, deito no chão, o cobertor em volta de mim, e digo pro céu:

— *Que seu olho vá para o Sol, para o vento sua alma... Você é todas as cores em uma, em pleno brilho.*

VIOLET

3 DE MAIO

Me olho no espelho e estudo meu rosto. Estou toda de preto. Saia preta, sandália preta e a camiseta preta do Finch, que vesti com um cinto. Meu rosto parece meu rosto, mas diferente. Não é o rosto de uma adolescente despreocupada que foi aceita em quatro faculdades e tem pais bacanas e amigos bacanas e a vida inteira pela frente. É o rosto de uma garota triste e solitária que passou por algo ruim. Me pergunto se algum dia meu rosto vai ser como antes ou se sempre verei isso em meu reflexo — Finch, Eleanor, perda, dor, culpa, morte.

Mas as outras pessoas veem isso? Tiro uma foto com o celular, abrindo um sorriso falso, e quando vejo como ficou, ali está Violet Markey. Poderia postá-la no Facebook neste momento, e ninguém saberia que tirei Depois e não Antes.

Meus pais querem ir comigo ao enterro, mas não deixo. Estão muito em cima de mim. Toda vez que me viro, encontro seus olhos preocupados, e o jeito como olham um pro outro, e tem mais uma coisa — raiva. Não estão mais bravos comigo, porque estão furiosos com a sra. Finch, e provavelmente com o próprio Finch, apesar de não terem dito. Meu pai, como sempre, fala mais que minha mãe, e escuto ele falando sobre "aquela mulher" e sobre como ele queria dizer *umas verdades* pra ela, antes de minha mãe dizer pra ele ficar quieto, *Violet pode ouvir você.*

A família dele está na frente. Está chovendo. É a primeira vez que vejo o pai dele, que é alto e tem ombros largos e é lindo como um ator de cinema. A mulher tímida que deve ser madrasta de Finch está ao lado, com o braço em volta de um garotinho muito pequeno. Perto estão Decca e Kate e a sra. Finch. Todos choram, até o pai.

O Golden Acres é o maior cemitério da cidade. Estamos no topo de uma colina, ao lado do caixão, meu segundo enterro em um ano, embora Finch quisesse ser cremado. O pregador cita versos da Bíblia, e a família chora, e todos choram, até Amanda Monk e algumas líderes de torcida. Ryan e Roamer estão ali, além de mais ou menos duzentas outras pessoas da escola. Também reconheço o diretor Wertz e o sr. Black e a sra. Kresney e o sr. Embry da orientação pedagógica. Fico em um dos lados, com meus pais — que insistiram em vir — e Brenda e Charlie. A mãe da Brenda está aqui, com a mão no ombro da filha.

Charlie está em pé, as mãos cruzadas na frente do corpo, olhando pro caixão. Brenda olha pro Roamer e pros outros do bando da choradeira, com os olhos secos e furiosos. Sei o que ela está sentindo. Essas pessoas o chamavam de "aberração" e nunca deram atenção a ele, a não ser pra tirar sarro ou espalhar boatos, e agora estão agindo como carpideiras profissionais, daquelas que se pode contratar pra cantar, chorar e rastejar no chão. O mesmo vale pra família dele. Depois que a pregação termina, todos vão até a família pra apertar as mãos e oferecer condolências. A família aceita como se merecesse. Ninguém diz nada pra mim.

Então fico parada com a camiseta preta do Finch, pensando. Em todas as suas palavras, o pregador não mencionou suicídio. A família está chamando a morte de acidente porque não encontrou nenhum bilhete, então o pregador falou sobre a tragédia de alguém morrer tão jovem, uma vida terminada cedo demais, com tantas possibilidades nunca realizadas. Fico ali, pensando em como não foi um acidente e em como "vítima de suicídio" é um termo interessante. "Vítima" implica que a pessoa não teve escolha. Talvez Finch não achasse mesmo que tinha escolha, ou talvez não estivesse tentando se matar, mas procurando o fundo. Nunca vou saber, não é mesmo?

Então penso: *Você não pode fazer isso comigo. Foi você quem me deu um sermão sobre o valor da vida. Foi você quem disse que eu tinha que sair e ver o que estava bem na minha frente e aproveitar ao máximo em vez de só esperar o tempo passar e encontrar minha montanha, porque minha montanha estava esperando, e tudo isso faz parte da vida. E aí você vai embora. Você não pode fazer isso. Principalmente porque sabe o que passei quando perdi Eleanor.*

Tento lembrar das últimas palavras que disse a ele, mas não consigo. Só lembro que eram palavras de raiva banais. O que eu teria dito se soubesse que nunca mais o veria?

Quando todos começam a se separar e ir embora, Ryan vem até mim.

— Ligo pra você depois?

É uma pergunta, então faço que sim com a cabeça. Ele acena de volta e vai embora.

Charlie murmura:

— Bando de falsos! — Não tenho certeza se está falando dos nossos colegas ou da família de Finch ou de toda a congregação.

Brenda diz, com raiva:

— De algum lugar, Finch está assistindo a isso e pensando "O que vocês esperavam?". Espero que esteja mandando eles praquele lugar.

A sra. Finch foi quem identificou o corpo oficialmente. Os documentos dizem que, quando foi encontrado, Finch provavelmente estava morto havia muitas horas.

—Vocês acham mesmo que ele está em algum lugar? — pergunto. Brenda me olha intrigada. — Tipo, qualquer lugar? Quer dizer, prefiro pensar que, onde quer que esteja, talvez não consiga nos ver porque está vivo num outro mundo, melhor que este. O tipo de mundo que ele teria criado se pudesse. Eu gostaria de viver em um mundo criado por Theodore Finch. — E penso: *Por um tempo, eu vivi.*

Antes que Brenda responda, a mãe de Finch de repente aparece ao meu lado, os olhos vermelhos fixos em mim. Ela me abraça e me aperta como se nunca mais fosse soltar.

— Ah, Violet — chora. — Ah, menina, como você está?

Eu a afago como se ela fosse uma criança, e de repente o sr. Finch aparece ali também, e me abraça com seus braços enormes, o queixo na minha cabeça. Não consigo respirar, e então sinto alguém me puxando e ouço meu pai dizendo:

— Acho que vamos levá-la pra casa. — Sua voz é seca e fria. Deixo que ele me leve pro carro.

Em casa, remexo o jantar e ouço meus pais conversarem sobre os Finch em um tom de voz controlado e equilibrado, escolhido cuidadosamente pra não me deixar chateada.

— Eu queria ter dito algumas verdades praquelas pessoas hoje — meu pai comenta.

— Ela não tinha o direito de pedir aquilo pra Violet — minha mãe diz. Então olha pra mim e pergunta, muito calma: — Quer mais salada, querida?

— Não, obrigada.

Antes que comecem a falar de Finch e do egoísmo que é cometer suicídio, tirar a própria vida sendo que Eleanor teve a dela tirada e *não pôde escolher* — que desperdício, que coisa mais horrível e burra de se fazer —, peço licença pra levantar, apesar de mal ter tocado na comida. Não preciso ajudar com a louça, então subo e fico sentada no closet. Meu calendário está jogado em um canto. Abro, estico as páginas e olho pra todos os incontáveis dias em branco, que não risquei com um "X" porque foram dias que passei com Finch.

Penso:

Odeio você.

Se eu soubesse.

Se eu tivesse sido suficiente.

Eu decepcionei você.

Eu queria ter feito alguma coisa.
Eu devia ter feito alguma coisa.
Foi minha culpa?
Por que não fui suficiente?
Volte.
Eu amo você.
Sinto muito.

VIOLET

MAIO — PRIMEIRA, SEGUNDA E TERCEIRA SEMANAS

Na escola, todos os alunos parecem de luto. Tem muita gente usando preto e ouvem-se fungadas em todas as salas. Alguém fez um santuário pro Finch em um dos grandes murais de vidro no corredor principal, perto da sala do diretor. A foto que ele tirou pro colégio este ano foi ampliada, e deixaram o vidro aberto pra que todos colocassem lembranças ao redor — *Querido Finch,* é como todos começam. *Você é querido e deixou saudades. Amamos você. Sentimos sua falta.*

Quero arrancar todos e rasgar e jogar na pilha com as outras palavras más e falsas, porque é exatamente isso que são.

Nossos professores nos lembram que faltam apenas cinco semanas para acabar as aulas, e eu deveria estar feliz, mas não sinto nada. Não sinto muito há alguns dias. Chorei um pouco, mas na maior parte do tempo estou vazia, como se o que me fizesse sentir e sofrer e rir e amar tivesse sido removido cirurgicamente, me deixando oca como uma concha.

Falo pro Ryan que só podemos ser amigos, e tudo bem porque ele não quer chegar muito perto de mim. Ninguém quer. É como se estivessem com medo de que seja contagioso.

No almoço, sento com Brenda, Lara e as Brianas até a quarta-feira da semana seguinte ao enterro do Finch, quando Amanda vem até nós, põe a bandeja dela na mesa e, sem olhar pras outras, diz pra mim:

— Sinto muito pelo Finch.

Por um instante, acho que Brenda vai bater nela, e meio que quero que bata, ou pelo menos quero ver o que aconteceria se batesse. Mas como Brenda não faz nada, aceno com a cabeça para Amanda.

— Obrigada.

— Eu não deveria ter chamado ele de aberração. E quero que saiba que terminei com Roamer.

— Tarde demais — Brenda sussurra. Ela levanta de repente, esbarrando na mesa e fazendo tudo tremer. Pega a bandeja, diz que me vê mais tarde e sai pisando firme.

Na quinta, tenho uma reunião com o sr. Embry, porque o diretor Wertz e o conselho da escola decidiram que todos os amigos e colegas de Theodore Finch devem ter ao menos uma sessão de aconselhamento, apesar de Os Pais, como meu pai e minha mãe se referem ao sr. e à sra. Finch, insistirem que foi um acidente — o que, a meu ver, significa que estamos livres pra ficar de luto abertamente, de um jeito normal, saudável e sem estigmas. Não precisamos ter vergonha já que não foi um suicídio.

Escolho o sr. Embry em vez da sra. Kresney porque ele era o orientador pedagógico de Finch. De trás da mesa, ele franze a testa pra mim, e de repente me pergunto se ele vai me culpar como me culpo.

Eu nunca deveria ter sugerido que a gente pegasse a ponte da rua A. E se a gente tivesse seguido por outro caminho? Eleanor ainda estaria aqui.

O sr. Embry limpa a garganta.

— Sinto muito por Finch. Ele era um garoto bom mas problemático, que deveríamos ter ajudado mais.

Isso chama minha atenção.

Então ele completa:

— Me sinto responsável.

Quero jogar o computador e os livros no chão. *Você não pode se sentir responsável. Eu sou responsável. Não tente tirar isso de mim.*

Ele continua:

— Mas não sou. Fiz o que achava que podia fazer. Poderia ter feito mais? Possivelmente. Sim, sempre podemos fazer mais. É uma pergunta difícil de responder, mas, no fim das contas, não há por que fazê-la. Pode ser que você esteja sentindo e pensando essas coisas também.

— Eu sei que deveria ter feito mais. Deveria ter percebido o que estava acontecendo.

— Nem sempre podemos enxergar o que os outros não querem que a gente veja. Principalmente quando se esforçam tanto para esconder. — O sr. Embry pega um livreto da mesa e lê: — "Você é um sobrevivente, e conforme essa designação indesejável determina, sua sobrevivência, sua sobrevivência *emocional*, dependerá de como você vai lidar com a tragédia. A má notícia: sobreviver a isso será a segunda pior experiência da sua vida. A boa notícia: o pior já passou."

Ele me entrega o livreto. *SOS: Um manual para sobreviventes do suicídio.*

— Quero que você leia, mas também quero que venha conversar comigo, que converse com seus pais, com seus amigos. A última coisa que desejamos é que você guarde isso para si. Você era a mais próxima a ele, o que significa que vai sentir toda a raiva e a perda e a negação e o luto que sentiria com qualquer morte, mas essa é diferente, então não seja dura consigo mesma.

— A família dele diz que foi um acidente.

— Então talvez tenha sido. As pessoas vão lidar com isso como puderem. Minha única preocupação é você. Você não pode ser responsável por todo mundo, nem pela sua irmã nem por Finch. O que aconteceu com a sua irmã... ela não teve escolha. Talvez o Finch se sentisse sem escolha também, mas ele tinha. — Ele estreita os olhos e fixa o olhar em um ponto logo acima do meu ombro, e percebo que está repassando tudo na cabeça, cada conversa com Finch, como tenho feito desde que aconteceu.

O que não posso e não vou mencionar é que vejo Finch em todos os lugares — nos corredores da escola, na rua, no meu bairro. O rosto de alguém me lembra ele, ou o jeito de falar, ou a risada. É como estar rodeada de mil Finches diferentes. Me pergunto se isso é normal, mas não pergunto a ele.

Em casa, deito na cama e leio o livreto inteiro; como tem só trinta e seis páginas, não demora muito. Depois, o que fica na minha cabeça são essas duas linhas: *A esperança está em aceitar sua vida como ela se apresenta agora, mudada para sempre. Se puder fazer isso, a paz virá em seguida.*

Mudada para sempre.

Estou mudada para sempre.

No jantar, mostro pra minha mãe o livreto que o sr. Embry me deu. Ela lê enquanto come, sem dizer nada, enquanto meu pai e eu tentamos conversar sobre a faculdade.

— Você já decidiu pra qual faculdade vai, V?

— Talvez UCLA. — Quero que ele escolha pra mim, porque que diferença faz? São todas iguais.

— Acho melhor você responder logo pra eles.

— Acho que sim. Vou fazer isso em breve.

Meu pai olha pra minha mãe em um pedido de ajuda, mas ela continua lendo, a comida esquecida.

— Você já pensou em se candidatar à NYU para entrar na primavera?

— Não, mas talvez seja melhor eu fazer isso agora. Vocês se importam? — Quero sair de perto do livreto e deles e de qualquer conversa sobre o futuro.

Meu pai parece aliviado.

— Claro que não. Pode ir. — Ele está feliz por eu sair da mesa, e eu também. É melhor assim, porque do contrário teríamos que encarar um ao outro, e Eleanor, e o que aconteceu com Finch. Neste momento, estou grata por não ser mãe e me pergunto se um dia vou ser. Que sentimento horrível deve ser amar uma pessoa e não ter como ajudá-la.

Na verdade, sei exatamente como é.

Em uma assembleia da escola na segunda quinta-feira após o enterro de Finch, eles trazem um especialista em artes marciais de Indianápolis pra conversar com a gente sobre segurança e autodefesa, como se o suicídio fosse algo que nos ataca na rua, e depois mostram um filme sobre adolescentes viciados em drogas. Antes de apagarem as luzes, o diretor Wertz anuncia que algumas partes são bem fortes, mas que é importante a gente ver as consequências do uso de drogas.

Quando o filme começa, Charlie se aproxima e me diz que só estão mostrando isso porque há um boato circulando sobre Finch usar alguma coisa, e que teria sido por isso que ele morreu. As únicas pessoas que sabem que não é verdade somos Charlie, Brenda e eu.

Quando um dos atores tem uma overdose, saio do auditório. Do lado de fora, vomito em uma das latas de lixo.

— Você está bem? — Amanda está sentada no chão, encostada na parede.

— Não vi que você estava aí. — Saio de perto da lata de lixo.

— Não consegui aguentar nem cinco minutos.

Sento no chão, a alguns metros dela.

— O que passa pela sua cabeça quando você pensa nisso?

— Nisso...?

— Em se matar. Quero saber qual é a sensação, o que a pessoa pensa. Quero saber por quê.

Amanda olha pras mãos.

— Só posso dizer como *eu* me senti. Feia. Nojenta. Burra. Pequena. Sem valor. Esquecida. A sensação é de que a gente não tem escolha. De que é a coisa mais lógica a fazer, porque o que existe além disso? Você pensa: "Ninguém vai sentir a minha falta. Eles nem vão perceber que morri. O mundo vai continuar, e minha ausência não vai ter importância. Talvez seria melhor se eu nunca tivesse estado aqui".

— Mas você não se sente assim o tempo todo. Quer dizer, você é Amanda Monk. Você é popular. Seus pais são legais. Seus irmãos são legais.

— *Todo mundo é legal com você*, penso, *porque as pessoas têm medo de não ser*.

Ela olha pra mim.

— Nesses momentos, nada disso importa. É como se fosse com outra pessoa, porque tudo o que a gente sente é uma escuridão por dentro, e essa escuridão meio que toma conta. Na verdade, nem pensamos no que pode acontecer com quem deixamos pra trás, porque só conseguimos pensar em nós mesmos. — Ela abraça os joelhos. — Finch se consultou com algum médico?

— Não sei. — Tem tanta coisa que não sei sobre ele. Acho que agora nunca vou saber. — Tenho a impressão de que os pais dele não queriam admitir que havia alguma coisa errada.

— Ele estava tentando melhorar por sua causa.

Sei que ela quer fazer com que eu me sinta melhor, mas só faz com que me sinta pior.

No dia seguinte, na aula de geografia, o sr. Black fica de pé na frente da lousa, onde escreve 4 de junho e sublinha.

— Chegou a hora... gente... os projetos devem ser entregues logo... então se concentrem... se concentrem... se concentrem. Por favor, me procurem... caso tenham alguma pergunta... do contrário, vou... esperar que... entreguem na data... ou antes.

Quando o sinal toca, ele diz:

— Quero conversar... com você, Violet.

Fico na minha cadeira, ao lado de onde Finch sentava, e espero. Depois que a última pessoa sai, o sr. Black fecha a porta e afunda na cadeira dele.

— Queria conversar... com você para... ver se precisa de ajuda... e dizer que... se sinta livre pra entregar... o que quer que tenha... conseguido até agora... obviamente... entendo... que existem... circunstâncias... atenuantes...

Circunstâncias atenuantes. Esta sou eu. Esta é Violet Markey. Pobre Violet, mudada para sempre, com suas circunstâncias atenuantes. Devemos ter cuidado com ela, porque ela é frágil e pode quebrar se esperarmos que faça o mesmo esforço dos outros.

— Obrigada, mas estou bem. — Posso fazer isso, posso provar pra eles que não sou uma bonequinha de porcelana. Só queria que Finch e eu tivéssemos compilado todas as nossas andanças e documentado cada uma delas um pouco melhor. Estávamos tão ocupados vivendo o momento que não tenho muito o que mostrar, a não ser um caderno pela metade, algumas fotos e um mapa rabiscado.

Na mesma noite, me torturo lendo nossas mensagens no Facebook, desde o início. E depois, mesmo sabendo que ele nunca vai ler, abro nosso caderno e começo a escrever.

Carta a alguém que cometeu suicídio
Por Violet Markey

Onde você está? Por que se foi? Acho que nunca saberei. Foi porque o irritei? Porque tentei ajudar? Porque não atendi quando você jogou pedras na minha janela? E se eu tivesse atendido? O que você teria dito? Eu o teria convencido a ficar ou a não fazer o que fez? Ou aquilo teria acontecido de qualquer jeito?

Sabia que minha vida mudou para sempre? Eu achava que isso tinha acontecido porque você chegou e me mostrou Indiana e, ao fazer isso, me obrigou a sair do quarto e ir pro mundo. Mesmo quando não estávamos andando por aí, mesmo no chão do seu quarto, você me mostrou o mundo. Eu não sabia que minha vida ia mudar pra sempre porque você me amou e então se foi, de um jeito tão definitivo.

Acho que, no final das contas, o Grande Manifesto não existia, apesar de você ter feito com que eu acreditasse. Acho que a única coisa que existia era um projeto da escola.

Nunca vou perdoá-lo por ter me deixado. Só queria que você pudesse me perdoar. Você salvou minha vida.

E, no final, escrevo simplesmente: **Por que não pude salvar a sua?**

Me encosto na cadeira e, em cima da escrivaninha, vejo os post-its com ideias pra *Semente*. Adicionei uma categoria nova: Pergunte a um especialista. Meu olhar passa pelo papel que descreve a revista. Para na última linha: **Você começa aqui.**

Em um instante, fico de pé e me afasto da escrivaninha e reviro o quarto. De cara, não consigo lembrar o que fiz com o mapa. Sinto um pânico percorrer meu corpo, o que me faz tremer, porque e se eu tiver perdido? Vai ser mais um pedaço de Finch que se foi.

Então encontro o mapa na mochila, na terceira vez que procuro nela, como se tivesse surgido do nada. Desdobro e olho pros pontos circulados que não visitamos. Há mais cinco lugares para eu conhecer sozinha. Finch escreveu números ao lado de cada um para que houvesse uma ordem.

VIOLET

ANDANÇAS RESTANTES 1 E 2

Milltown, oitocentos e quinze habitantes, perto da fronteira com Kentucky. Paro para perguntar a alguém como chegar às árvores de sapato. Uma mulher chamada Myra me direciona a um lugar chamado Vale do Diabo. Não demora muito pra que a estrada pavimentada acabe, e logo passo para uma estrada estreita de terra, sempre olhando pra cima, que foi o que Myra me disse pra fazer. Quando acho que estou perdida, chego a um cruzamento cercado de árvores.

Estaciono e desço. Ao longe, ouço o som de crianças gritando e rindo. Há árvores pelos quatro cantos, com galhos cheios de sapatos. Centenas e centenas de sapatos. A maioria amarrada pelos cadarços, como enormes enfeites de Natal. Myra disse que não tinha certeza de como isso começou nem de quem deixou o primeiro par, mas as pessoas vêm de toda parte só pra decorar as árvores. Existe um boato de que o jogador de basquete Larry Bird deixou um par em algum lugar.

A tarefa é simples: deixar um par. Trouxe um All-Star verde de cano alto e os Keds amarelos de Eleanor. Fico de pé, a cabeça virada pra cima, tentando decidir onde colocá-los. Decido pendurá-los juntos na árvore original, a que tem mais sapatos e que já foi atingida por raios várias vezes — sei disso porque o tronco parece morto e preto.

Tiro uma canetinha do bolso e escrevo **Ultravioleta Markante** e a data em um dos pés do All-Star. Penduro baixo na árvore original, pois parece muito frágil pra subir. Tenho que pular um pouco pra alcançar o tronco, e os tênis sacodem e enroscam um no outro antes de parar. Penduro o Keds da Eleanor ao lado.

Então é isso. Nada mais pra ver aqui. É uma longa distância a percorrer só pra ver árvores de sapatos velhos, mas digo a mim mesma pra não encarar dessa forma. Pode haver magia aqui também. Espero pra ver se a encontro, cobrindo os olhos por causa do sol, e um segundo antes de voltar pro carro, vejo: no galho mais alto da árvore, pendurado sozinho. Um par de tênis com cadarço fluorescente, **TF** escrito em preto nos dois pés. Um maço de cigarros dos que ele fumava enfiado em um deles.

Ele esteve aqui.

Olho ao redor como se pudesse vê-lo agora, mas sou só eu e algumas crianças rindo e gritando em algum lugar aqui perto. Quando ele veio? Foi depois de ir embora? Foi antes disso?

Alguma coisa me incomoda. *O galho mais alto*, penso. *O galho mais alto.* Quero pegar o celular, mas está no carro, então corro, abro a porta com tudo e me apoio no banco. Sento metade dentro e metade fora, lendo as mensagens de Finch. Como não são muitas as recentes, não levo tanto tempo pra encontrar. **Estou no galho mais alto.** Vejo a data. Uma semana depois de ter ido embora.

Ele esteve aqui.

Leio as outras mensagens: **Fomos escritos a tinta. Acredito em sinais. O brilho da Ultravioleta. É tão adorável ser adorado em Particular.**

Pego o mapa, meu dedo segue a rota até o próximo lugar. Fica a horas daqui, a noroeste de Muncie. Vejo que horas são, dou partida e dirijo. Tenho a sensação de que sei pra onde vou, e espero que não seja tarde demais.

A Maior Bola de Tinta do Mundo fica na propriedade de Mike Carmichael. Diferente da árvore de sapato, é uma atração turística reconhecida. A bola não só tem seu próprio site, como é citada no *Guinness*.

Passa um pouco das quatro quando chego a Alexandria. Como liguei da estrada, Mike e a mulher estão esperando minha visita. Estaciono perto da estrutura onde aparentemente fica a bola — um barracão tipo um celeiro — e bato à porta, meu coração acelerado.

Como não há resposta, tento abrir, mas está trancada, então vou andando até a casa, meu coração batendo ainda mais rápido porque e se alguém veio aqui depois? E se alguém pintou por cima do que Finch escreveu? Então não vai ter mais nada, e nunca vou saber, e será como se ele nunca tivesse vindo aqui.

Bato na porta da frente mais forte do que pretendia e a princípio acho que eles não estão, mas então um homem de cabelo branco e sorriso esperançoso vem andando, falando, e pega minha mão e me diz pra chamá-lo de Mike.

— De onde você é, mocinha?

— Bartlett. — Não conto que estou vindo de Milltown.

— É uma ótima cidade. Às vezes vamos lá, no restaurante Gaslight.

Ouço meu coração bater nas orelhas, e está tão alto que começo a me perguntar se ele pode ouvir. Sigo-o até o barracão, e ele conta:

— Comecei essa bola de tinta há quase quarenta anos, quando estudava e trabalhava numa loja de tinta, talvez até antes de seus pais nascerem. Estava jogando beisebol com um amigo no depósito, e a bola derrubou uma lata de tinta. Pensei: o que será que aconteceria se eu desse mil demãos de tinta nessa bola? Então dei.

Mike diz que doou a bola pro Museu das Crianças, mas em 1977 decidiu começar outra.

Ele faz sinal em direção ao celeiro e destranca a porta e entramos em um cômodo grande e claro que cheira a tinta. Ali no meio está pendurada uma bola enorme, do tamanho de um pequeno planeta. Latas de tinta cobrem o chão e uma parede, e outra parede está coberta de fotografias da bola em diferentes estágios. Mike me conta que tenta pintá-la todos os dias, e eu o interrompo:

— Desculpe, mas um amigo meu esteve aqui recentemente, e eu queria saber se você lembra dele e se ele escreveu alguma coisa na bola.

Descrevo Finch, e Mike esfrega o queixo e começa a fazer que sim com a cabeça.

— Sim, sim. Lembro dele. Um jovem educado. Não ficou muito tempo. Usou essa tinta aqui.

Ele me leva até uma lata de tinta roxa, o nome do tom escrito na tampa: **Violet**.

Olho pra bola e ela não está roxa. Está amarela como o sol.

Sinto meu coração afundar; olho pro chão e quase espero vê-lo estirado ali.

— A bola foi pintada — digo. Cheguei tarde demais. Tarde demais pro Finch. Mais uma vez.

— Sempre que alguém quer escrever alguma coisa, peço que pintem por cima antes de ir embora. Assim já fica pronta pra próxima pessoa. Uma tela em branco. Quer adicionar uma camada?

Quase digo que não, mas não trouxe nada pra deixar pra trás, então aceito que ele me traga um rolo. Quando me pergunta a cor que eu quero, respondo azul como o céu. Enquanto ele procura pelas latas, não saio do lugar, incapaz de me mexer ou respirar. É como perder Finch outra vez.

Então Mike volta com a tinta da cor exata dos olhos de Finch, que não tem como saber ou lembrar. Mergulho o rolo na tinta e cubro o amarelo de azul. Tem algo de tranquilizante no movimento fácil e distraído.

Quando termino, Mike e eu damos um passo pra trás e observamos meu trabalho.

— Você não quer escrever nada? — ele pergunta.

— Não precisa, senão vou ter que cobrir tudo de novo. — E ninguém vai saber que estive aqui também.

Ajudo-o a guardar a lata e a limpar um pouco o galpão. Ele me conta sobre a bola, como o fato de que ela pesa quase 1815 quilos e é feita de mais de vinte mil camadas de tinta. Então me entrega um livro vermelho e uma caneta.

— Antes de ir embora, tem que assinar.

Folheio as páginas até encontrar o primeiro espaço em branco onde possa escrever meu nome e a data e um comentário. Meus olhos correm pelo papel e vejo que poucas pessoas estiveram aqui em abril. Volto uma página e ali está — ali está *ele*. **Theodore Finch, 3 de abril.** *"Hoje é o seu dia./ Você vai a Lugares Geniais!/ E está cheio de energia!"*

Corro os dedos pelas palavras, palavras que ele escreveu há poucas semanas quando esteve aqui e vivo. Leio algumas vezes e então, na primeira linha em branco, assino meu nome e escrevo: *"Sua montanha está à espera./ Então... vai indo, acelera!"*.

No caminho de volta a Bartlett, canto o que consigo lembrar da história do dr. Seuss que Finch musicou. Quando passo por Indianápolis, penso em procurar o viveiro onde ele pegou as flores no inverno, mas em vez disso continuo em direção ao leste. Eles não poderão me contar nada sobre Finch ou por que ele morreu ou o que escreveu na bola de tinta. A única coisa que me faz sentir melhor é que, o que quer que Finch tenha escrito, estará lá para sempre, sob as camadas.

Encontro minha mãe e meu pai na sala, ele ouvindo música nos fones, ela corrigindo trabalhos. Digo:

— Preciso que a gente converse sobre Eleanor e não esqueça que ela existiu. — Meu pai tira os fones. — Não quero fingir que está tudo bem quando não está, que estamos bem quando não estamos. Sinto falta dela. Não consigo acreditar que estou aqui e ela não. Sinto muito por termos saído naquela noite. Preciso que vocês saibam disso. Sinto muito por ter dito pra gente pegar a ponte pra vir pra casa. Ela só fez aquele caminho porque eu sugeri.

Quando eles tentam me interromper, falo mais alto:

— Não podemos voltar no tempo. Não podemos mudar nada do que aconteceu. Não posso trazer Eleanor nem Finch de volta. Não posso mudar o fato de que eu saía escondida para encontrá-lo depois que disse a vocês que a gente tinha terminado. Mas não quero mais evitar falar deles. A única consequência desse silêncio é que fica mais difícil pra eu lembrar de coisas que quero lembrar. Está sendo mais difícil lembrar dela. Às vezes tento me concentrar na voz dela só pra poder ouvir de novo... o jeito que ela dizia "E aí?" quando estava de bom humor e "Vi-o-let" quando estava irritada. Por algum motivo, essas são as coisas mais fáceis de ouvir. Me concentro nelas e, quando consigo, me agarro a elas porque não quero nunca esquecer o som da voz dela.

Minha mãe começa a chorar baixinho. A cara do meu pai fica branca.

— Querendo ou não, ela se foi, mas não precisa desaparecer completamente. Isso depende da gente. E querendo ou não, eu amava Theodore Finch. Ele era bom pra mim, apesar de vocês discordarem, de odiarem os pais dele e provavelmente o odiarem também, e apesar de ele ter morrido e de eu desejar que isso não tivesse acontecido, não posso fazer com que ele volte. Talvez tenha sido minha culpa. Então é bom e é ruim e machuca, mas gosto de pensar nele. Se eu pensar nele, ele também não vai desaparecer completamente. Só porque estão mortos, não precisam desaparecer. Nem a gente.

Meu pai senta como uma estátua de mármore, mas minha mãe levanta e anda desajeitada na minha direção. Ela me abraça, e penso: *Era assim que ela costumava parecer antes de tudo isso acontecer — forte e resistente, como se pudesse resistir a um furacão.* Ela ainda está chorando, mas é sólida e real, e só pra garantir belisco sua pele e ela finge não notar.

— Nada do que aconteceu é sua culpa — ela diz.

Então começo a chorar, e meu pai começa a chorar, uma lágrima furtiva por vez, então ele leva as mãos à cabeça e minha mãe e eu vamos até ele como se fôssemos uma única pessoa, e nós três nos aconchegamos, balançando um pouco prum lado e pro outro, nos revezando em dizer:

— Tudo bem. Estamos bem. Estamos todos bem.

VIOLET

ANDANÇAS RESTANTES 3 E 4

O drive-in Pendleton Pike é um dos últimos desse tipo. O que restou dele fica em um matagal na periferia de Indianápolis. Agora parece um cemitério, mas nos anos 60 foi um dos lugares mais populares da região — não apenas um cinema, mas um parque infantil com uma pequena montanha-russa e outros brinquedos e atrações.

A tela é a única coisa que sobreviveu. Estaciono no acostamento e me aproximo pela parte de trás. O dia está nublado, o sol, escondido atrás de nuvens cinza grossas, e apesar do calor estou tremendo. O lugar me dá arrepios. Enquanto caminho sobre ervas daninhas e poeira, tento imaginar Finch estacionando o Tranqueira onde deixei o carro e caminhando até a tela, que esconde o horizonte como um esqueleto, exatamente como eu caminho agora.

Acredito em sinais, ele escreveu.

E é isso que a tela parece — uma placa gigante, sinalizando alguma coisa. A parte de trás está coberta por grafite, e caminho entre garrafas de cerveja quebradas e bitucas de cigarro.

De repente tenho um daqueles momentos pelos quais a gente passa depois que perde alguém — quando sente que levou um chute na boca do estômago e todo o ar se esvaiu e talvez nunca mais volte. Quero sentar na poeira e chorar até não poder mais.

Em vez disso, contorno a tela, dizendo a mim mesma que talvez não encontre nada. Conto os passos me afastando da placa até ficar a uns bons trinta passos de distância. Viro e olho pra cima, e a larga superfície branca diz, em letras vermelhas: **Estive aqui. TF.**

Nesse momento, meus joelhos cedem e eu afundo, na poeira e nas ervas daninhas e no lixo. O que eu estava fazendo quando ele esteve aqui? Estava na aula? Estava com Amanda ou Ryan? Estava em casa? Onde eu estava quando ele subiu na tela e pintou, deixando algo pra trás, terminando nosso projeto?

Levanto e tiro uma foto com o celular, depois vou andando até lá, cada vez mais perto, até as letras ficarem enormes acima da minha cabeça. Me pergunto até onde alcançam, se alguém a quilômetros daqui consegue ler.

Encontro uma lata de tinta spray vermelha no chão, bem tampada. Pego a lata, torcendo pra que tenha um bilhete ou qualquer coisa que me diga que ele deixou isso aqui pra mim, mas é só uma lata.

Ele deve ter subido pela treliça de metal que mantém a tela no lugar. Coloco o pé em um dos degraus, enfio a lata de tinta debaixo do braço e dou impulso pra cima. Tenho que subir de um lado e depois descer e subir do outro pra terminar. Escrevo: **Estive aqui também. VM.**

Quanto termino, vou ver de longe. As letras dele são mais bem-feitas que as minhas, mas elas ficam bonitas juntas. Pronto, penso. Este é o nosso projeto. Começamos juntos e terminamos juntos. Então tiro outra foto só pro caso de um dia destruírem a tela.

Munster fica no extremo noroeste de Indiana. Dizem que é uma cidade-dormitório de Chicago porque fica só a quarenta e oito quilômetros de lá. É cercada de rios, algo de que Finch teria gostado. O Mosteiro de Nossa Senhora do Carmo fica em uma propriedade grande, com bastante sombra. Parece uma igreja normal no meio de um bosque bonito.

Perambulo por ali até um homem careca com um manto marrom aparecer.

— Posso ajudá-la?

Digo que vim pra um projeto da escola, mas não sei exatamente aonde devo ir. Ele assente como se tivesse entendido e me leva pra longe da igreja, em direção ao que chama de "santuários". Enquanto andamos, passamos por esculturas de madeira e cobre feitas em homenagem a um padre de Auschwitz e a santa Teresa de Lisieux, que também era conhecida como santa Teresinha do Menino Jesus.

O frade me conta que a igreja e as estátuas e o chão por onde caminhamos foram projetados e construídos por antigos capelães do exército polonês que vieram pros Estados Unidos depois da Segunda Guerra Mundial e realizaram o sonho de erguer um mosteiro em Indiana. Eu queria que Finch estivesse aqui pra dizer: *Quem sonha em construir um mosteiro em Indiana?*

Mas então lembro dele comigo no monte Hoosier, sorrindo pras árvores feias e pras fazendas feias e pras crianças feias como se enxergasse Oz. *Acredite ou não, é bonito para algumas pessoas...*

Então decido ver com os olhos dele.

Os santuários são várias grutas de pedra-sabão e cristais, e as paredes externas brilham na luz. A pedra-sabão dá ao lugar uma aparência de ostra e um ar antigo e popular ao mesmo tempo. O monge e eu passamos por uma entrada em arco, com uma coroa e estrelas pintadas, e então ele me deixa sozinha.

Do lado de dentro, há vários corredores subterrâneos, revestidos com a mesma pedra-sabão e os mesmos cristais e iluminados por centenas de velas. As paredes são decoradas com esculturas de mármore, vitrais e quartzos e fluoritas que captam e seguram a luz. O efeito é bonito e misterioso, e o lugar parece brilhar.

Saio no ar gelado e entro em outra gruta, outra série de túneis, estes com vitrais e cristais nas paredes de pedra como os outros, e estátuas de anjos, com a cabeça baixa e as mãos postas em oração.

Passo por um cômodo decorado como uma igreja, com fileiras de bancos de frente pro altar, onde uma imagem de Jesus em seu leito de morte feita em mármore está apoiada sobre uma base de cristais brilhantes. Passo por outro Jesus de mármore, este preso a um pilar. Depois entro em um cômodo que reluz do chão até o teto.

O arcanjo Gabriel e Jesus estão ressuscitando os mortos. É difícil descrever — mãos para cima e dúzias de cruzes amarelas pelo teto como estrelas ou aviões. As paredes com luz negra estão cobertas de placas pagas por familiares pedindo aos anjos que tragam seus entes queridos de volta à vida e deem a eles uma eternidade feliz.

Na palma da mão de Jesus, vejo uma pedra simples, sem brilho. É a única coisa que parece deslocada, então a pego e troco pelo objeto que trouxe — um anel de borboleta que era de Eleanor. Fico um pouco mais e então saio pra luz do dia, piscando. Na frente há duas escadarias, uma ao lado da outra, e uma placa: POR FAVOR, SEJA REVERENTE. NÃO ANDE NAS ESCADAS SAGRADAS! SUBA DE JOELHOS. OBRIGADO!

Conto mais de vinte e oito degraus. Ninguém está por perto. Eu poderia subir logo, mas penso que Finch esteve aqui antes e sei que ele não trapacearia. Assim, fico de joelhos e subo.

No topo, o monge aparece e me ajuda a levantar.

— Gostou dos santuários?

— São lindos. Principalmente o da luz negra.

Ele concorda com a cabeça.

— *O apocalipse ultravioleta*. As pessoas andam centenas de quilômetros para vê-lo.

O apocalipse ultravioleta. Agradeço e, a caminho do carro, me lembro da pedra, que ainda estou segurando. Abro a mão e ali está, a pedra que ele me deu, depois eu devolvi, e agora ele me deu de novo: *Sua vez*.

Na mesma noite, Brenda, Charlie e eu nos encontramos no pé da torre Purina. Convidei Ryan e Amanda pra virem com a gente, e depois de subirmos até o topo, nós cinco nos sentamos em círculo, segurando velas. Brenda as acende uma a uma, e cada um de nós diz algo sobre Finch.

Quando é a vez dela, fecha os olhos e diz:

— "Pula! Pula e lambe o céu! Pulo contigo; queimo contigo"! — Ela abre os olhos e sorri. — Herman Melville. — Então procura algo no celular, e a noite se enche de música. São os preferidos de Finch: Split Enz, The Clash, Johnny Cash.

Brenda pula e começa a dançar. Mexe os braços e dá chutes. Pula mais alto, e pula e pula, com os dois pés juntos, como uma criança fazendo birra. Ela não sabe, mas está dançando como Finch e eu dançamos naquele dia na seção infantil da Bookmarks.

Bren grita junto com a música, e todos nós rimos, e minha barriga até dói com o riso que me pegou de surpresa. É a primeira vez que rio assim em muito, muito tempo.

Charlie me levanta e agora ele está pulando, e Amanda está pulando, e Ryan faz um passinho estranho, passo, pula, passo, pula, sacode, sacode. Me junto a eles, pulando e dançando no topo na torre.

Quando chego em casa, ainda estou bem acordada, então abro o mapa e começo a estudá-lo. Mais um lugar. Quero guardar essa andança por um tempo, porque quando eu for, o projeto estará terminado, o que significa que não terei mais nada de Finch a encontrar, e ainda não encontrei muita coisa além de provas de que ele viu esses lugares sem mim.

O local é Farmersburg, que fica a apenas vinte e cinco quilômetros de Prairieton e do Buraco Azul. Tento lembrar o que planejávamos ver lá. Seguindo a lógica das anteriores, a mensagem que ele mandou que deveria corresponder a esse lugar foi a última que recebi: **Um lago. Uma prece. É tão adorável ser adorado em Particular.**

Procuro Farmersburg na internet, mas não encontro nada interessante. A população mal chega a mil habitantes, e a coisa mais impressionante sobre a cidade é que é conhecida pelo grande número de torres transmissoras de TV e rádio.

Não escolhemos esse lugar juntos.

Quando percebo, fico arrepiada.

Foi um lugar que Finch adicionou ao mapa sem me contar.

VIOLET

A ÚLTIMA ANDANÇA

Na manhã seguinte, levanto e saio de casa cedo. Quanto mais perto de Prairieton, mais pesada me sinto. Tenho que passar perto do Buraco Azul pra chegar a Farmersburg e quase dou a volta e vou pra casa porque é demais pra suportar e este é o último lugar em que eu gostaria de estar.

Quando chego a Farmersburg, não sei ao certo aonde ir. Dirijo por esse lugar não muito grandioso, procurando qualquer coisa que Finch pudesse querer que eu visse.

Tento encontrar algo adorável. Algo que tenha a ver com oração, e imagino uma igreja. Li na internet que há centro e trinta e três "locais de culto" nesta pequena cidade, mas parece estranho que Finch escolhesse um deles pra última andança.

Por que parece estranho? Você mal o conhecia.

Farmersburg é uma dessas cidadezinhas pacatas de Indiana, repleta de casinhas pacatas e com um centro também pacato. Tem fazendas e estradas de terra e ruas numeradas. Não chego a lugar nenhum, então faço o que sempre costumo fazer — paro na rua principal (todo lugar tem uma) e caço alguém que possa me ajudar. Como é domingo, as lojas e os restaurantes estão fechados. Ando pra cima e pra baixo, mas parece uma cidade-fantasma.

Volto para o carro e passo por toda igreja que encontro, mas nenhuma delas é adorável, e não vejo nenhum lago. Finalmente, paro em um posto de gasolina, e o menino que trabalha lá — que não deve ser muito mais velho que eu — me diz que tem alguns lagos ao norte, a certa distância da rodovia US 150.

— E tem igrejas lá?

— Pelo menos uma ou duas. Mas temos algumas aqui também — ele dá um sorriso fraco.

— Obrigada.

Sigo suas instruções até a US 150, que me leva pra longe da cidade. Ligo o rádio, mas só pega música country e estática; não sei o que é pior. Escuto a estática um tempo antes de desligar. Vejo uma loja de conveniência em um dos lados da estrada e paro o carro para ver se sabem me dizer onde esses lagos ficam.

Tem uma mulher no balcão. Compro chicletes e água e digo que estou procurando por um lago e uma igreja, um lugar adorável. Ela retorce a boca enquanto abre a caixa registradora com um soco.

— A Igreja Batista Emanuel fica subindo um pouco a estrada. Tem um lago um pouco à frente. Não é muito grande, mas sei que existe porque meus filhos nadavam lá.

— É particular?

— O lago ou a igreja?

— Os dois. O lugar que estou procurando é particular.

— O lago fica na estrada Particular, se é isso que quer dizer.

Minha pele começa a formigar. Na mensagem do Finch, "Particular" está com "P" maiúsculo.

— Sim. Isso mesmo. Como chego lá?

— Continue em direção ao norte na US 150. Você vai passar a Batista Emanuel à direita e vai ver o lago depois da igreja, aí já chega na Particular. É só sair da estrada, e pronto.

— À esquerda ou à direita?

—Você só pode virar pra um lado... o direito. É uma estrada curta. Tem uma empresa grande de tecnologia. Você vai ver a placa.

Agradeço e corro até o carro. *Estou perto. Logo vou chegar e aí tudo estará acabado — as andanças, Finch, nós, tudo.* Fico sentada por alguns segundos, me obrigando a respirar e prestar atenção em cada momento. Eu poderia esperar, deixar o que quer que seja pra depois.

Mas estou aqui, e o carro está em movimento, e sigo naquela direção, e ali está a Igreja Batista Emanuel, antes do que eu esperava, e vejo o lago, e esta é a estrada, entro nela, minhas mãos estão úmidas contra o volante e minha pele de repente ficou arrepiada, e percebo que estou quase sem ar.

Passo pela placa da empresa de tecnologia e a vejo lá na frente, no final da estrada. Estou em um beco sem saída e passo pela empresa angustiada, porque não tem nada de adorável aqui e este não pode ser o lugar certo. Mas se não é o lugar, pra onde tenho que ir?

Volto pela estrada Particular seguindo o mesmo caminho, e é quando vejo uma entrada que não peguei, um tipo de bifurcação. Sigo por ali e dou de cara com o lago e vejo a placa: CAPELA DE ORAÇÃO TAYLOR.

Uma cruz de madeira, do tamanho de um homem, fica alguns metros à frente da placa, e atrás da cruz e da placa há uma pequena capela branca com uma pequena torre. Há casas ao fundo e o lago em um dos lados, com a superfície verde por conta das algas.

Desligo o motor e fico sentada por alguns minutos. Perco a noção de quanto tempo passa. Ele veio aqui no dia em que morreu? Veio no dia anterior? Quando ele esteve aqui? Como encontrou este lugar?

Saio do carro e caminho até a capela e ouço meu coração e o som dos pássaros nas árvores ao longe. O ar pesado do verão.

Giro a maçaneta e a porta se abre, simples assim, e dentro da capela o ar é fresco e limpo, como se tivesse sido arejada há pouco tempo. Há apenas alguns bancos, porque o lugar é menor que o meu quarto, e na frente tem um altar de madeira com uma pintura de Jesus e dois vasos de flores, dois de plantas e uma Bíblia aberta.

As janelas longas e estreitas deixam a luz do sol entrar. Sento em um dos bancos e olho em volta, pensando: *E agora?*

Caminho até o altar, e alguém digitou e plastificou a história da igreja, que está apoiada em um dos vasos.

A Capela de Oração Taylor foi criada como um santuário para que viajantes cansados parem e repousem. Foi construída em memória daqueles que perderam a vida em acidentes de automóvel e para ser um lugar de cura. Lembramos daqueles que não estão mais aqui, que nos foram tirados cedo demais e que manteremos para sempre em nossos corações. A capela é aberta ao público de dia e de noite, inclusive em feriados. Estamos sempre aqui.

Agora sei por que Finch escolheu este lugar — pra Eleanor e pra mim. E pra ele também, porque ele era um viajante cansado que precisava repousar. Alguma coisa aponta pra fora da Bíblia — um envelope branco. Viro a página e alguém sublinhou estas palavras: *brilhais como estrelas no Universo.*

Pego o envelope e ali está meu nome: "Ultravioleta Markante".

Penso em levá-lo pro carro pra ler o que tem dentro, mas em vez disso sento em um dos bancos, grata pela madeira sólida que me segura. Estou pronta para ler o que ele pensava sobre mim? Pra ler o quanto o decepcionei? Estou pronta pra saber exatamente quanto o machuquei e como poderia... *deveria* tê-lo salvado se simplesmente prestasse mais atenção e interpretasse os sinais e não abrisse minha boca grande e o ouvisse e fosse suficiente e talvez o amasse mais?

Minhas mãos tremem quando abro o envelope. Tiro três folhas de partitura grossas, uma coberta de notas musicais, as outras duas de palavras que parecem a letra de uma música.

Começo a ler.

> *Você me faz feliz,*
> *Sempre que está perto, estou seguro em seu sorriso.*
> *Você me faz belo,*
> *Sempre que sinto que meu nariz é grande demais.*
> *Você me faz especial, e Deus sabe o quanto esperei pra ser o tipo de cara que se quer por perto.*
> *Você me faz te amar,*

E essa deve ser a maior coisa que meu coração já foi digno de fazer...

Choro — alto e soluçando, como se tivesse segurado a respiração por muito tempo e finalmente tivesse ar de novo.

Você me faz adorável, e é tão adorável ser adorado por aquela que adoro...

Leio e releio as palavras.

Você me faz feliz...
Você me faz especial...
Você me faz adorável...

Leio e releio até saber as palavras de cor, então dobro os papéis e guardo de volta no envelope. Fico sentada até as lágrimas pararem, e a luz começa a mudar e desaparecer, e o brilho suave e rosado do entardecer enche a capela.

Já está escuro quando chego em casa. No quarto, tiro a partitura mais uma vez e toco as notas na flauta. A música encontra o caminho até a minha cabeça e fica ali, como se fosse parte de mim, de forma que dias depois ainda estou cantando.

Não preciso me preocupar com o fato de Finch e eu não termos filmado nossas andanças. Tudo bem não termos recolhido lembranças nem tido tempo de organizar tudo de um jeito que fizesse sentido pra outra pessoa.

O que percebo agora é que o que importa não é o que a gente leva, mas o que a gente deixa.

VIOLET

20 DE JUNHO

É um dia claro e quente de verão. O céu é de um azul puro. Paro o carro e subo a ribanceira e fico por um bom tempo na grama na margem do Buraco Azul. Parte de mim espera vê-lo.

Tiro o sapato e entro na água, mergulhando fundo. Procuro por ele usando os óculos, apesar de saber que não vou encontrá-lo. Nado de olhos abertos. Subo de volta pra superfície sob o céu amplo, tomo fôlego e desço de novo, mais fundo. Gosto de pensar que ele está andando por outro mundo, vendo coisas que ninguém pode imaginar.

Em 1950, o poeta Cesare Pavese estava no auge de sua carreira literária, aplaudido pelos colegas e por seu país como o maior poeta italiano vivo. Em agosto daquele ano, tomou uma dose letal de comprimidos pra dormir, e apesar de manter um diário, ninguém nunca conseguiu explicar por que fez isso. Após a morte dele, a escritora Natalia Ginzburg declarou: "Para nós, parecia que sua tristeza era a de um menino, a melancolia desatenta e voluptuosa de um menino que ainda não desceu à terra, mas anda no mundo árido e solitário dos sonhos".

É um epitáfio que poderia ter sido escrito pro Finch, mas eu mesma escrevi um:

Theodore Finch — Eu estava vivo. Queimava intensamente. Então morri, mas não de verdade. Porque alguém como eu não pode e não vai morrer como todo mundo morre. Permaneço como as lendas do Buraco Azul. Sempre estarei aqui, nos objetos e nas pessoas que deixei pra trás.

Boio sob o céu aberto e o sol e todo aquele azul que me faz lembrar de Theodore Finch, assim como tudo me faz lembrar dele, e penso no meu próprio epitáfio, ainda a ser escrito, e em todos os lugares por onde andarei. Não mais enraizada, mas dourada, fluida. Sinto mil capacidades brotarem em mim.

NOTA DA AUTORA

A cada quarenta segundos, alguém no mundo se suicida. A cada quarenta segundos, quem fica tem de lidar com a perda.

Muito antes de eu nascer, meu bisavô morreu devido a um ferimento a bala que ele mesmo causou. Seu filho mais velho, meu avô, tinha só treze anos. Ninguém sabia se tinha sido intencional ou não — e como eram de uma cidadezinha no sul do país, meu avô e sua mãe e suas irmãs nunca discutiram isso. Mas aquela morte afetou nossa família por gerações.

Há muitos anos, um menino que eu conhecia e amava se matou. Fui eu quem o encontrou. Eu não queria conversar sobre essa experiência com ninguém, nem com as pessoas mais próximas. Até hoje, vários familiares e amigos meus não sabem muito sobre isso, se é que sabem de alguma coisa. Durante bastante tempo, era doloroso até mesmo pensar nisso, quanto mais falar, mas é importante conversar sobre o que aconteceu.

Em *Por lugares incríveis*, Finch se preocupa muito com rótulos. Existe, infelizmente, um estigma em torno do suicídio e de transtornos mentais. Quando meu bisavô morreu, as pessoas fofocavam. Apesar de sua viúva e seus três filhos nunca falarem sobre aquele dia, eles se sentiam julgados e, em certa medida, discriminados. Meu amigo se matou e um ano depois perdi meu pai para o câncer. Eles estavam doentes durante a mesma época e morreram com um intervalo de catorze meses, mas a reação a suas doenças e mortes não poderia ter sido mais diversa. As pessoas raramente levam flores para um suicida.

Foi só ao escrever este livro que descobri meu próprio rótulo — "sobrevivente pós-suicídio" ou "sobrevivente do suicídio". Felizmente, há muitas fontes para me ajudar a dar sentido a esse acontecimento trágico e entender como ele me afeta, assim como há muitos recursos para ajudar qualquer um, adolescente ou adulto, que esteja lutando contra problemas emocionais, depressão, ansiedade, instabilidade mental ou pensamentos suicidas.

Muitas vezes, transtornos mentais e emocionais não são diagnosticados porque a pessoa com os sintomas sente vergonha, ou porque as pessoas próximas não conseguem ou escolhem não reconhecer os sinais. De acordo com a Mental Health America, estima-se que haja 2,5 milhões de pessoas com transtorno bipolar nos Estados Unidos, mas o número verdadeiro deve ser duas ou três vezes maior que isso. A quantidade de pessoas com a doença que não são diagnosticadas ou que são mal diagnosticadas chega a oitenta por cento.

Se você acha que algo está errado, fale.

Você não está sozinho.

Não é sua culpa.

Existe ajuda para você.

Centro de Valorização da Vida (CVV)
www.cvv.org.br
Telefone: 188

Associação Brasileira de Familiares, Amigos
e Portadores de Transtornos Afetivos (ABRATA)
www.abrata.org.br
Telefone: (11) 3256 4831

Fênix — Associação Pró Saúde Mental
www.fenix.org.br
Telefone: (11) 3208 1225

Disque Denúncia de Violência contra Crianças
e Adolescentes (Disque Direitos Humanos)
www.sdh.gov.br/disque-direitos-humanos
Telefone: 100

ONG Educar Contra o Bullying
educarcontraobullying.webs.com

AGRADECIMENTOS

Em junho de 2013, dois dias depois de terminar meu sétimo livro e mandá-lo para meu editor em Nova York, tive uma ideia para outra história, apesar de estar esgotada e precisando de férias — eu estava escrevendo um livro atrás do outro havia dois anos.

No entanto, essa ideia era diferente. Pra começar, era pessoal. E, além disso, era pra jovens. Passei minha carreira escrevendo ficção e não ficção para adultos, mas estava pronta para algo diferente.

Eu queria escrever algo provocativo.

Eu queria escrever algo contemporâneo.

Eu queria escrever algo duro, difícil, triste, mas divertido.

Eu queria escrever do ponto de vista de um menino.

Em julho, assinei com a agente (campeã, parceira, editora) mais maravilhosa e incrível que poderia ter. Agradeço à incomparável Kerry Sparks por acreditar naquelas primeiras cinquenta páginas e em mim. Ninguém jamais saberá o que sua confiança e seu entusiasmo significaram naquele momento específico da minha vida. Acordo todos os dias grata por ter ao meu lado Kerry e todas as pessoas fantásticas da Levine Greenberg (em especial a Monika Verma e Elizabeth Fisher). Elas me tornam adorável.

Assim como Allison Wortche, minha editora brilhante, que é tão experiente e perspicaz quanto amável e gentil e investiu tanto em Finch e Violet quanto eu. A história deles não seria a mesma sem sua mão habilidosa. Ela e todo o time da Knopf e da Random House Children's Books (a presidente e *publisher* Barbara Marcus, a vice-presidente e diretora editorial Nancy Hinkel, a diretora executiva de arte Isabel Warren-Lynch, a diretora de arte Alison Impey, o editor executivo de texto Artie Bennett e as incríveis Renée LaFiero e Katharine Wiencke, a gerente editorial Shasta Clinch, Tim Terhune e Barbara Cho na produção, Pam White e Jocelyn Lange nos direitos subsidiários, a diretora de marketing Dominique Cimina, a diretora de desenvolvimento de conteúdo Lynn Kestin, e todos os outros de vendas, marketing e publicidade) criaram os lugares mais incríveis para eu viver, respirar e trabalhar, e estou muito feliz por estar com eles.

Também estou feliz por trabalhar com minha agente de cinema maravilhosa, Sylvie Rabineau, e a Agência Literária RWSG.

Minha adorável mãe, melhor amiga e também autora Penelope Niven torna o mundo mais adorável só de estar nele. Ela me ensinou desde pequena que minha montanha estava à espera e nunca deixou de me incentivar a continuar escalando.

Agradeço à minha família e aos meus amigos pelo apoio inabalável, mesmo quando sou insuportavelmente consumida pelo trabalho (o que acontece na maior parte do tempo). Eu não teria conseguido sem vocês. Um agradecimento especial a Annalise von Sprecken, minha consultora em todas as coisas adolescentes e a pessoa que me deu "_____ é vida".

Obrigada a Louis, amor da minha vida e parceiro de inúmeras maneiras, que aguentou horas de preocupação, *brainstorming*, esboços, recitação de fatos relacionados a suicídio, questionários ("E se Violet e Finch se conhecessem no parapeito da torre?"; "E se Finch e Roamer fossem amigos antes?"; "E se Amanda também estivesse no Vida É Vida?"), sem contar as horas ouvindo One Direction (meu Boy Parade). Ele, mais que qualquer um (com exceção de nossos três gatos), viveu este livro comigo.

Agradeço a John Ivers (*Blue Flash, Blue Too* — Flash Azul, Outra Azul) e Mike Carmichael (World's Biggest Ball of Paint — A Maior Bola de Tinta do Mundo), por criarem pontos turísticos tão únicos e maravilhosos e por me deixarem usar os nomes verdadeiros.

Agradeço ao meu primeiro editor, Will Schwalbe, que continua a ser um sábio mentor e um amigo querido. E a Amanda Brower e Jennifer Gerson Uffalussy, por me levarem a Kerry Sparks.

Agradeço a Briana Harley, por ter sido minha consultora oficial sobre literatura para jovens.

Agradeço às garotas e aos garotos da *Germ* (Semente), por tudo o que são e fazem, especialmente Louis, Jordan, Shannon, Sheryl, Shelby, Lara e as outras duas Brianas. Vocês são as garotas (e os garotos) mais incríveis.

Agradeço às pessoas generosas (que desejam permanecer anônimas) que compartilharam histórias pessoais sobre transtornos mentais, depressão e suicídio. E aos especialistas da Associação Americana de Suicidologia, da Clínica Mayo e do Instituto Nacional de Saúde Mental.

Finalmente, agradeço ao meu bisavô Olin Niven. E ao garoto que amei e que morreu cedo demais, mas me deixou uma canção.

E em duas semanas, voaremos outra vez, quem sabe a um restaurante chinês.
Você me faz feliz, você me faz sorrir.

NOTA DA EDIÇÃO

As citações originais utilizadas nesta edição foram retiradas de *A última batalha*, de C.S. Lewis (Trad. de Silêda Steuernagel. São Paulo: Martins Fontes, 2003); *Adeus às armas*, de Ernest Hemingway (Trad. de Monteiro Lobato. Rio de Janeiro: Delta, 1969); *Ah, os lugares aonde você irá!*, de Dr. Seuss (Trad. de Lavínia Fávero, Gisela Moreau e Mônica Rodrigues da Costa. São Paulo: Companhia das Letrinhas, 2001); *As ondas*, de Virginia Woolf (Trad. de Lya Luft. Rio de Janeiro: Nova Fronteira, 1991); carta de Virginia Woolf para Leonard Woolf (março de 1941), In: *Cartas extraordinárias* (Org. de Shaun Usher. Trad. de Hildergard Feist. São Paulo: Companhia das Letras, 2014); *Moby Dick*, de Herman Melville (Trad. de Irene Hirsch e Alexandre Barbosa de Souza. São Paulo: Cosac Naify, 2013); *Noite e dia*, de Virginia Woolf (Trad. de Raul de Sá Barbosa. Rio de Janeiro: Nova Fronteira, 1980); *O morro dos ventos uivantes*, de Emily Brontë (Trad. de David Jardim Júnior. Rio de Janeiro: Nova Fronteira, 2011); *Por quem os sinos dobram*, de Ernest Hemingway (Trad. de Monteiro Lobato. São Paulo: Companhia Editora Nacional, 1963); registro feito em 5 de setembro de 1925, In: *Diários de Virginia Woolf* (Org. e trad. de José Antônio Arantes. São Paulo: Companhia das Letras, 1989).

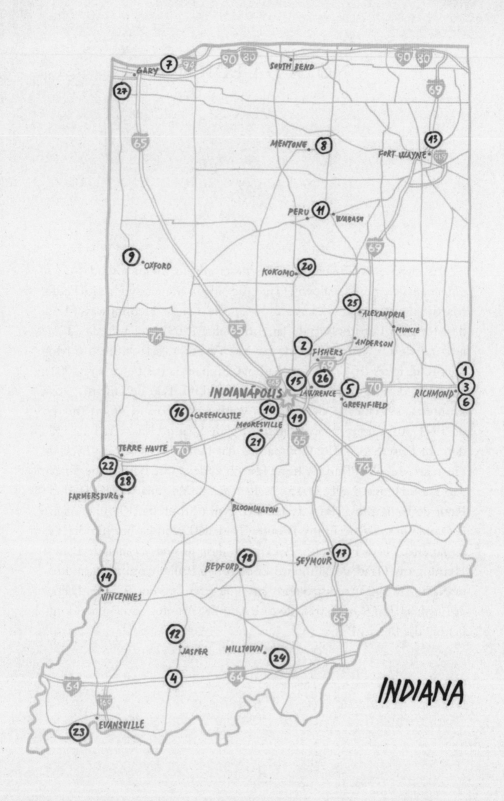

OS LUGARES INCRÍVEIS DE INDIANA

As atrações de Indiana que aparecem no livro, muitas das quais Violet e Finch visitam em suas andanças, existem de verdade. Veja no mapa ao lado a localização e descubra um pouco mais sobre cada uma delas abaixo.

1. Hoosier Hill

Pico mais alto de Indiana, o monte Hoosier, conforme afirmado no livro, fica a 383 metros acima do nível do mar. O lugar pertence a uma propriedade privada, mas trilha, placa e área de piquenique foram construídas para receber visitantes.

2. Conner Prairie

Localizado na cidade de Fishers, o Parque Histórico Conner Prairie é um museu interativo a céu aberto. Visitando a sua principal construção, a casa de William Conner, que data do século XIX, e interagindo com os funcionários, que se vestem, falam e se comportam como se vivessem nessa época, o público pode descobrir como era a vida na região dois séculos atrás.

3. The Levi Coffin House

Construída em 1839 em Fountain City, a casa de Levi Coffin era uma das paradas nas rotas de fuga clandestinas dos escravos americanos. Estima-se que Levi e sua esposa Catherine ajudaram mais de dois mil escravos a escapar para o Canadá ou para estados do norte onde a escravidão já havia sido abolida.

4. Lincoln Boyhood National Memorial

O Memorial Nacional da Infância de Lincoln é um museu que preserva a fazenda onde o ex-presidente dos Estados Unidos viveu quando tinha entre sete e vinte e um anos. Localizado ao sul do estado, em Lincoln City, contém painéis de pedra retratando diferentes fases da vida de Lincoln, assim como artefatos do início do século XIX.

5. James Whitcomb Riley's Boyhood Home

Nascido em Greenfield em 1849, James Whitcomb Riley escreveu diversas obras para crianças, além de poemas humorísticos ou sentimentais. Sempre incluía em seus textos marcas do dialeto de Indiana. A casa onde ele nasceu e passou a infância se tornou um museu, que abriga alguns de seus manuscritos e leva os visitantes de volta aos anos 1850 e 1860.

6. The Purina Tower

Divisão de ração animal da empresa Nestlé, a Purina construiu em 1951 uma usina na cidade de Richmond. Feito de concreto, o edifício tem quase 47 metros de altura. No final do ano, um conjunto de luzes é pendurado no topo, se assemelhando a uma árvore de Natal.

7. Dune State Park

O Parque Estadual das Dunas, oficializado em 1925, fica ao norte de Indiana, à beira do lago Michigan. As dunas chegam a sessenta metros acima do nível do lago, compondo uma paisagem que levou milhares de anos para se formar. O local é habitat de várias espécies de plantas e animais, e os visitantes podem fazer piqueniques, trilhas, pescar e nadar.

8. World's Largest Egg

O ovo da cidade de Mentone é feito de concreto, pesa 1360 kg e possui três metros de altura. Foi construído originalmente em 1946 para divulgar o "Festival do Ovo", que ainda acontece anualmente na cidade.

9. Home of Dan Patch, the Racehorse

No início do século XIX, o lendário cavalo Dan Patch quebrou recordes mundiais de velocidade pelo menos catorze vezes em sua categoria. Na época, ele se tornou um ícone do esporte e sua figura esteve presente em propagandas dos mais variados produtos. Em sua cidade de origem, Oxford, o Dia de Dan Patch é comemorado até hoje, e o estábulo onde ele nasceu está preservado, junto a um túmulo simbólico.

10. Market Street Catacombs

Poucos sabem, mas sob o movimentado Mercado Municipal de Indianápolis existe uma rede de túneis que data dos anos 1880. Construídas em calcário e tijolos, as catacumbas eram usadas para transporte e armazenagem de alimentos, já que não havia refrigeração e o subsolo era mais fresco. Visitas podem ser agendadas.

11. Seven Pillars

Em Miami County, à beira do rio Mississinewa, há sete colunas de calcário que ficaram conhecidas como Sete Pilares. A paisagem estonteante foi formada ao longo dos anos, conforme o vento e a água erodiam a rocha, esculpindo as colunas arredondadas e as grandes reentrâncias.

12. Indiana Baseball Hall of Fame

Localizado na cidade de Jasper, desde 1979 o Hall da Fama do Beisebol já homenageou 164 pessoas, em quatro categorias diferentes: jogador profissional, treinador/ técnico (colégio, faculdade e profissional), colaborador e veterano (treinador experiente ou aposentado). O museu é aberto à visitação e conta com diversos itens relacionados ao esporte, além de conteúdo multimídia.

13. The Bookmark Bookstore

Localizada em Fort Wayne, a livraria Bookmark possui em seu acervo livros novos e usados. O estabelecimento compra e revende livros didáticos para os alunos das faculdades da região.

14. Blue Flash & Blue Too Roller Coasters

As montanhas-russas Blue Flash e Blue Too (Flash Azul e Outra Azul) foram construídas em 2001 e 2006, respectivamente, no quintal de seu criador, John Ivers, na cidade de Bruceville. Ambas foram feitas com peças de carro e de equipamentos agrícolas. John recebe visitantes durante os fins de semana com agendamento prévio.

15. Painted Rainbow Bridge

Cruzando o Canal Central de Indianápolis em direção ao bairro alternativo de Broad Ripple Village, a ponte Arco-Íris funciona como ponto de encontro para eventos locais, manifestações, feiras de arte e desfiles. Tem esse nome porque é pintada regularmente pela comunidade local de vermelho, laranja, amarelo, verde, azul e roxo.

16. Periodic Table Display

A Universidade DePauw, em Greencastle, reuniu amostras de quase todos os elementos da tabela periódica em um só lugar, cada qual ocupando um cubo de quinze centímetros. É possível descobrir a aparência de elementos menos conhecidos e ver as diversas formas que os mais comuns podem tomar (como o cobre, que pode ser encontrado em fios, pregos ou puro). Os elementos que não estão presentes são perigosos ou instáveis.

17. Reno Brothers Lynching & Burial Site

No Cemitério Municipal de Seymour estão enterrados Frank, William e Simeon Reno, irmãos e líderes da gangue que executou o primeiro roubo de trem do mundo, no final da Guerra Civil Americana. Em 1868, eles foram linchados por justiceiros que invadiram a cela onde os três estavam presos. Ainda assim, as histórias da gangue viraram lenda e passaram a fazer parte do imaginário do Velho Oeste.

18. Empire Quarry

No sul de Indiana, perto de Bloomington e Bedford, há uma série de pedreiras de calcário — hoje desativadas — que forneceram o material necessário para a construção de diversos edifícios americanos importantes. Da principal delas, Empire Quarry, saíram toneladas de pedra para a construção do Empire State Building, em Nova York.

19. Indiana Moon Tree

O sicômoro gigante cresceu a partir de uma semente levada à Lua e trazida de volta pelo astronauta Stuart Roosa, na Apollo 14, em 1971. Localizada em Indianápolis, é uma das cinquenta árvores que ainda estão vivas entre as quinhentas originais. Há mais três delas em Indiana, nas cidades de Cannelton, Lincoln City e Tell City.

20. Kokomo

Desde 1999, centenas de reclamações foram feitas pelos habitantes da cidade de Kokomo relatando um zumbido que desencadeava sintomas como dor de cabeça, náusea, diarreia, cansaço e dor nas juntas. Em 2002, a cidade investiu cem mil dólares numa investigação, e as possíveis causas do barulho foram extintas. Porém, alguns habitantes continuaram a reclamar do misterioso zumbido.

21. Gravity Hill

As chamadas "gravity hills" (colinas da gravidade, em português) são declives que, por uma ilusão de óptica criada pela paisagem no entorno, parecem subidas. Assim, quando deixamos o carro em ponto morto na base da ladeira, temos a impressão de que ele sobe sozinho, quando na verdade está descendo. Em Indiana, há uma colina na cidade de Mooresville. No Brasil, há uma ladeira semelhante em Belo Horizonte: se chama rua do Amendoim.

22. Blue Hole Lake

Na saída da cidade de Prairieton está o Buraco Azul, um lago que inspirou uma série de lendas locais. Assim como Finch conta para Violet, dizem que ele não tem fundo, que guarda tesouros piratas, que é habitado por monstros e que já serviu como esconderijo de cadáveres. Há ainda histórias de acidentes envolvendo ônibus e trens que caíram no lago e nunca mais foram achados, e de pessoas que foram nadar no local e nunca mais apareceram.

23. Nest Houses

Nascido em Oklahoma e criado na Carolina do Norte, o artista Patrick Dougherty cria suas esculturas tecendo galhos em formas de casas, cabanas, casulos, jarros ou corpos humanos. Suas obras chegam a doze metros de altura e têm um tempo de vida limitado, devido à decomposição e à ação das intempéries sobre o material orgânico. As Casas-Ninho ficavam na Universidade do Sul de Indiana, em New Harmony.

24. Shoe Tree

Num cruzamento de quatro vias em Milltown, estão as árvores de sapato. A original de fato foi atingida por um raio, e o costume se espalhou pelas árvores adjacentes. Não se sabe ao certo a motivação por trás da atividade, mas diz a lenda que quem deixar um par de sapatos ali terá sorte por um ano.

25. World's Largest Ball of Paint

A história de Michael Carmichael e sua bola de tinta gigante contada no livro também é verídica. A bola foi criada a partir de camadas e mais camadas de tinta, pintadas sobre uma bola de beisebol desde 1977. Hoje em dia está num galpão na casa de Michael, nos arredores da cidade de Alexandria, e os visitantes que contribuem com uma camada assinam um livro de registros, tiram foto e ganham um certificado.

26. Pendleton Pike Drive-In

Inaugurado em 1940 na cidade de Lawrence, foi um dos primeiros cinemas drive-in do estado. Capaz de acomodar cerca de quinhentos carros e com um pequeno parque de diversões acoplado, funcionou até 1993. Hoje só resta a tela em decadência.

27. Lady of Mount Carmel Monastery

O Mosteiro de Nossa Senhora do Carmo realmente existe, na cidade de Munster, e abre para visitação aos domingos. Os santuários são feitos de pedra, decorados com vitrais nas janelas e esculturas de mármore, e uma das principais atrações é a sala iluminada por luz negra, a Ultraviolet Apocalypse.

28. Emmanuel Baptist Church

O lugar da última andança de Violet, percorrendo as últimas atrações visitadas por Finch, é uma igreja que realmente existe. Ela fica nos arredores de Farmersburg, perto de um lago.

1ª EDIÇÃO [2015] 26 reimpressões

ESTA OBRA FOI COMPOSTA PELA VERBA EDITORIAL EM BEMBO
E IMPRESSA PELA GRÁFICA BARTIRA EM OFSETE SOBRE PAPEL PÓLEN NATURAL
DA SUZANO S.A. PARA A EDITORA SCHWARCZ EM FEVEREIRO DE 2023

A marca FSC® é a garantia de que a madeira utilizada na fabricação do papel deste livro provém de florestas que foram gerenciadas de maneira ambientalmente correta, socialmente justa e economicamente viável, além de outras fontes de origem controlada.